1977

Du même auteur
chez le même éditeur

1974
1980
1983

David Peace

1977

Traduit de l'anglais
par Daniel Lemoine

Collection dirigée par
François Guérif

Rivages/noir

Titre original : *Nineteen Seventy Seven*

© 2000, David Peace
© 2003, Éditions Payot & Rivages
pour la traduction française
© 2005, Éditions Payot & Rivages
pour l'édition de poche
106, boulevard Saint-Germain – 75006 Paris

ISBN : 2-7436-1381-5
ISSN : 0764-7786

Ce livre est dédié aux victimes des crimes attribués à l'Éventreur du Yorkshire et à leurs familles.

Ce livre est également dédié aux hommes et aux femmes qui ont tenté de mettre un terme à ces crimes.

Cependant ce livre demeure une œuvre de fiction.

Si le juste
se détourne de la justice
et commet l'iniquité, et meurt pour cela,
il meurt à cause de l'iniquité
qu'il a commise.

Si le méchant
revient de sa méchanceté
et pratique la droiture et la justice,
il fera vivre son âme.

Ézéchiel
18, 26-27

Nouvelle supplique

Mardi 24 décembre 1974.

L'escalier du Strafford et le trottoir, lumières bleues sur le ciel noir, sirènes sur le vent.

Merde, merde, merde, merde.

Courant, foutu à jamais – la recette de la caisse, le contenu de leurs putains de poches.

Merde, merde, merde.

Il aurait dû finir ce qu'il avait commencé; les flics encore en vie, la barmaid et le vieux con. Dû aller jusqu'au bout, régler leur compte à tous ces crétins.

Merde, merde.

Dernier car pour Manchester et Preston, dernière sortie, dernière danse.

Foutu.

PREMIÈRE PARTIE

Cadavres

L'auditeur : Alors on s'arrête devant chez elle et elle dit qu'elle a pas de blé. Qu'elle est fauchée. Alors je dis : Et le prix de la course, bordel ? Je suis déjà le dernier chauffeur de taxi blanc ; je suis pas une putain d'association caritative, hein ?

John Shark : Vous êtes une espèce en voie de disparition.

L'auditeur : Oui. Alors qu'est-ce qu'elle fait ? Elle les écarte vachement large, une sur chaque siège, et j'en prends plein la vue. Et elle dit : T'as qu'à te servir. Putain, j'y croyais pas.

John Shark : Du calme, Don. Qu'est-ce que vous avez fait ?

L'auditeur : Qu'est-ce que vous croyez, bordel ? Je l'ai sortie et je lui en ai foutu un coup, hein ? Sur la banquette arrière de la bagnole. Un bon coup et tout. Sûr qu'il y avait longtemps qu'elle avait pas pris son pied comme ça.

John Shark : Les femmes, hein ? On peut pas se passer d'elles, on peut pas les tuer. Sauf autour de Chapeltown.

The John Shark Show
Radio Leeds
Dimanche 29 mai 1977

1

Leeds.

Dimanche 29 mai 1977.

Ça recommence :

Quand les deux sept s'entrechoquent...

Brûler du caoutchouc banalisé dans une aube torride de plus, jusqu'à un parc antique et sa morte secrète, de Potter's Field à Soldier's Field, les parcs livrent leurs fantômes, ça recommence.

Dimanche matin, vitres baissées et *encore une journée de canicule*, boîte à lettres rouge trempée de sueur, chiens aboyant au soleil levant.

Radio allumée : la mort partout.

En stéréo : radio de la voiture et talkie-walkie.

La voix de Noble, dans une autre voiture.

Ellis se tourne vers moi : un regard comme s'il fallait aller plus vite.

– Elle est morte, je dis, mais je sais ce qu'il pense sûrement :

Dimanche matin – ça LUI donne une journée, une journée d'avance sur nous, une vie d'avance sur nous. Rien que cette connerie de Jubilé, dans tous les journaux, jusqu'à demain matin, personne ne se souviendra d'un samedi soir comme les autres à Chapeltown.

Chapeltown – ma ville depuis deux ans ; rues verdoyantes bordées de villas anciennes et majes-

17

tueuses divisées en appartements minuscules et crasseux pleins de femmes célibataires qui vendent leur sexe pour faire vivre leurs sales mômes, leurs sales mecs, leurs sales habitudes.

Chapeltown – mon commerce : LA BRIGADE CRIMINELLE.

Les accords qu'on passe, les mensonges qu'ils croient, les secrets qu'on garde, le silence qu'ils obtiennent.

Je mets la sirène : un bon coup de masse dans tous leurs dimanches matin, une sonnerie aux morts.

Et Ellis dit :

– Ça va réveiller tous ces putains de bougnoules.

Mais, un kilomètre plus loin, je suis sûr qu'elle n'aura pas un sursaut sur son lit humide de rosée.

Et Ellis sourit, comme s'il n'y avait que ça ; comme s'il s'attendait à ça depuis toujours.

Mais il ne sait pas ce qui gît dans l'herbe, dans Soldier's Field.

Moi si.

Je sais.

Je connais.

Et, maintenant, ça recommence.

– Où est Maurice, nom de Dieu ?

Je traverse Soldier's Field, dans l'herbe, me dirige vers elle. Je dis :

– Il va arriver.

Le superintendant Peter Noble, le boy de George, pas derrière son énorme bureau de Millgarth, mais entre moi et elle.

Je sais ce qu'il cache : *il y aura un imperméable étendu sur elle, les bottes ou les chaussures posées sur ses cuisses, une culotte autour de la cheville, un sou-tien-gorge remonté, son estomac et ses seins auront été évidés avec un tournevis, son crâne défoncé à coups de marteau.*

Noble jette un coup d'œil sur sa montre et dit :

– Bon, de toute façon, je m'occupe de celui-là.

Un type en survêtement, près d'un grand chêne, vomit. Je jette un coup d'œil sur ma montre. Il est sept heures et de la vapeur d'eau monte au-dessus de l'herbe, dans tout le parc.

Finalement, je dis :

– C'est lui ?

Noble s'écarte.

– Vois par toi-même.

– Putain, fait Ellis.

L'homme en survêtement lève la tête, le blouson couvert de vomi et, l'estomac noué, je pense à mon fils.

Dans la rue, d'autres voitures arrivent, des gens se rassemblent.

Le superintendant Noble dit :

– Pourquoi tu as foutu cette putain de sirène ? Maintenant, ils vont rappliquer de partout.

– Des témoins éventuels.

Je souris et, finalement, la regarde. Un imperméable beige est étendu sur elle, pieds et mains blanches visibles. Il y a des taches sombres sur l'imper.

– Regarde, nom de Dieu, dit Noble à Ellis.

– Vas-y, j'ajoute.

L'agent Ellis enfile lentement les deux gants en plastique puis s'accroupit dans l'herbe, près d'elle.

Il soulève l'imperméable, avale sa salive, me regarde, dit :

– C'est lui.

Je reste immobile, avale ma salive, l'œil fixé sur des crocus ou je ne sais quoi.

Ellis remet l'imper en place.

Noble dit :

– C'est lui qui l'a trouvée.

Je me tourne vers l'homme en survêtement, vers l'homme taché de vomi, reconnaissant.

– On a une déposition ?

– Si ça ne t'embête pas, fait Noble, souriant.

Ellis se redresse.

– Putain de façon de partir, dit-il.

Le superintendant Noble allume une cigarette, souffle la fumée.

– Conasse de pute, crache-t-il.

– Je suis le sergent Fraser et voici l'agent Ellis. Il faudrait que nous prenions votre déposition et, ensuite, vous pourrez rentrer chez vous.

– Déposition ?

Il pâlit à nouveau, ajoute :

– Vous ne croyez pas que j'ai...

– Non, monsieur. Il faut simplement que vous expliquiez pourquoi vous vous trouviez ici, ce qui vous a amené à signaler cela.

– Je vois.

– Installons-nous dans la voiture.

On gagne la chaussée et on s'assied sur la banquette arrière. Ellis prend place devant et éteint la radio.

Je ne pensais pas qu'il ferait aussi chaud. Je sors mon carnet et mon stylo. Le type empeste. La voiture était une mauvaise idée.

– Commençons par votre nom et votre adresse.

– Derek Poole, avec un *e*. 4 Strickland Avenue, Shadwell.

Ellis se retourne.

– Près de Wetherby Road ?

Monsieur Poole répond :

– Oui.

– Ça fait une sacrée trotte, je dis.

– Non, non. Je suis venu en voiture. Je fais le tour du parc, c'est tout.

– Tous les jours ?

– Non. Seulement le dimanche.

– À quelle heure êtes-vous arrivé ?

Il hésite, puis répond :

– Vers six heures.

– Où êtes-vous garé ?

– Un peu plus loin, à une centaine de mètres.

De la tête, il montre Roundhay Road.

Il a des secrets, Derek Poole, et je parie avec moi-même :

2 contre 1, maîtresse.

3 contre 1, putes.

4 contre 1, pédé.

De toute façon, le sexe.

C'est un homme solitaire, Derek Poole, qui s'ennuie souvent. Mais ce n'était pas ce qu'il avait prévu pour aujourd'hui.

Il me regarde. Ellis se retourne à nouveau.

Je demande :

– Êtes-vous marié ?

– Oui, répond-il, comme s'il mentait.

J'écris *marié*.

Il demande :

– Pourquoi ?

– Comment ça, pourquoi ?

Il change de position.

– Pourquoi vous posez cette question ?

– Parce que je vais aussi vous demander quel est votre âge.

– Je vois. La routine.

Derek Poole, ses infidélités et son arrogance ne me plaisent pas, donc je dis :

– Monsieur Poole, une jeune femme a été éventrée et on lui a défoncé le crâne, ça n'a rien à voir avec la routine.

Derek Poole fixe le tapis de sol de la voiture. Il a vomi sur ses chaussures de sport et je me demande s'il va remettre ça, si l'habitacle va empester pendant une semaine.

– Finissons-en, je marmonne, certain que je suis allé trop loin.

L'agent Ellis ouvre la portière à monsieur Poole et on se retrouve tous au soleil.

Les putains de flics sont si nombreux, maintenant, que je les regarde et me dis : *trop de chefs.*

Il y a mon boss, l'inspecteur Rudkin, le superintendant Prentice, le superintendant Alderman, l'ancien chef du CID de Leeds, le superintendant Maurice Jobson, le nouveau chef, Noble, et, au cœur de la mêlée, George Oldman en personne, le directeur adjoint de la police. Près du corps, le professeur Farley, chef du service de médecine légale de l'Université de Leeds, et ses assistants se préparent à emmener la femme loin de tout ça.

Le superintendant Alderman a un sac à la main, il s'éloigne en compagnie de deux flics en uniforme, dont une femme.

Ils ont un nom, une adresse.

Prentice supervise les agents en uniforme chargés de faire du porte à porte, de contenir les curieux.

La cabale se tourne vers nous.

L'inspecteur Rudkin, qui a une sacrée putain de gueule de bois, crie :

– Au quartier général dans une demi-heure !

Quartier général.
Millgarth Street, Leeds.
Cent hommes dans une pièce du deuxième étage. Pas de fenêtres, seulement de la fumée, de la lumière blanche et les visages des morts.

George et ses gars, de retour du parc, entrent. Il y a des claques sur les épaules, des poignées de main ici, des clins d'œil là, *comme une putain de réunion.*

Je regarde les bureaux et les téléphones, les dos de chemise trempés de sueur et tachés, les murs derrière le directeur adjoint, les deux visages que j'ai vus de si nombreuses fois, tous les jours, toutes les nuits, quand je me réveille, quand je rêve, quand je saute ma femme, quand j'embrasse mon fils :

Theresa Campbell.

Joan Richards.

La familiarité engendre le mépris.

Noble prend la parole :

– Messieurs, il est de retour.

Pause théâtrale, sourires entendus.

– Le mémorandum suivant a été envoyé à tous les services et aux zones limitrophes :

« Ce matin, à 6 h 50, le corps de Mme Marie Watts, née le 2-7-45 et domiciliée 3, Francis Street, Leeds 7, a été découvert à Soldier's Field, Roundhay, près de West Avenue, Leeds 8. On a constaté que le corps avait de nombreuses plaies à la tête, la gorge tranchée et des marques de coups de poignard à l'abdomen.

« Cette femme, originaire de Londres, habitait la région de Leeds depuis octobre 1976. On croit savoir qu'elle travaillait, à Londres, dans les hôtels. Son mari a signalé sa disparition à Blackpool en novembre 1975.

« Nous vous demandons de rechercher la présence de taches de sang sur les vêtements de toute personne arrêtée par les services de police et nous vous demandons également d'enquêter auprès des teinturiers au cas où des vêtements tachés de sang leur auraient été confiés. Toutes les constatations doivent être adressées au quartier général du poste de police de Millgarth Street.

Fin du message. »

Le superintendant Noble, debout, sa feuille de papier à la main, attend.

– Il faut ajouter, reprend-il, un petit ami nommé Stephen Barton, 28 ans, noir, également domicilié 3,

Francis Street. Soupçonné de cambriolage. Probablement le souteneur de feu madame Watts. Videur à l'International, à Bradford, parfois au Cosmos. Ne s'est rendu dans aucun de ces endroits hier et personne ne l'a vu depuis hier soir, à 18 heures, au moment où il sortait du Corals, dans Skinner Lane, où il venait de claquer pratiquement cinquante livres.

Les auditeurs sont impressionnés. On a un nom, une biographie et deux heures ne se sont pas écoulées.

Enfin une occasion.

Noble baisse la tête, la langue au bord des lèvres.

– Les gars, trouvez-le.

Le sang d'une centaine d'hommes battant fort et vite, des chiens de chasse, tous autant qu'on est, la puanteur de la traque comme des marques sanglantes sur nos fronts.

Oldman se lève.

– Voilà comment ça va se passer :

« Comme vous le savez tous, c'est le numéro 3, dans le meilleur des cas. Ensuite, il y a les autres agressions possibles. Vous avez tous travaillé sur une ou plusieurs d'entre elles, donc, à partir d'aujourd'hui, vous êtes la Brigade d'enquête sur les meurtres des prostituées, dont le quartier général se trouve dans ce poste de police, sous la direction du superintendant Noble ici présent.

LA BRIGADE D'ENQUÊTE SUR LES MEURTRES DES PROSTITUÉES.

La pièce murmure, bourdonne, chante : tout le monde a ce qu'il voulait.

Moi aussi...

Fini les attaques de bureaux de poste et *l'assistance à ces putains de personnes âgées.*

Sous-directeurs de bureaux de poste sous la menace d'une arme, six canons devant le nez, épouses ligotées, une baffe et un coup de poing dans leur chemise de nuit, seul Scrooge refuse de donner le pognon, alors un coup de crosse sur le crâne et bienvenue au pays de la Crise cardiaque.

Un mort.

– La brigade se composera de quatre équipes dirigées par les superintendants Prentice et Alderman ainsi que par les inspecteurs Rudkin et Craven. L'inspecteur Craven coordonnera également l'administration. Ici, à Millgarth. Le superintendant White se chargera des transmissions, l'inspecteur Gaskin des relations internes et l'inspecteur Evans des relations avec la presse; tous seront basés à Wakefield.

Oldman s'interrompt. Je scrute la pièce à la recherche de Craven, mais il n'est pas là.

– Le superintendant Jobson et moi-même nous tiendrons à votre disposition dans le cadre de l'enquête.

Je jure qu'il y a des soupirs.

Oldman pivote sur lui-même et dit :

– Pete ?

Le superintendant Noble s'avance à nouveau :

– Il faut cuisiner tous les métèques de moins de trente ans qui ne sont pas mariés. Je veux des noms. Des petits malins ont dit que notre homme hait les femmes – ça fait la une des journaux.

Rires.

– Bon, coffrez aussi tous les pédés que vous connaissez. Même chose pour les habitués : les putes et leurs macs. Je veux des noms et je veux des noms d'ici cinq heures. Le groupe d'intervention va les rafler. Les femmes iront à Queens, le reste ici.

Silence.

– Et je veux Stephen Barton. Ce soir.

Je me ronge les ongles. J'ai envie d'être ailleurs.

– Donc téléphonez chez vous, dites que vous ne rentrerez pas de la nuit. PARCE QUE CETTE NUIT ÇA SE TERMINE ICI.

Une pensée... JANICE.

Dans la cohue, hors de la pièce et dans le couloir, Ellis coincé près de la sortie, qui m'appelle.

Devant la cantine, je raccroche, rageur, faute de réponse, au moment où Ellis me rejoint.

– Où tu vas, nom de Dieu ?

– Amène-toi, faut qu'on y aille.

Et je repars, descends l'escalier, franchis la porte.

– Je veux conduire, il pleurniche derrière moi.

– Va te faire foutre.

Le pied au plancher, je traverse le centre, retourne à Chapeltown, New Fire fait crépiter la radio.

Ellis se frotte les mains et dit :

– Tu vois, il a ses bons côtés. Plein d'heures supplémentaires.

– Sauf si un vote décide qu'elles resteront interdites, je marmonne, pensant : *il faut que je me débarrasse de lui.*

– Ça en fera plus pour ceux qui veulent en faire.

Je dis :

– Quand on sera arrivés, il faudrait qu'on se sépare.

– Quand on sera arrivés où ?

– À Spencer Place, je réponds, comme s'il était aussi stupide qu'il en a l'air.

– Pourquoi ?

J'ai envie de freiner et de lui casser la gueule, mais je souris et je dis :

– Pour essayer de tuer quelques-unes des conneries habituelles dans l'œuf. Pour faire cesser les jappements des roquets.

Je tourne à droite, reprends Roundhay Road.

– C'est toi le patron, dit-il, comme s'il n'avait qu'à prendre son mal en patience.

– Ouais, je fais, le pied toujours au plancher.

26

– Tu prends le côté droit. Commence par Yvonne et Jean, au 5.

On est garés dans Leopold Street, au carrefour.

– Merde. Je suis obligé ?

– Tu as entendu Noble ? Des *noms*, il veut des putains de noms.

– Et toi ?

– Je m'occupe de Janice et Denise, au 2.

– J'en doute pas.

Il m'adresse un regard oblique.

Je ne relève pas, cligne de l'œil.

Il tend la main vers la portière.

– Et après ?

– Continue. On se retrouve ici quand tu auras terminé.

Il lève les yeux au ciel, se gratte les noix et descend de voiture, sa décision prise.

J'ai l'impression que mon foutu cœur est sur le point d'éclater.

J'attends qu'Ellis soit entré au 5, puis j'ouvre la porte et monte l'escalier.

La maison est silencieuse, empeste la fumée et la dope.

Je frappe à sa porte, en haut de l'escalier.

Elle ouvre, on dirait une Indienne, ses cheveux noirs et sa peau couverts d'une pellicule de sueur, comme si elle venait de baiser et de baiser vraiment.

Les nuits où j'ai rêvé d'elle.

– Tu ne peux pas entrer. Je travaille.

– Il y en a eu une autre.

– Et alors ?

– Alors tu ne peux pas rester dans ce coin.

– Chez toi, ça irait ?

– Je t'en prie, je souffle.

– Tu vas faire de moi une femme honnête, hein, monsieur le policier ?

– Je suis sérieux.

– Moi aussi. J'ai besoin de fric.

Je sors des billets, les froisse devant son visage.

– Ouais ?

– Ouais.

Je hoche la tête.

– Pourquoi pas une bague, prince Bobby ?

Je soupire, ouvre la bouche pour répondre.

– Comme celle que tu as donnée à ta femme.

Je fixe la moquette, les fleurs et les oiseaux stupides entrelacés à mes pieds.

Je lève la tête et Janice me gifle.

– Fous le camp, Bob.

– Donne-le, nom de Dieu !

– Va te faire foutre.

Ellis repousse la tête de la femme, qui heurte le mur.

– Je t'emmerde !

– Allons, Karen, je dis. Dis-nous où il est et on s'en va.

– J'en sais rien, bordel !

Elle pleure et je la crois.

Ça dure depuis plus de six heures et l'agent Michael Ellis ne reconnaîtrait pas cette putain de vérité si elle débarquait et lui foutait un coup de poing dans la gueule, donc il avance vers Karen Burns, blanche, vingt-trois ans, prostituée plusieurs fois condamnée, droguée, mère de deux enfants, et lui colle une baffe.

– Du calme, Mike, du calme, je crache.

Elle se laisse glisser contre le papier peint, en larmes et furieuse.

Ellis tire sur ses couilles. Il crève de chaud, ne comprend plus rien, en a marre, et je m'aperçois qu'il a envie de déculotter Karen et de la sauter.

Je dis :

– Mi-temps, Mike ?

Il renifle, lève les yeux au ciel, regagne le couloir.

La fenêtre est ouverte et la radio allumée. Un dimanche torride de mai et, normalement, on n'entendrait que ce con de Bob Marley, mais pas aujourd'hui : seulement Jimmy Saville, qui chante vingt-cinq ans de tubes à l'occasion du Jubilé, tandis que tous les minables et leur réserve de dope se cachent sous leur lit en attendant que les sirènes se taisent, que le merdier cesse.

Karen allume une clope et lève la tête.

Je dis :

– Tu connais Steve Barton.

– Ouais, malheureusement.

– Mais tu ne sais pas où il est ?

– S'il est pas complètement crétin, il s'est barré.

– Il n'est pas complètement crétin ?

– Pas tout à fait.

– Et alors, il serait barré où ?

– Londres. Bristol. J'en sais rien, bordel.

La piaule de Karen pue carrément et je me demande où sont les mômes. On les lui a probablement de nouveau pris.

Je dis :

– À ton avis, c'est lui ?

– Non.

– Bon. Donne-moi un nom et je m'en vais.

– Sinon ?

– Sinon, je vais déjeuner, nom de Dieu, je laisse mon pote t'interroger, puis je reviens et je te conduis à Queens Street.

Elle lève les yeux au ciel, souffle de la fumée, dit :

– Qui est-ce qui t'intéresse ?

– Les gens qui ont l'air un peu étrange. Tout ce qui est bizarre.

– Tout ce qui est bizarre ?

Elle rit.

– Tout.

Elle écrase sa cigarette dans une assiette en plastique pleine de frites et de sauce au curry, se lève, sort un carnet d'adresses du tiroir où sont rangés les couteaux. La pièce empeste maintenant le plastique brûlé.

– Tiens, dit-elle.

Elle me lance le petit carnet.

Je scrute les noms, les numéros de téléphone, les numéros de plaque d'immatriculation, les mensonges.

– Donne-moi quelqu'un.

– À la lettre D. Dave. Il a une Ford Cortina blanche.

– Qu'est-ce qu'il a de bizarre ?

– Pas de capote, aime te la coller dans le cul.

– Et alors ?

– Il dit pas s'il te plaît.

Je sors mon bloc, copie le numéro de la plaque d'immatriculation.

– Paraît qu'il paie pas tout le temps, et tout ça.

– Quelqu'un d'autre ?

– Il y a un chauffeur de taxi qui aime mordre.

– On est au courant.

– Alors c'est tout.

– Merci, je dis, et je m'en vais.

Je mets les pièces dans la fente.

– Joseph ?

– Ouais.

– Fraser.

– Bobby le bobby ! Fallait que ça arrive un jour, je me le disais bien, et voilà.

Je suis dans une cabine téléphonique, près de l'Azad Rank, je regarde deux petits Pakis qui se lancent une balle. Ellis, dans la voiture, fait la sieste après son déjeuner du dimanche : deux canettes de bière et un gros sandwich au fromage. Il y a du cricket à la radio, encore de la chaleur pour les jours à venir, des oiseaux qui chantent, les plaintes d'une basse et d'un sax à une terrasse.

Ça ne peut pas durer.

Au bout du fil, c'est Joseph Rose : Joe Rose, Jo Ro. Un autre petit Paki se joint à la partie.

Je dis :

– L'unité spéciale va rafler tout le monde, et pas pour les emmener jusqu'à la Terre promise.

– Je les encule.

– Tu peux toujours essayer, je rigole. Tu peux me donner des noms ?

Joseph Rose : prophète à mi-temps, voleur minable à mi-temps, Spencer Boy à plein temps, obligé de marquer des points et de rembourser des dettes. Il dit :

– Ça concerne madame Watts ?

– En un mot.

– Ton pirate veut pas se tenir tranquille, hein ?

– Non. Alors ?

– Alors les gens vont avoir les jetons de toute façon.

– À cause de lui ?

– Non, non. Des deux sept, mec.

Merde, nous y voilà.

– Joseph, file-moi des putains de noms.

– Tout ce que j'ai entendu dire c'est que, d'après les dames, ça serait un Irlandais. Comme d'hab'.

Les Irlandais.

– Ken et Keith savent quelque chose ?

– Ce que je viens de te dire.

Au moment où je raccroche, deux camionnettes noires de l'unité spéciale passent à toute vitesse dans la rue et je pense : j'emmerde les Spencer Boys.

FINI DE RIGOLER.

Il est presque huit heures et la voiture est de plus en plus petite, la lumière commence à baisser. Au-delà de Leeds 7, on a allumé des feux, et pas les putains de feux de joie du Jubilé. Ellis et moi, on est toujours près de Spencer Place, et on ne fout rien, à part suer et se chamailler.

Nerveux, comme toute cette putain de ville :

Ellis pue et on a baissé les vitres, on sent le bois et Rome qui brûlent, on entend les injures et les cris dans l'air torride et noir : ceux qu'on n'a pas coffrés construisent des barricades, mettant de côté les bouteilles de lait pour plus tard.

À cran :

J'ai envie de téléphoner à Louise, me demande si elle sera rentrée de l'hôpital, j'ai honte à cause de Bobby junior et d'hier, puis je reviens à Janice et je bande, putain, *puis tout se dérègle*.

COMPLÈTEMENT :

Verre qui vole en éclats, pneus qui hurlent, une voiture rouge lancée à fond dans la rue, pare-brise cassé, heurte un trottoir, se retourne au pied d'un lampadaire.

– Nom de Dieu ! crie Ellis. C'est les Mœurs.

On est descendus de voiture, on traverse Spencer Place en courant, en direction du véhicule retourné.

Je jette un coup d'œil dans la rue.

Un feu, sur un terrain vague, en haut de la rue, éclaire une petite bande de Jamaïcains, silhouettes noires qui dansent et crient, envisagent de terminer ce qu'elles ont commencé, d'écraser l'adversaire.

Je scrute la nuit noire, les barricades et les feux, les hautes flammes chargées de souffrance :

Un nègre orgueilleux, dreadlocks et attitude Mau-Mau, avance :

Vas-y, essaie.

Mais j'entends les sirènes, l'unité d'intervention, les Spéciaux et les Réservistes lâchés dans le vent, nos putains de monstres financés par les deniers publics, et je me tourne à nouveau vers la voiture rouge.

Ellis, penché, parle avec les deux hommes qui sont la tête en bas à l'intérieur.

– Ils n'ont rien ! me crie-t-il.

– Appelle une ambulance, je réponds. Je reste avec eux jusqu'à l'arrivée de la cavalerie.

– Putains de négros, dit Ellis, qui regagne notre voiture en courant.

Je me mets à quatre pattes et je regarde l'intérieur de la voiture.

Au premier abord, je ne reconnais pas les deux hommes dans la pénombre.

Je dis un truc du genre :

– Ne bougez pas. On va vous faire sortir dans une minute.

Ils acquiescent et marmonnent.

J'entends à nouveau des moteurs et des coups de freins.

– Fraser, gémit un des deux types.

Je scrute l'intérieur, au-delà de l'homme coincé sur le siège du passager.

Ce con de Craven, *l'inspecteur Craven*.

– Fraser ?

Je fais comme si je n'avais pas entendu, dis :

– Tiens bon, mon gars. Tiens bon, mon pote.

Je me tourne à nouveau vers la rue, vois la camionnette vomir des membres de l'unité d'intervention, qui se lancent à la poursuite des métèques au milieu des flammes.

Ellis est de retour.

– Dès que l'ambulance sera arrivée, Rudkin veut qu'on retourne au poste. Il dit que c'est une vraie maison de fous.

– Et ici, alors ? Reste près d'eux, je dis en me redressant.

– Où tu vas ?

– J'en ai pour une minute.

Ellis marmonne et jure tandis que je fonce jusqu'au numéro 2.

– Qu'est-ce que tu veux, bordel ?

– Laisse-moi entrer. Je veux seulement parler.

– Ça, c'est une surprise, dit-elle, mais elle ouvre la porte et me fait entrer.

Elle est pieds nus, porte une longue jupe à fleurs et un T-shirt.

Je m'immobilise au milieu de la pièce, fenêtre ouverte, odeur de fumée, le début d'une émeute dehors.

Je dis :

– Ils ont lancé une brique, ou quelque chose comme ça, sur une voiture de la brigade des Mœurs.

– Ah ouais ? fait-elle, *comme si ça n'arrivait pas un soir sur deux toutes les putains de semaines.*

Je me la boucle et je la prends dans mes bras.

– Alors c'est ça que tu veux ? blague-t-elle.

– Non, je mens, paumé, la queue raide.

Elle s'accroupit, tire sur ma fermeture éclair tandis que je me laisse tomber sur le lit.

Elle se met à sucer, et dans ma tête un ciel noir où des étoiles apparaissent et disparaissent au son des sirènes et des hurlements, le merdier n'a même pas encore commencé, je le sais.

– Où tu étais, bordel ?

– Ta gueule, Ellis.

– C'était ce con d'inspecteur Craven, dans la voiture, tu sais ?

– Tu blagues ?

Je monte en voiture, la rue pleine de lueurs bleues et de membres des unités d'intervention.

Feux éteints, métèques coffrés, Craven et son pote à St James et Ellis toujours pas satisfait.

Je lui laisse le volant.

– Alors, où tu étais ?

– Laisse tomber, dis-je à voix basse.

– Rudkin va nous tuer, gémit-il.

– Ah bon, merde, je soupire.

Je regarde, par la vitre, Leeds la Noire, dimanche 29 mai 1977.

– Tu crois que personne n'est au courant pour toi et cette pute ? dit soudain Ellis. Tout le monde est au courant. Foutrement gênant, hein ?

Je ne sais pas quoi lui répondre. Je me fiche qu'il sache ou pas, je me fiche que d'autres sachent, mais je ne veux pas que Louise sache et pour le moment je ne peux pas chasser le visage de Bobby junior de mon esprit.

Je me tourne vers lui et je dis :

– C'est pas le moment. Garde ça pour plus tard.

Pour une fois, il suit mon conseil et je retourne à ma vitre, lui à la route, rassemblant l'un et l'autre notre courage.

Poste de police de Millgarth.

Dix heures et bientôt le Moyen Âge.

En direct de mes profondeurs moyenâgeuses.

Dans l'escalier qui descend aux cachots, clés et serrures qui tournent, chaînes et menottes qui grincent, chiens et hommes qui aboient.

Que le procès en sorcellerie commence.

L'inspecteur Rudkin, chemise et cheveux courts, se tient au bout du couloir : interrogatoire musclé et lumière blanche.

– C'est gentil de vous joindre à nous, ironise-t-il.

Ellis, visage fermé et paumes pressées de frapper, s'excuse d'un hochement de tête.

– Ça va, Bob Craven, hein ?

– Ouais, des coupures et des bleus, bredouille Ellis.

Je dis :

– On a quelque chose ?

– La salle est pleine, ce soir.

– Quelque chose de concret ?

– Peut-être.

Il m'adresse un clin d'œil, ajoute :

– Et toi ?

– Toujours la même chose : le chauffeur de taxi irlandais et monsieur Dave Cortina.

– Bon, fait Rudkin. Ici.

Il ouvre la porte et c'est, *ah, merde*.

– Un des tiens, hein, Bob ?

– Ouais, j'articule, l'estomac disparu.

Ils maintiennent Kenny D, un Spencer Boy, en caleçon à carreaux bon marché, sur une table, dans la Position du Christ Noir en Croix : tête et dos sur le bois, bras perpendiculaires au torse, pieds écartés, queue et noix à l'air.

Rudkin ferme la porte.

Les blancs des yeux de Kenny sont aux extrémités de leurs pédoncules, tentent de voir qui vient d'arriver dans son enfer la tête en bas.

Il me voit et assimile : cinq flics blancs et lui : Rudkin, Ellis et moi, plus les deux types en uniforme qui l'immobilisent sur la table.

– C'était un petit interrogatoire de routine, rien de plus, blague Rudkin. Mais notre négro n'a pas la conscience tranquille et il décide de se prendre pour ce con de Roger Bannister [1], en noir.

Kenny me fixe, les dents serrées sous l'effet de la douleur.

La porte s'ouvre derrière moi, puis se ferme. Je me retourne. Adossé au battant, Noble regarde.

Rudkin me sourit, dit :

1. Athlète britannique qui entra dans la légende en étant le premier à courir le mile en moins de quatre minutes, le 6 mai 1954. (*N.d.T.*)

– Il voulait te voir, Bob.

J'ai la bouche sèche et la voix cassée quand je demande :

– Il a dit autre chose ?

– Rien que ça, hein, les gars ?

Rudkin rit et les deux flics en uniforme aussi.

– Vous voulez dire au sergent Fraser pourquoi il fallait que vous ayez une petite conversation avec ce bougnoule ?

Un des flics en uniforme, fier d'avoir apporté sa pierre à l'édifice, s'empresse d'expliquer :

– On a trouvé une partie de ses affaires au 3 Francis Street.

Il s'interrompt, me laisse le temps d'assimiler l'information.

Mme Marie Watts, domiciliée 3 Francis Street, Leeds 7.

– Et, après, il a dit qu'il ne connaissait pas feu madame Marie Watts, claironne Rudkin.

Je suis immobile dans la cellule, les murs de plus en plus oppressants, la chaleur et la puanteur de plus en plus fortes, et je pense : *ah, merde, Kenny.*

Je l'ai averti, dit Rudkin, que j'allais couvrir sa peau noire de taches bleues s'il ne se décide pas à nous donner des explications.

Kenny, sur la table, ferme les yeux.

Je me penche, la bouche près de son oreille.

– Explique, je crache.

Il garde les yeux fermés.

– Kenny, ces hommes vont te faire une tête au carré et tout le monde s'en foutra.

Il ouvre les yeux, cherche mon regard.

– Mettez-le debout, je dis.

Je gagne le mur qui se trouve face à la porte ; un article de journal est collé sur la peinture grise luisante.

– Approchez-le.

Ils le poussent, lui collent le nez contre le mur.

– Lis, Kenny, je souffle.

Il y a du sang sur ses dents quand il lit le titre à haute voix : « Aucune charge retenue contre les policiers après la mort d'un détenu. »

– Tu veux être le prochain Liddle Towers ?

Il avale sa salive.

– Réponds.

– NON ! hurle-t-il.

– Alors assieds-toi et parle, je crie en le poussant sur la chaise.

Noble et Rudkin sourient, Ellis me regarde attentivement.

Je dis :

– Écoute, Kenny, on sait que tu connaissais Marie Watts. Ce qu'on veut savoir, pour commencer, c'est ce que tes putains d'affaires faisaient chez elle ?

Son visage est bouffi, ses yeux rouges et j'espère qu'il est assez intelligent pour comprendre que je suis son seul allié, ici, ce soir.

Finalement, il dit :

– J'avais perdu ma clé, hein ?

– Allons, Kenny. On n'est pas dans *Jackanory* [1].

– C'est la vérité. J'étais allé cherché des trucs chez mes cousins, j'ai perdu ma clé et Marie m'a dit que je pouvais les laisser chez elle.

Je regarde Ellis et hoche la tête.

L'agent Ellis abat son poing, de toutes ses forces, par-derrière, entre les omoplates de Kenny.

Il hurle, tombe sur le sol.

– La vérité, nom de Dieu, putain de sale nègre !

Je hoche une nouvelle fois la tête.

Les hommes en uniforme le remettent sur la chaise.

1. Émission pour enfants de la BBC où un acteur lit une histoire. (*N.d.T.*)

Sa grande bouche rose est béante, il a la langue blanche, des mains sur les épaules.

« *Oh, pourquoi attendons-nous, joyeux et triomphants...* » Je chante, et les autres se joignent à moi.

La porte s'ouvre, un type jette un coup d'œil à l'intérieur, rit et s'en va.

« *Oh, pourquoi attendons-nous, joyeux et triomphants, oh, pourquoi attendons-nous...* »

Je fais signe et tout s'arrête.

– Tu la sautais, dis-le.

Il acquiesce.

– Je n'entends pas, je souffle.

Il avale sa salive, ferme les yeux et murmure :

– Ouais.

– Ouais quoi ?

– Je...

– Plus fort.

– Ouais. Je la sautais, d'accord.

– Tu sautais qui ?

– Marie.

– Marie qui ?

– Marie Watts.

– Qu'est-ce que tu faisais avec elle, Kenny ?

– Je la sautais, je sautais Marie Watts.

Il pleure ; des putains de grosses larmes.

– Pauvre singe débile.

Je sens la main de Rudkin sur mon dos.

Je me retourne.

Noble m'adresse un clin d'œil.

Ellis me regarde fixement.

C'est fini.

Pour le moment.

Je suis dans le couloir, devant la cantine.

J'appelle chez moi.

Pas de réponse.

Ils sont toujours à l'hôpital, ou ils sont au lit ; de toute façon, elle sera crevée.

Je vois son père sur le lit, je la vois faire les cent pas dans le couloir, Bobby dans les bras, tentant de calmer ses pleurs.

Je raccroche.

J'appelle Janice.

Elle décroche.

– Encore toi ?

– Tu es seule ?

– Pour le moment.

– Et plus tard ?

– J'espère que non.

– Je vais essayer de passer.

– Je parie que tu y arriveras.

Elle raccroche.

Je regarde le plancher décoloré, les traces de semelles et la crasse, les ombres et la lumière.

Je ne sais pas quoi faire.

Je ne sais pas où aller.

L'auditeur : Vous avez vu ça, hier [il lit] *: « Une foule en délire entoure la Reine. La visite royale à Camperdown Park s'est transformée en un déchaînement effrayant d'hystérie. Des milliers de spectateurs surexcités ont franchi les fragiles barrières de sécurité puis se sont mussés autour de la Reine et du Duc d'Edimbourg. La police a tenté de les repousser, mais la souveraine a été bousculée par des gens qui criaient : "J'ai touché la Reine." »*

John Shark : La pauvre.

L'auditeur : Et comme si ça ne suffisait pas [il lit] *: « En début de journée, les employés de la municipalité avaient été chargés d'effacer les slogans antiroyalistes des murs et des panneaux publicitaires, sur le trajet du cortège de la Reine. »*

John Shark : Connards d'Écossais, pires que les Irlandais.

> The John Shark Show
> Radio Leeds
> 30 mai 1977

2

Antique ville anglaise de merde? Comment est-il possible que cette antique ville anglaise de merde soit ici! L'énorme masse grise de la célèbre cheminée de son usine la plus ancienne? Comment est-il possible qu'elle soit ici! Il n'y a pas de pique en acier rouillé, entre l'œil et elle, quel que soit le point de vue réel qu'on adopte. Quelle est cette pique qui est apparue, et qui l'a dressée? Peut-être a-t-elle été dressée sur l'ordre de la Reine, afin que soient empalés un par un tous ceux, innombrables, qui ont pillé le Common-wealth. Tel est le cas, car les cymbales résonnent et la Reine passe, regagnant son palais, au sein d'une longue procession. Dix mille épées scintillent sous le soleil et trois fois dix mille danseuses répandent des fleurs. Puis viennent les éléphants blancs, capara-çonnés de rouge, de blanc et de bleu, innombrables, accompagnés d'une suite tout aussi innombrable. Cependant la cheminée se dresse au loin, là où elle ne peut pas être, et aucune silhouette ne se tord de dou-leur au bout de la sinistre pique. Attends! La chemi-née ne vaut-elle pas mieux que la pointe rouillée qui surmonte la tête d'un vieux lit métallique de guin-gois? Attends! J'ai vingt-cinq ans et plus, les cloches tintent et jubilent. Attends.

Le téléphone sonnait.

Je savais que c'était Bill. Et je savais ce qu'il attendait de moi.

Je me traînai sur l'autre oreiller marron, les vieux romans jaunes, les cendres grises et dis :

– Résidence Whitehead.

– Il y en a une autre. J'ai besoin de toi.

Je posai le téléphone et me rallongeai dans la tranchée peu profonde que j'avais creusée parmi les draps et les couvertures.

Je fixai le plafond, le brocart ouvragé qui entourait la lumière, la peinture écaillée et les veines fendillées.

Et je pensai à elle et je pensai à lui, tandis que St Anne égrenait l'aube.

Le téléphone se remit à sonner, mais j'avais fermé les yeux.

Je me réveillai, trempé d'une sueur de violeur, après des rêves dont je souhaitais avec ferveur qu'ils ne soient pas les miens. Dehors, les arbres pendouillaient dans la chaleur, prenaient l'attitude mélancolique des saules, la rivière aussi noire qu'un coffret de laque, la lune et les étoiles découpées dans des rideaux, tout là-haut, regardant sans en avoir l'air dans les ténèbres de mon cœur.

The World's Forgotten Boy.

Je traînai ma carcasse éprouvée de Dickens à la commode, sur la moquette usée jusqu'à la corde, m'arrêtai devant le miroir et les os solitaires qui emplissaient le costume miteux dans lequel je dormais, dans lequel je rêvais, dans lequel je cachais ma peau.

Je t'aime, je t'aime, je t'aime.

Je m'assis devant la commode, sur un tabouret que j'avais fabriqué à l'université, bus une gorgée d'Écosse, réfléchis à Dickens et à son Edwin, à moi et au mien, à tout ce qui est tien.

43

Eddie, Eddie, Eddie.

Je chantai et fredonnai :

Un jour mon prince viendra, ou bien était-ce *Si j'avais su que tu viendrais, j'aurais fait un gâteau* ?

Les mensonges qu'on dit et ceux qu'on ne dit pas.

Carol, Carol, Carol.

Une personne si merveilleuse :

Branlé sur le carrelage de ma salle de bains, sur le dos, cherchant le papier de toilette à tâtons.

J'essuyai mon ventre couvert de foutre, roulai le papier en boule, cherchant à le faire disparaître.

Les tentations de saint Jack.

Encore le rêve.

Encore la morte.

Encore le verdict et la sentence.

Encore, ça recommençait.

Je me réveillai à genoux sur le plancher, près de mon lit, les mains jointes, remerciant Jésus-Christ mon sauveur, parce que je n'étais pas le meurtrier de mes rêves, parce que j'étais en vie et qu'il me pardonnait, parce que je ne l'avais pas tuée.

Le volet de la boîte à lettres claqua.

Des voix d'enfants psalmodièrent :

Jack le junkie, Jack le camé, va te faire enculer, Jack Merdehead.

Impossible de deviner si c'était le matin ou l'après-midi, ou si c'était, encore, une bande de gamins faisant l'école buissonnière, chargés de ligoter mes nerfs au soleil pour que les fourmis les rongent.

Je tournai le dos et me replongeai dans *Edwin Drood*, attendis que quelqu'un vienne m'entraîner un peu à l'écart de tout ça.

Le téléphone sonnait encore.

Que quelqu'un sauve mon âme.

– Ça va ? Tu sais quelle heure il est ?

L'heure ? Je ne savais même pas quelle putain d'année c'était, mais j'acquiesçai et je dis :

– Impossible de sortir du lit.

– Bon. Eh bien, en tout cas tu es là. C'est déjà ça.

On pourrait croire que ça m'avait manqué, l'agitation/excitation/trépidation, etc., de la rédaction, les bruits et les odeurs, mais je haïssais tout ça, le redoutais. Le haïssais et le redoutais comme j'avais haï et redouté les couloirs et les salles de classe, leurs bruits et leurs odeurs.

Je tremblais.

– Tu as bu ?

– Comme tous les jours depuis quarante ans.

Bill Hadden sourit.

Il savait que je lui étais redevable, savait qu'il demandait le remboursement de mes dettes. Baissant les yeux sur mes mains, je fus incapable de me souvenir de leur nature.

Les prix qu'on paie, les dettes qu'on contracte.
Et tout à crédit.

Je levai la tête et dis :

– Quand l'a-t-on trouvée ?

– Hier matin.

– Donc j'ai raté la conférence de presse ?

Bill sourit à nouveau.

– Tu aurais bien voulu.

Je soupirai.

– Ils ont publié un communiqué hier soir, mais ils ont reporté la réunion à ce matin onze heures.

Je jetai un coup d'œil sur ma montre.

Elle était arrêtée.

– Quelle heure il est ?

– Dix heures, fit-il avec un sourire ironique.

J'allai en taxi de l'immeuble du *Yorkshire Post* à Kirkgate Market, m'assis dans le caniveau sous le soleil oblique du début de matinée, comme les autres anges stupides, et tentai de réfléchir. Mais l'entrejambe du pantalon de mon costume puait, mon col était couvert de pellicules, je ne pouvais pas chasser l'air de *The Little Drummer Boy* de ma tête, j'étais entouré de pubs, tous fermés à cette heure, et il y avait des larmes dans mes yeux, des larmes horribles qui refusèrent pendant un quart d'heure de cesser de couler.

– En voilà une surprise !

Le sergent Wilson était toujours à la réception, saluant mon retour.

– Samuel.

Je lui adressai un signe de tête.

– Ça fait combien de temps ?

– Pas assez longtemps.

Il riait.

– Tu viens pour la conférence de presse ?

– Pas pour me refaire une santé, hein ?

– La santé de Jack Whitehead ? Ça n'existe pas.

Il montra l'escalier, conclut :

– Tu connais le chemin.

– Malheureusement.

Je m'attendais à ce que ce soit plus animé et je ne reconnus personne.

J'allumai une cigarette et m'assis au fond.

Il y avait beaucoup de chaises devant ; une femme flic posait une dizaine de verres d'eau sur la table, et je me demandai si elle accepterait de m'en donner un, mais j'étais certain qu'elle refuserait.

La pièce s'emplit d'hommes qui évoquaient des footballeurs et de quelques femmes, et je crus pendant un instant que l'une d'entre elles était Kathryn ; mais elle se retourna, ce n'était pas elle.

J'allumai une nouvelle cigarette.

Une porte s'ouvrit devant, et la police entra, costumes et cravates humides, cous et visages rouges, manque de sommeil.

La pièce fut soudain pleine ; plus d'air.

C'était le lundi 30 mai 1977.

J'étais de retour.

Merci, Jack.

George Oldman, au centre de la table, commença :

– Merci. Comme vous le savez sûrement...

Il sourit, poursuivit :

– On a découvert le cadavre d'une femme à Soldier's Field, Roundhay, hier en début de matinée. Il s'agissait de madame Marie Watts, anciennement Marie Owens, âgée de trente-deux ans et domiciliée à Francis Street, Leeds.

« Madame Watts a été victime d'une agression exceptionnellement brutale, dont nous ne sommes pas en mesure de dévoiler les détails à ce stade de notre enquête. Cependant, l'examen préliminaire effectué par le professeur Farley, de l'Institut médico-légal de l'Université de Leeds, a permis de déterminer que madame Watts a succombé à un coup substantiel porté à la tête à l'aide d'un objet contondant.

Un coup substantiel, et je compris que je ne devrais pas être ici, le laisser m'entraîner là-dedans :

Soldier's Field : sous un imperméable beige de mauvaise qualité, une fois de plus, un pull à col roulé et un soutien-gorge rose relevés au-dessus de nichons plats et blancs, des serpents sortant des plaies du ventre.

Oldman disait :

– Madame Watts vivait dans notre ville depuis octobre dernier, venait de Londres où il est probable qu'elle avait travaillé dans de nombreux hôtels. Nous sommes très désireux de nous entretenir avec toutes les personnes susceptibles de nous fournir des informations sur la vie de madame Watts à Londres.

« Nous demandons également à toutes les personnes qui se trouvaient dans les environs de Soldier's Field samedi soir et dimanche matin de se faire connaître, simplement en vue de les mettre hors de cause. Nous sommes plus particulièrement désireux de nous entretenir avec les propriétaires des voitures suivantes :

« Une Ford Capri blanche, une Ford Corsair rouge ou bordeaux et une Land Rover de couleur foncée.

« Je tiens à souligner à nouveau que nous tentons d'identifier ces véhicules et leurs propriétaires dans le simple but de les mettre hors de cause, et que toutes les informations fournies seront traitées avec la plus grande discrétion.

Oldman but une gorgée d'eau avant de poursuivre :

– En outre, nous demandons à monsieur Stephen Barton, domicilié à Francis Street, Leeds, de se présenter. Nous croyons que monsieur Barton était un ami de la jeune femme décédée et qu'il pourrait fournir des informations importantes sur les dernières heures de la vie de madame Watts.

Oldman s'interrompit, puis sourit :

– Une nouvelle fois, il s'agit simplement de le mettre hors de cause et je tiens à insister sur le fait que monsieur Barton n'est pas suspect.

Il y eut une nouvelle interruption tandis qu'Oldman s'entretenait à voix basse avec ses deux voisins. Je tentai de mettre des noms sur les visages : je connaissais Noble et Jobson, les quatre autres de vue.

Oldman dit :

– Comme quelques-uns d'entre vous le savent certainement, il y a des similitudes entre ce meurtre et ceux de Theresa Campbell, en juin 1975, puis de Joan Richards, en février 1976, qui étaient l'une et l'autre des prostituées travaillant à Chapeltown.

Torrent d'exclamations, de questions et je demeurai immobile, stupéfait que George Oldman ait dit cela aussi carrément, compte tenu du formalisme avec lequel il venait de s'exprimer.

George leva puis baissa les mains, tentant de calmer tout le monde.

– Messieurs, s'il vous plaît, permettez-moi de terminer.

Mais il ne pouvait rien faire, et moi non plus :

C'était pire que ce que j'avais cru, plus que ce que j'avais cru : *culotte blanche autour d'une jambe, sandales posées sur l'intérieur des cuisses.*

Oldman s'était interrompu, braqua son regard de surveillant général sur la pièce jusqu'au moment où le silence revint.

– Comme je l'ai dit, reprit-il, il y a des similitudes qu'on ne peut négliger. Cependant, nous ne pouvons affirmer catégoriquement que ces trois meurtres soient l'œuvre de la même personne. Toutefois, l'éventualité d'un lien est une des directions dans lesquelles s'oriente l'enquête.

« Et, à ce propos, j'annonce la constitution d'une unité spécifiquement chargée de cette enquête et commandée par le superintendant Noble.

Et voilà : le chaos ; la pièce ne pouvait contenir ces hommes et leurs questions. Tout autour de moi, debout, des gens criaient, hurlaient, s'adressant à Oldman et ses gars.

George Oldman souriait, soutenait le regard de la meute. Il désigna un journaliste, plaça une main derrière l'oreille quand l'homme posa sa question, feignit l'indignation et l'exaspération consécutives à l'impossibilité d'entendre. Il leva les mains comme pour dire : *Terminé.*

Le bruit s'atténua, les hommes s'assirent sur le bord de leur chaise, prêts à bondir.

Oldman montra celui qui était resté debout.

– Oui, Roger ? dit-il.

– Cette dernière victime, Marie Watts, était-elle, elle aussi, une prostituée ?

Oldman se tourna vers Noble et Noble se pencha sur le micro d'Oldman puis répondit :

– À ce stade de notre enquête nous ne pouvons ni le confirmer ni l'infirmer. Cependant, selon certaines informations en notre possession, on estimait, en ville, que madame Watts était une jeune femme qui aimait s'amuser.

Une jeune femme qui aimait s'amuser.

Toute la pièce pensant : *pute.*

Oldman adressa un signe à un autre homme.

L'homme se leva et demanda :

– Quelles similitudes précises vous ont amenés à rechercher un lien éventuel ?

Oldman sourit.

– Comme je l'ai dit, ces crimes recèlent des détails que nous ne pouvons rendre publics. Cependant, l'endroit où ces meurtres ont été commis, l'âge et le mode de vie des victimes ainsi que la façon dont on les a tuées comportent des similitudes évidentes.

Je me noyais :

Du sang, du sang épais, noir, poisseux, collant ses cheveux parsemés d'éclats d'os et de grumeaux gris de matière cérébrale, gouttant lentement sur l'herbe de Soldier's Field, gouttant lentement sur moi.

Au fond, je levai une main hors de l'eau.

Oldman me regarda par-dessus les têtes, plissa un instant le front puis sourit.

– Jack ? dit-il.

J'acquiesçai.

Plusieurs personnes, au premier rang, se retournèrent.

– Oui, Jack ? ajouta-t-il.

Je me levai lentement et demandai :

– Est-ce que ce sont les trois seuls meurtres pris en considération pour le moment ?

– Pour le moment, oui.

Oldman hocha la tête et passa à quelqu'un d'autre.

Je m'assis, vidé, soulagé, tandis que les questions et les réponses volaient autour de moi.

Je fermai les yeux, juste un instant, et me laissai couler.

*

Le rêve est fort, noir et aveuglant au début, puis s'apaise lentement, flotte en silence derrière mes paupières.

J'ouvre les yeux et elle sera toujours là :

Chemise de nuit blanche de chez Marks & Spencer, noircie par le sang s'écoulant des trous qu'il a faits.

Janvier 1975, un mois exactement après Eddie.

Les incendies derrière mes yeux, je sens les incendies derrière mes yeux et je comprends qu'elle y est revenue, qu'elle joue avec des allumettes derrière mes yeux, qu'elle allume ses feux de joie.

Plein de trous, pour toutes ces têtes si pleines de trous. Plein de trous, tous ces gens si pleins de trous. Plein de trous, Carol pleine de trous.

– Jack ?

Il y avait une main sur mon épaule et j'étais de retour.

1977.

C'était George, un flic lui tenait la porte de la pièce désormais vide.

– Vous avez décroché pendant une minute, tout à l'heure ?

Je me levai, la bouche salie d'air et de salive viciés.

– George, dis-je, tendant la main vers la sienne.

– Content de vous revoir, fit-il, souriant. Comment ça va ?

– Comme ça. Vous savez.

– Oui.

Il hocha la tête, parce qu'il savait exactement comment j'allais et comment j'avais été, ajouta :

– J'espère que vous ne vous surmenez pas ?

– Vous me connaissez, George.

– Oui. Dites à Bill de ma part qu'il a intérêt à bien prendre soin de toi.

– D'accord.

– Content de vous revoir, ajouta-t-il, gagnant la porte.

– Merci.

– Téléphonez, si vous avez besoin de quelque chose, cria-t-il, dans l'encadrement de la porte, ajoutant à l'intention du jeune flic : Jamais rencontré de meilleur journaliste que cet homme.

Je m'assis, *le meilleur journaliste que George Oldman, directeur adjoint de la police, eût jamais rencontré*, seul dans la pièce vide.

*

Je rentrai par le cœur de Leeds, visite d'un enfer torride, aussi desséché que des ossements.

Ma montre s'était une nouvelle fois arrêtée et je tendis l'oreille dans l'espoir d'entendre les cloches de la cathédrale malgré le bruit ; musique assourdissante dans toutes les boutiques devant lesquelles je passais, klaxons bourrés de coups de poing furieux, propos emportés, furibonds, à tous les carrefours.

Je cherchai le clocher, dans le ciel, mais il n'y avait que du feu, là-haut; le soleil de midi haut et noir sur mon front.

Je portai la main à mes yeux à l'instant même où quelqu'un me heurtait de plein fouet, me traversait; je pivotai et vis une ombre noire disparaître dans une ruelle.

Je me lançai à sa poursuite dans la ruelle, mais entendis des sabots de cheval, rapides, sur les pavés et ensuite, quand je me retournai, il n'y avait plus qu'un camion de bière avançant prudemment sur la chaussée étroite.

Je pressai le visage contre le mur, afin de le laisser passer, m'aperçus, quand je m'écartai, qu'il y avait de la peinture rouge sur le devant de mon costume, sur mes mains.

Je reculai, fixai le mur antique et le mot écrit en rouge :

Tophet.

Je restai immobile dans la ruelle, dans les ombres du soleil, regardai le mot sécher, certain que c'était déjà arrivé, certain que j'avais déjà vu cette ombre, quelque part.

– Tu aurais pu choisir un autre jour pour te promener couvert de sang, blagua Gaz Williams, rédacteur en chef des sports.

Stephanie, une des dactylos, ne blagua pas; elle me regarda tristement et dit :

– Qu'est-ce qui t'est arrivé ?

– Connerie de peinture fraîche.

Je souris.

– C'est toi qui le dis, fit Gaz.

Le bavardage était superficiel, comme toujours. George Greaves, seul journaliste plus ancien que

53

Bill et moi, avait posé la tête sur son bureau et ronflait, cuvait son déjeuner. On entendait la radio locale, quelque part, les machines à écrire et les sonneries des téléphones, et cent fantômes m'attendaient sur mon bureau.

Je m'assis, retirai la housse de la machine à écrire et y glissai une feuille blanche. Retour à mes racines.

Je tapai :

LA POLICE RECHERCHE LE MEURTRIER
SADIQUE D'UNE FEMME

Les forces de police recherchent l'homme qui a assassiné Mme Marie Watts, âgée de trente-deux ans, et a abandonné son cadavre dans un parc proche du centre de Leeds. Un jogger a découvert le corps de Mme Watts, domiciliée dans Francis Street, Leeds, hier en début de matinée.

Elle gisait dans Soldier's Field, Roundhay, près de Roundhay High School et de Roundhay Hall Hospital. D'après le superintendant Noble, chef de la brigade criminelle de Leeds, elle avait de graves blessures au crâne et d'autres plaies qu'il n'a pas souhaité mentionner. Le meurtrier est un sadique et vraisemblablement un pervers sexuel.

George Oldman, directeur adjoint de la police, a annoncé, contre toute attente, que la police recherchait des liens éventuels avec les meurtres de deux autres femmes assassinées à Leeds.

– Juin 1975 : Theresa Campbell, vingt-six ans, mère de trois enfants, domiciliée dans Scott Hall Avenue, dont le corps a été découvert dans Prince Phillip Playing Fields.

– Février 1976 : Joan Richards, quarante-cinq ans, mère de quatre enfants, domiciliée à New Far-

54

ley, dont le corps a été découvert dans une
impasse de Chapeltown.

Il est probable que la dernière victime, Mme Watts,
a quitté Londres en octobre dernier pour s'installer à
Leeds. La police souhaite s'entretenir avec toutes les
personnes possédant des informations sur Marie
Watts, qui se faisait également appeler Marie Owens.
La police souhaite également s'entretenir avec M. Stephen Barton, domicilié dans Francis Street à Leeds,
un ami de Mme Watts. Il est probable que M. Barton
détient des informations capitales sur les dernières
heures de la vie de Mme Watts. On a toutefois insisté
sur le fait que M. Barton n'est pas suspecté.

George Oldman, directeur adjoint de la police, a
également demandé à toute personne se trouvant
samedi soir dans les environs de Soldier's Field de se
faire connaître. La police souhaite principalement
rencontrer les propriétaires d'une Ford Capri
blanche, d'une Ford Corsair rouge foncé et d'une
Land Rover. M. Oldman a insisté sur le fait que la
police tentait d'identifier ces automobilistes dans le
seul but de les mettre hors de cause et que toutes les
informations recueillies seraient traitées avec la plus
grande discrétion.

Toute personne possédant des informations doit
prendre contact avec le poste de police le plus proche
ou directement avec la brigade chargée de l'enquête,
au 46 12 12, à Leeds.

Je retirai la feuille et relus l'article.
Un tas de petits mots rouillés, reliés les uns aux
autres et formant une chaîne d'horreurs.
J'avais envie d'un verre, d'une clope et d'être ailleurs.
– Tu as déjà fini ? demanda Bill Hadden, penché
sur mon épaule.

J'acquiesçai et lui donnai la feuille, comme si c'était quelque chose que je venais de ramasser par terre.

– Qu'est-ce que tu en dis ?

Derrière la fenêtre, des nuages arrivaient, plongeaient l'après-midi dans la grisaille, déployaient comme un silence soudain sur la ville et la rédaction, et j'attendais, immobile, que Bill finisse de lire, me sentant plus seul que jamais.

– Excellent, fit Bill avec un sourire.

Il avait gagné son pari.

– Merci, dis-je, presque convaincu que l'orchestre allait se mettre à jouer, les larmes à couler, le générique à défiler.

Mais l'instant passa, disparut à jamais.

– Qu'est-ce que tu vas faire maintenant ?

Je m'appuyai contre le dossier de ma chaise et souris.

– J'ai très envie d'un verre. Et toi ?

Le colosse au visage rouge et à la barbe grise soupira, secoua la tête.

– Un peu trop tôt pour moi.

– Il n'est jamais trop tôt, seulement trop tard.

– On se voit demain ? demanda-t-il, optimiste.

Je me levai, lui adressai un clin d'œil et un sourire fatigués.

– Indubitablement.

– O.K.

– George ! je criai.

George Greaves leva la tête.

– Jack, fit-il en se pinçant.

– Tu viens au Cercle de la presse ?

– D'accord, mais juste un petit verre rapide, répondit-il, adressant un sourire contrit à Bill.

Près de l'ascenseur, George fit un signe de la main à la rédaction et je m'inclinai, pensant : *il y a de nombreuses façons de purger sa peine.*

Le Cercle de la presse ; mêmes ténèbres que chez moi.

Impossible de me souvenir quand j'y étais venu pour la dernière fois, mais George m'aidait.

– Putain, c'était vraiment marrant.

Je n'avais pas la moindre idée de ce à quoi il faisait allusion.

Bet, derrière le bar, m'adressa un regard trop, beaucoup trop entendu.

– Ça fait un bail, Jack.

– Ouais.

– Ça va ?

– Ça va. Et toi ?

– Mes jambes ne rajeunissent pas.

– Viens te cuiter avec nous, blagua George, tu n'en auras plus besoin.

Tout le monde rit et je me souvins de Bet et de ses jambes, des deux ou trois fois, dans le temps, où j'avais cru que je vivrais toujours, dans le temps, quand j'en avais envie, dans le temps, quand je ne savais pas encore quelle corvée c'était.

Bet dit :

– Scotch ?

– Le premier de la file, dis-je en souriant.

– Et la file est longue.

Tout le monde rit une nouvelle fois, moi avec une érection et un verre de scotch.

Dehors, j'étais bourré, dehors, appuyé contre un mur qui disait HAINE à la peinture blanche dégoulinante.

Ni sujet ni objet, seulement HAINE.

Et le mot devint flou, tournoya, et je m'égarai entre les lignes, entre ce que j'aurais dû écrire et ce que j'avais écrit.

Des histoires, j'avais encore raconté des histoires, dans le bar.

Voyous du Yorkshire et flics du Yorkshire et, plus tard, Cannock Chase et la Panthère noire [1].

Des histoires, rien que des histoires. Rien à voir avec les *vraies* histoires, les *histoires* vraies, celles qui m'avaient conduit jusqu'ici, contre ce mur qui disait HAINE.

Clare Kemplay et Michael Myshkin, la fusillade du Strafford et le meurtre de *L'Exorciste* [2].

Tous les chiens ont leur temps, tous les chats ont leur souris, mais tous les vases ont leur goutte d'eau et tous les Napoléon leur Waterloo.

Les histoires vraies.

Du noir et du blanc, sur un mur, pour écrire *haine*.

Je passai les doigts sur la peinture en relief.

Et je restai là, me demandant : *mais où sont passés les Bootboys?*

Puis ils arrivèrent, tout autour de moi :

Crânes rasés et haleine à la bière.

– Salut, Pépé, dit l'un d'entre eux.

– Casse-toi, pédé, dis-je.

Il reprit place parmi ses potes.

– Putain, vieux con, qu'est-ce qui t'a pris de dire ça? Parce que tu sais, bordel de merde, qu'il va falloir que je te casse la gueule.

– Tu peux toujours essayer, dis-je, juste avant qu'il me frappe et mette un terme au souvenir, mette un terme provisoire aux souvenirs.

Provisoire.

Là, dans la rue, je la serre dans mes bras, sang sur mes mains, sang sur son visage, sang sur mes lèvres,

----

1. « The Black Panther » était le surnom donné à Donald Neilson, coupable de plusieurs attaques à main armée dans le Yorkshire, ainsi que de l'enlèvement et du meurtre d'une jeune femme. Il fut condamné à la prison à vie en 1976. (*N.d.T.*)

2. Voir *1974* du même auteur.

sang dans sa bouche, sang dans mes yeux, sang dans ses cheveux, sang dans mes larmes, sang dans les siennes.

Mais, maintenant, la magie d'autrefois, elle-même, ne peut pas nous sauver, et je tourne le dos, tente de me lever et Carol dit : « Reste. »

Mais vingt-cinq ans ou plus ont passé, et il faut que je m'en aille, il faut que je l'abandonne dans cette rue, dans ce fleuve de sang.

Et je lève la tête et il n'y a que Laws, que le révérend Laws, la lune et lui.

Plus Carol.

J'étais dans ma chambre, fenêtres ouvertes, aussi noir et bleu que la nuit.

J'avais un verre d'Écosse à la main, pour laver mes dents couvertes de sang, un Philips Pocket Memo devant les lèvres : « 30 mai 1977, année zéro, Leeds, et j'ai repris le travail... »

Et j'avais envie de continuer, de continuer longtemps, mais les mots refusèrent d'obéir, alors j'appuyai sur le bouton d'arrêt, allai à la commode, ouvris le tiroir du bas, contemplai les petites cassettes dans leurs petites boîtes, avec la date et l'endroit bien proprement indiqués sur les étiquettes, comme tous les livres de ma jeunesse, tous les Jack l'Éventreur et les Docteur Crippen, les Seddon et les Buck Ruxton, et j'en pris une au hasard (en tout cas c'est ce que je me dis), m'allongeai, les pieds sur les draps sales, fixai le vieux, très vieux plafond tandis que les hurlements emplissaient mes oreilles.

Je me réveillai une fois, au cœur ténébreux de la nuit, pensant : *et si elle n'était pas morte ?*

L'auditeur : Au cours de ces deux ou trois dernières décennies, les criminologues américains ont systématiquement tenté d'établir et d'analyser les chiffres obscurs du crime...

John Shark : Les chiffres obscurs du crime ?

L'auditeur : Ouais, les chiffres obscurs du crime, la proportion de personnes qui ont mis sous clé, dans leur passé, des délits dont les autorités ignorent tout ou face auxquels, même si elles en connaissaient l'existence, elles n'ont pas agi. Dans une étude systématique des délits sexuels, le docteur Raazinowicz estime que cinq pour cent d'entre eux au maximum sont dévoilés.

John Shark : C'est ridicule.

L'auditeur : Selon lui, en 1964, les crimes totalement dévoilés et punis ne représentaient pas plus de quinze pour cent de la masse énorme de ceux qui avaient été commis.

John Shark : Quinze pour cent!

L'auditeur : En 1964.

> *The John Shark Show*
> Radio Leeds
> Mardi 31 mai 1977

3

Le local de la brigade, Millgarth.

Rudkin, Ellis et moi.

Un peu après six heures, la matinée du mardi 31 mai 1977.

Assis autour de la table de conférences, téléphones morts, tambourinant sur le plateau.

Poussant les portes à doubles battants, Oldman, le directeur adjoint, et le superintendant Noble, qui laissent tomber deux gros dossiers bruns sur la table.

Les paupières plissées, l'inspecteur Rudkin scrute la couverture de celui du dessus, fait :

– Nom de Dieu, on ne va pas remettre ça.

Je lis : *Preston, novembre 1975.*

Merde.

Je sais ce que ça veut dire :

Deux pas en avant, six pas en arrière...

Novembre 1975, tout le monde encore sous le choc de la fusillade du Strafford, les enquêtes internes nous sortent par les oreilles, Peter Hunter et ses chiens en train de nous renifler le cul. La police métropolitaine du West Yorkshire le dos au mur et la gueule fermée, si on savait où était son propre intérêt, de quel côté la tartine était beurrée, etc., *Michael Myshkin en taule, le juge jetant la clé.*

– Clare Strachan, je murmure.

Novembre 1975 : ÇA RECOMMENCE.

Rudkin sur le point d'expliquer, mais George le fait taire :

– Comme vous le savez, on a découvert Clare Strachan, une prostituée déjà condamnée, violée et battue à mort, à Preston, il y a presque deux ans, en novembre 1975. Les gars du Lancashire sont immédiatement venus étudier le dossier de Theresa Campbell, et John ainsi que Bob Craven sont allés là-bas l'année dernière, quand on a eu Joan Richards.

Moi pensant : *ils laissent Rudkin en dehors, pourquoi ?*

Je jette un coup d'œil vers lui, il hoche la tête, impatient d'intervenir.

Mais Oldman le maintient à l'écart :

– Maintenant, quoi que vous en pensiez, que vous preniez en compte ou non Clare Strachan, on va retourner à Preston et étudier à nouveau ce foutu dossier.

– Putain de perte de temps, crache Rudkin, enfin.

Oldman rougit ; de l'orage sur le visage de Noble.

– Je suis désolé, monsieur, mais Bob et moi, on a passé deux jours là-bas la dernière fois, et ce n'est pas le même type, c'est moi qui vous le dis. Je regrette, mais ce n'est pas lui.

Ellis intervient :

– Comment ça, vous regrettez ?

– Parce qu'il a laissé tellement de putains de trucs sur les lieux que je ne comprends pas pourquoi on n'a pas déjà coffré ce foutu cinglé.

Noble renifle, comme pour dire : *C'est le Lancashire, qu'est-ce que tu crois ?*

– Comment pouvez-vous être sûr que ce n'est pas lui ? demande Ellis.

– Il l'a violée, d'abord, et puis il la lui a fourrée dans le cul. Il a déchargé les deux fois même si, putain, je ne comprends pas comment il a fait. Dans l'état où elle était.

– Moche ?

– Ce n'est vraiment pas le mot qui convient.

Ellis, un vague sourire aux lèvres, disant ce que tout le monde sait :

– Pas comme notre gars. Pas du tout comme lui.

Rudkin hoche la tête.

– Se contente de balancer la purée sur l'herbe.

– Autre chose ? je demande.

– Ouais, ensuite, après s'être amusé, il lui a sauté dessus à pieds joints jusqu'au moment où sa cage thoracique a cédé. Des bottes en caoutchouc de pointure 44.

Je me tourne vers Oldman.

Oldman sourit et dit :

– Tout le monde a terminé ?

– Ouais, fait Rudkin, qui hausse les épaules.

– Tant mieux, parce qu'il ne faudrait pas que vous vous mettiez en retard.

– Ah, bordel de merde.

– Alf n'aime pas attendre.

Le superintendant Alfred Hill, chef de la brigade criminelle du Lancashire.

– Encore moi ? demande Rudkin, qui jette un regard circulaire dans la pièce.

Noble nous montre, Rudkin, Ellis et moi.

– Vous trois.

– Et Steve Barton et l'Irlandais ?

– Plus tard, John. Plus tard, dit Oldman, qui se lève.

Dans le parking, Rudkin lance les clés à Ellis.

– Conduis.

C'est comme si Ellis allait jouir dans son pantalon.

– Sûr, dit-il.

– Je vais piquer un roupillon, dit Rudkin, qui monte à l'arrière de la Rover.

Le soleil brille et j'allume la radio :

Deux cents morts dans l'incendie d'un Kentucky Nightclub, cinq personnes inculpées après le meurtre du capitaine Nairac [1]*, vingt-cinq adolescents de couleur arrêtés à la suite d'une avalanche de vols à l'arraché dans le sud-est de Londres, vingt-trois millions de personnes regardent le Royal Windsor Show.*

– Bande de cons, blague Ellis.

Je baisse la vitre, sors la tête pour profiter de la brise tandis qu'on prend de la vitesse sur le chemin de la M 62.

– Tu le connais ce foutu chemin ? crie l'inspecteur Rudkin, à l'arrière.

Je ferme les yeux : 10CC et ELO jusqu'au bout.

Quelque part dans les Moors, je me réveille en sursaut.

La radio est éteinte.

Silence.

Je regarde les voitures et les camions de part et d'autre de nous, les Moors au-delà, et il est difficile de penser à autre chose.

– Vous auriez dû voir ça, en février, quand j'y suis allé avec Bob Craven, dit Rudkin, qui passe la tête entre les sièges avant. On a été pris dans un putain de blizzard. On ne voyait pas à un mètre. Bordel, c'était effrayant. Je jure que ça s'entendait. On chiait dans notre froc.

Ellis quitte un instant la route des yeux, regarde Rudkin.

Je dis :

– Alf Hill était un des responsables, hein ?

1. Officier britannique enlevé et vraisemblablement assassiné par l'IRA en Irlande du Nord. (*N.d.T.*)

– Oui. Il a été un des premiers à interroger la femme. Ce sont ses hommes qui ont trouvé les bandes et tout.

– Putain, fait Ellis.

– Il la déteste encore plus que Brady.

On regarde les Moors, la lumière argentée du soleil, les taches foncées des nuages, les tombes anonymes.

– C'est sans fin, dit Rudkin, qui s'appuie contre le dossier de la banquette. Putain, c'est sans fin.

Neuf heures et demie et on se gare sur le parking du quartier général de la police du Lancashire, à Preston.

Rudkin soupire et enfile sa veste.

– Préparez-vous à vous emmerder sec.

À l'intérieur, Rudkin va nous annoncer à la réception tandis qu'on serre des mains, qu'on mentionne des amis communs, puis on monte dans le bureau d'Alf Hill.

Le sergent en uniforme frappe à la porte et on entre.

Le superintendant Hill est un homme de petite taille qui fait penser à Old Man Steptoe [1] après une sale nuit. Il tousse dans un mouchoir sale.

– Entrez, crache-t-il dans le morceau de tissu.

On ne se serre pas la main.

– Te revoilà ? dit-il à Rudkin avec un sourire ironique.

– Comme cette putain de pluie, hein ?

– Je n'ai pas dit ça, John, je n'ai pas dit ça. Toujours un plaisir, jamais une corvée.

Rudkin, sur sa chaise, se penche en avant.

– Du nouveau ?

– Sur Clare Strachan ? Non, je n'ai pas l'impression.

1. Personnage de la sitcom anglaise *Steptoe and Son*, diffusée par la BBC dans les années soixante. (*N.d.T.*)

Il se remet à tousser, sort le mouchoir, finit par dire :

– Vous êtes très occupés, je sais, très occupés. Donc allons-y.

On se lève et on suit un couloir conduisant à ce qui est sans doute le bureau de la brigade criminelle, tandis que des portes se ferment d'un côté et de l'autre sur notre passage.

C'est une vaste pièce dont les hautes fenêtres donnent sur les collines et je suis pratiquement sûr que quelques-uns des auteurs des attentats à la bombe dans les pubs de Birmingham y sont passés.

Alfred Hill ouvre le tiroir d'un classeur.

– Exactement où tu l'as laissé, fait-il avec un sourire.

Rudkin hoche la tête.

Il y a des flics, dans la pièce, qui fument, en bras de chemise, les photos de leurs morts les regardant, jaunissant.

Eux, ils nous dévisagent comme on les dévisage.

Hill se tourne vers un gros moustachu et lui dit :

– Ces gars viennent de Leeds, pour travailler sur Clare Strachan. S'ils ont besoin de quelque chose, donne-le-leur, quoi que ce soit.

L'homme acquiesce, retourne à la fin de sa cigarette.

– N'oubliez pas de passer, oui, n'oubliez pas de passer me voir avant de partir, dit Alf Hill avant de s'engager à nouveau dans le couloir.

– Merci, dit-on à l'unisson.

Après son départ, Rudkin se tourne vers le gros homme et dit :

– Tu as entendu, Frankie, va nous chercher du soda ou un truc frais quelconque. Et laisse tes clopes.

– Je t'emmerde, Rudkin, blague Frankie, qui lui lance ses JPS.

Rudkin s'assied, se tourne vers Ellis et moi, dit :
– Au boulot, les gars.

Clare Strachan, entre vingt-six et soixante-deux ans.

Bouffie et dans la merde avant même l'agression.

Mariée deux fois, deux mômes à Glasgow.

Condamnations pour racolage :

Une véritable épave, avait dit le juge.

A échoué au foyer St Mary, à Preston, en compagnie d'autres prostituées, de drogués et d'alcooliques.

Le mardi 20 novembre 1975, Clare avait eu des relations sexuelles avec trois hommes, dont un seul avait été identifié.

Et mis hors de cause.

Au matin du 21 novembre 1975, Clare était morte.

Éliminée.

Une botte dans la chatte, un manteau sur la tête.

Je lève la tête, dis à Rudkin :

– Je veux aller au foyer, puis aux garages.

Ellis, qui écrivait, s'interrompt.

– Pourquoi ?

– Je n'arrive pas à me les représenter.

– Ça vaut mieux, dit-il, écrasant sa cigarette.

On dit au sergent de la réception où on va et on regagne le parking.

Frankie nous rejoint ventre à terre.

– Je vais vous donner un coup de main, fait-il, essoufflé.

– Pas la peine, dit Rudkin.

– Le patron dit qu'il faut. Se montrer hospitalier.

– Tu vas nous payer à déjeuner, hein ?

– Je crois que ça pourrait s'arranger, ouais.

– Magique, ricane Rudkin.

Ellis hoche la tête dans le genre *on n'y va pas par quatre chemins*.

Moi, j'ai envie de vomir.

Le foyer St Mary a cent ans ou plus, il se trouve dans la rue qui aboutit à la gare de Preston.

SANG ET FEU est tatoué sur le mur, au-dessus de la porte.

– Il y a encore des membres du personnel qui travaillaient là à l'époque ? je demande à Frankie.

– J'en doute.

– Et les résidents ?

– Tu blagues ? Une semaine plus tard, on n'en a pas retrouvé un seul.

On suit le couloir obscur et puant, on jette un coup d'œil dans la réception minuscule.

Un homme aux cheveux raides et gras jusqu'aux épaules écrit, radio allumée.

Il lève la tête, remonte ses lunettes à monture noire de la sécurité sociale sur son nez et renifle.

– Oui ?

– Police, dit Frankie.

– Ouais.

Il hoche la tête, dans le genre *merde, qu'est-ce qu'ils ont encore fait ?*

– On peut vous poser quelques questions ?

– Ouais, sûr. À quel sujet ?

– Clare Strachan. On peut s'installer quelque part ?

Il se lève.

– Le salon est là-bas, dit-il, le bras tendu.

Rudkin nous précède dans une autre pièce dégueulasse, fenêtres qui laissent entrer l'air, canapés pourris, couverts de brûlures de clopes et de restes desséchés de nourriture.

Frankie continue.

– Et vous êtes ?

– Colin Minton.

– Vous êtes le directeur?

– Adjoint. Tony Hollis dirige l'établissement.

– Tony est ici?

– Il est en vacances.

Tout doux :

– Dans un endroit chouette?

– À Blackpool.

– Tout près.

– Ouais.

– Asseyez-vous, dit Frankie.

– Je ne travaillais pas ici quand c'est arrivé, dit soudain Colin, comme s'il en avait déjà assez.

Rudkin prend le relais.

– Qui travaillait ici?

– Dave Roberts, Roger Kennedy et Gillian quelque chose, je crois.

– Ils sont encore ici?

– Non.

– Ils travaillent encore pour la municipalité?

– Aucune idée, désolé.

– Avez-vous travaillé avec eux?

– Seulement avec Dave.

– Il vous a parlé de Clare Strachan et de ce qui est arrivé?

– Un peu, ouais.

– Vous vous souvenez de ce qu'il vous a dit?

– Quoi, par exemple?

Frankie est chez lui, donc on se tait quand il reprend et dit :

– N'importe quoi. Sur Clare Strachan, le meurtre, n'importe quoi?

– Ben, il a dit qu'elle était plus ou moins folle.

– Comment ça?

– Dingue. Qu'elle aurait dû être dans un hôpital, c'est ce que Dave disait.

– Ouais?

– Elle regardait par la fenêtre et aboyait au passage des trains.

Ellis dit :

– Elle aboyait ?

– Oui, comme un chien.

– Merde.

– Ouais, c'est ce qu'il disait.

Rudkin m'adresse un coup d'œil et je prends la suite, demande :

– Dave vous a parlé de ses petits amis, de ce genre de choses ?

– Eh bien, elle faisait le tapin.

– Exact.

Je hoche la tête.

– Et il a dit qu'elle était tout le temps bourréc, qu'elle laissait tous les types qui étaient ici coucher avec elle et qu'il y avait parfois des bagarres à cause d'elle.

– Comment ça ?

– Je ne sais pas, il faudrait poser la question à ceux qui étaient là, mais il devait y en avoir qui étaient jaloux.

– Et elle n'était pas difficile, hein ?

– Non. Pas vraiment.

– Elle se faisait sauter par le personnel et tout, dit Rudkin.

– Je ne suis pas au courant.

– Moi je le suis, dit-il. L'après-midi du jour où on l'a tuée, elle a couché avec Kennedy. Rogcr Kennedy.

Colin garde le silence.

Rudkin se penche et sourit.

– Ça continue, ce genre de choses ?

– Non, dit Colin.

– Vous avez rougi, blague Rudkin, qui se lève.

Je demande :

– Quelle était sa chambre ?

71

– Je ne sais pas. Mais je peux vous montrer l'étage.

– S'il vous plaît.

On monte, seulement Colin et moi.

En haut de l'escalier, je dis :

– Les résidents qui étaient ici à l'époque n'y sont plus ?

– Non, dit-il, mais il ajoute : En fait, attendez.

Il gagne l'extrémité du long couloir étroit, frappe à une porte, l'ouvre. Il parle à la personne qui se trouve à l'intérieur, puis me fait signe d'approcher.

La pièce est nue et claire, soleil sur une chaise et une table, sur un homme allongé sur un petit lit, face au mur, le dos à la porte et à moi.

Colin montre la chaise, dit :

– C'est Walter. Walter Kendall. Il a connu Clare Strachan.

– Je suis le sergent Fraser, monsieur Kendall. J'appartiens à la brigade criminelle de Leeds et nous cherchons un lien éventuel entre le meurtre de Clare Strachan et un crime récemment commis à Leeds.

Colin Minton hoche la tête, les yeux fixés sur le dos de Walter Kendall.

– Colin dit que vous avez connu Clare Strachan, je continue. Je vous serai reconnaissant de toutes les informations que vous pourrez me donner sur Clare Strachan et l'époque du meurtre.

Walter Kendall demeure immobile.

Je regarde Colin Minton et je dis :

– Monsieur Kendall ?

Lentement et distinctement, toujours face au mur, Walter dit :

– Je me souviens que le mercredi soir, le jeudi matin, j'ai été réveillé par des hurlements horribles qui venaient de la chambre de Clare. Des cris très forts, très longs. Je me suis levé et je me suis précipité dans le couloir. Elle était dans sa chambre, en haut de l'escalier. La porte était fermée à clé et j'ai frappé de toutes mes forces pendant cinq bonnes minutes avant qu'elle ouvre. Elle était seule, trempée de sueur, en larmes. Je lui ai demandé ce qui s'était passé, si elle allait bien. Elle a dit que c'était seulement un rêve. Un rêve, j'ai dit. Quel genre de rêve ? Elle a dit qu'elle avait rêvé qu'il y avait un poids énorme sur sa poitrine, qui vidait ses poumons de l'air qu'ils contenaient, qui chassait la vie même de son corps, et qu'elle ne pouvait penser qu'à une chose : qu'elle ne reverrait pas ses filles. J'ai dit que c'était sûrement à cause de ce qu'elle avait mangé, une stupidité à laquelle je ne croyais pas moi-même, mais qu'est-ce qu'on peut dire dans ces cas là ? Clare a souri et a dit qu'elle faisait le même rêve toutes les nuits depuis presque un an.

Dehors, un train passe, fait vibrer la pièce.

– Elle m'a demandé de passer le reste de la nuit avec elle et je me suis allongé sur les couvertures, je lui ai caressé les cheveux et je lui ai demandé de m'épouser, comme je l'avais souvent fait, mais elle s'est contentée de rire et elle a dit qu'elle ne m'apporterait que des ennuis. J'ai dit que je me fichais des ennuis, mais elle ne voulait pas de moi. Pas comme ça.

Ma bouche était sèche, la pièce torride.

– Elle savait qu'elle allait mourir, sergent Fraser. Elle savait qu'ils la retrouveraient, un jour. Qu'ils la retrouveraient et qu'ils la tueraient.

– Qui ? Qu'est-ce que vous entendez par : « Ils la tueraient » ?

– Le jour où j'ai fait sa connaissance, elle était saoule et je n'y ai pas attaché d'importance. Dans ce genre d'endroit, on entend toutes sortes d'histoires incroyables. Mais elle insistait, persistait : *Ils vont me retrouver et, quand ils m'auront retrouvée, ils me tueront.*

– Je regrette, monsieur Kendall, mais je ne comprends pas bien. Elle a dit qui, au juste, allait la tuer ou pourquoi?

– La police.

– La police? Elle a dit que la police allait la tuer?

– La Police spéciale. C'est ce qu'elle disait.

– *La Police spéciale?* Pourquoi?

– À cause de quelque chose qu'elle avait vu, de quelque chose qu'elle savait, ou parce qu'on croyait qu'elle avait vu quelque chose ou qu'elle savait quelque chose.

– Elle n'a pas expliqué?

– Non. Elle ne voulait pas. Elle disait que ça ne ferait que mettre d'autres personnes dans le même bateau qu'elle.

– Je suppose que vous n'avez pas dit ça aux enquêteurs, à l'époque, n'est-ce pas?

– Comme s'ils m'auraient écouté! De toute façon, ils ne tenaient pas compte de moi, surtout après ce qui m'est arrivé.

Je dis :

– Pourquoi? Qu'est-ce qui vous est arrivé, monsieur Kendall?

Walter Kendall se retourne, sur son lit, et sourit : yeux blancs, décolorés, l'homme aveugle.

– Comment est-ce arrivé? je demande.

– Le vendredi 21 novembre 1975, je me suis réveillé et j'étais aveugle.

Je me tourne vers Colin Minton, qui hausse les épaules.

– Je voyais mais, maintenant, je suis aveugle, dit Kendall dans un rire.

Je me lève.

– Je vous remercie de m'avoir reçu, monsieur Kendall. Si vous pensez à autre chose, s'il vous plaît...

Soudain, Kendall tend le bras, saisit la manche de ma veste.

– Autre chose ? Je ne pense à rien d'autre.
Je me dégage.

– Téléphonez-nous.

– Soyez prudent, sergent. Ça peut arriver à n'importe qui, n'importe quand.

Je m'éloigne, dans le couloir étroit, m'arrête devant la porte de la chambre qui se trouve en haut de l'escalier.

Il fait froid, ici, où le soleil ne pénètre pas.

Colin Minton lève la tête, commence à expliquer qu'il est désolé.

– La Police spéciale ? Et puis quoi encore comme conneries ? blague l'inspecteur Rudkin.

On monte Church Street à pied, en direction des garages.

– Putain, les gens ! Ils ne reconnaissent jamais que, s'ils sont dans un putain de merdier, c'est parce qu'ils sont alcooliques et camés. C'est toujours à cause de quelque chose ou de quelqu'un.

Frankie rigole, lui aussi.

– Ce con est devenu aveugle parce qu'il a bu du décapant industriel.

– Tu vois ? fait Rudkin.

– Moi, ouais, blague Ellis. Contrairement au copain de Bob.

– Il y en a qui se croient drôles, dit Rudkin, qui secoue la tête.

Au carrefour, on prend Frenchwood Street.

À gauche se trouvent les entrepôts, les garages.

Preston semble soudain silencieuse.

Encore ce silence.

– C'était celui-là, souffle Frankie, le bras tendu vers celui qui est le plus éloigné de nous, près du parking à plusieurs étages qui se dresse au bout de la rue.

– Fermé à clé ? je demande.

– Sûrement pas.

On continue notre chemin.

Ma poitrine se crispe, devient douloureuse.

Rudkin ne dit pas un mot.

Trois Pakistanaises en noir traversent devant nous.

Le soleil disparaît derrière un nuage et je sens la nuit, cette putain de nuit interminable que je perçois depuis toujours.

– Prends des notes, dis-je à Ellis.

– Quel genre ?

– Les sentiments, mon vieux. Les impressions.

– Connerie. C'était il y a deux ans, gémit-il.

– Fais-le, dit Rudkin.

Je ne peux pas y échapper :

Je gravis la colline, vacillant, des sacs à la main. Des sacs en plastique, des sacs de chez Tesco.

On arrive devant le garage et Frankie tire la porte.

Elle s'ouvre.

Je suis glacé.

Frankie allume une clope et reste sur la chaussée.

J'entre.

Sombre, sanglant, sinistre.

Plein de mouches, de putains de mouches grasses.

Ellis et Rudkin suivent.

La pièce évoque un fond marin, le poids d'un océan menaçant au-dessus de nous.

Rudkin déglutit avec difficulté.

Je lutte.

Elle regardait par la fenêtre et aboyait au passage des trains.

J'ai ressenti cela, mais pas souvent :

Wakefield, décembre 74.

Theresa Campbell, Joan Richards et Marie Watts.

Aujourd'hui, dans les Moors.

Trop souvent.

Douces odeurs du savon parfumé, du cidre, des Durex.

La migraine est intense, insupportable.

Il y a un établi, une table, des caisses en bois, des bouteilles, des milliers de bouteilles, des journaux, des débris divers et variés, des couvertures, des vêtements dépareillés.

– On a fouillé tout ça, hein ? dit Ellis.

– Mmmm, marmonne Rudkin.

Des trains passent, des chiens aboient.

J'ai un goût de sang dans la bouche.

Je suis tombée à genoux et il est sorti de moi. Maintenant, il est furieux. J'essaie de me retourner, mais il me tient par les cheveux, me donne machinalement un coup de poing, un deuxième, et je lui dis que ce n'est pas la peine, je cherche à récupérer son argent pour le lui rendre, et puis il me la met dans le cul, mais je me dis qu'au moins ça sera fini, après, et il se remet à m'embrasser les épaules, remonte mon soutien-gorge noir, sourit à ces appâts flasques de vache grasse, mord fort, très fort, le dessous de mon nichon gauche, et je ne peux pas m'empêcher de hurler, et je comprends que je n'aurais pas dû parce que, maintenant, il va être obligé de me faire taire et je pleure parce que je comprends que c'est fini, qu'ils m'ont retrouvée, que c'est comme ça que ça se termine, que je ne reverrai jamais mes filles, plus jamais.

Je lève la tête ; Ellis me regarde fixement.

C'est comme ça que ça se termine.

Rudkin a enfilé des gants en caoutchouc, sort un sac en plastique couvert de poussière de sous l'établi.

De chez Tesco.

Il se tourne vers moi.

Je m'accroupis près de lui.

Il l'ouvre.

Des revues pornos, vieilles et fatiguées.

Il ferme le sac, le remet sous l'établi.

– C'est bon ? demande-t-il.

Plus jamais.

J'acquiesce et on retourne dans la lumière.

Frankie allume une nouvelle clope, demande :

– Déjeuner ?

*

Yeux rivés sur des pintes de bière sombre, des pensées pires dans la tête et, bordel, pas moyen de leur échapper.

Frankie apporte les Ploughmans [1], tout parcheminés et décolorés.

– Qu'est-ce que c'est que ces putains de trucs ? dit Rudkin, qui se lève et retourne au bar.

Ellis lève son verre.

– Santé.

Rudkin revient, verse un whisky dans sa pinte, se rassied. Il sourit à Ellis.

– Tes impressions ?

Ellis lui rend son sourire, interprète mal l'attitude de Rudkin.

– Est-ce que j'ai la tête de ce con de Dick Emery [2] ?

– Ouais, et tu es à peu près aussi futé.

L'inspecteur Rudkin ne sourit plus. Il se tourne vers moi.

– Aide-le à comprendre, Bob.

– Je suis d'accord avec vous. Un autre type.

– Pourquoi ?

– Elle a été agressée à l'intérieur. Violée. Sodomisée. On l'a frappée à la tête avec un objet conton-

---

1. Toasts au fromage, qu'on arrose généralement de bière. (*N.d.T.*)

2. Fantaisiste de la génération de Peter Sellers, à l'allure très anglaise, qui a incarné de multiples personnages dans son émission, entre 1963 et 1981. (*N.d.T.*)

dant, mais les coups n'étaient ni mortels ni paralysants.

Frankie incline la tête.

– Ce qui signifie ?

– Le meurtrier ou les meurtriers de Theresa Campbell et Joan Richards ont attaqué dehors, n'ont donné qu'un coup à l'arrière du crâne. Elles étaient déjà mortes ou dans le coma avant de toucher le sol. Selon les premières constatations, on peut dire la même chose dans le cas de Marie Watts.

– Et ça ne peut pas être le même type, ici, ayant changé de méthode ?

– Ça ne colle pas vraiment. En réalité c'est la résistance, la lutte, qui l'ont poussé à aller toujours plus loin.

– Qui l'excitaient ? demande Ellis.

– Ouais. Il avait violé avant, a sûrement recommencé depuis.

– Alors pourquoi l'a-t-il tuée ?

Je n'avais qu'une réponse.

– Parce qu'il pouvait.

Rudkin essuie la bière déposée sur sa lèvre supérieure.

– Et les endroits où ont été placés la chaussure et l'imperméable ?

– Similaires.

– Similaires comment ? répète Frankie.

Ellis est sur le point d'ajouter son grain de sel, mais Rudkin ne lui en laisse pas le temps.

– Similaires.

Frankie sourit, jette un coup d'œil sur sa montre.

– Faudrait que j'y aille.

– Je ne voulais pas te vexer, mon pote, dit Rudkin, une main sur l'épaule de Frank.

– Je ne suis pas vexé.

On finit et on reprend la voiture.

Il est trois heures et je suis crevé, à moitié bourré.

On va déposer Frankie au poste, dire au revoir, rentrer.

Je somnole, pense à Janice.

Ellis raconte à Frankie l'interrogatoire de Kenny D.

– Putain de singe débile, fait-il dans un rire.

Je vois les jambes écartées de Kenny, son caleçon de mauvaise qualité et sa queue ratatinée, ses yeux suppliants.

Rudkin explique qu'on va le garder jusqu'au moment où on tiendra Barton.

J'imagine Kenny dans sa cellule, attendant qu'on le relâche, mort de trouille.

Tous rigolent quand on entre sur le parking.

Le superintendant Hill nous attend derrière la porte.

– Tu as une minute ? demande-t-il à l'inspecteur Rudkin.

– Qu'est-ce qu'il y a ?

– Pas ici.

Ellis et moi, on reste à la réception tandis qu'Alf Hill emmène Rudkin à l'étage.

On attend, Frankie traîne avec nous, parlant de la rivalité entre les gars du Lancashire et ceux du Yorkshire.

– Fraser, amène-toi ! crie Rudkin en haut de l'escalier.

Je monte les marches, l'estomac crispé.

Ellis veut me suivre.

– Reste ici, je fais sèchement.

Rudkin et Hill dans le bureau de la brigade criminelle du Lancashire.

Personne d'autre.

Hill raccroche le téléphone.

– Sors ce putain de dossier, crie Rudkin.

Je le prends dans le classeur.

– Le rapport d'autopsie y est?

– Ouais.

– Quel est le groupe sanguin du sperme prélevé sur elle?

– B, je réponds, de mémoire, feuilletant le rapport.

– Vérifie.

Je le fais et je hoche la tête.

– Lis.

Je lis : « Groupe sanguin identifié d'après le sperme déposé dans le vagin et le rectum de la victime : groupe B. »

– Passe-moi ça.

J'obéis.

Rudkin fixe le document, les mains à plat sur le bureau.

– Bordel.

Hill aussi.

– Merde.

Rudkin lève la feuille vers la lumière, la retourne, la donne au superintendant Hill.

Rudkin décroche le téléphone et compose un numéro.

Hill se mordille la lèvre inférieure, attend.

– B, dit Rudkin dans le combiné.

Il y a un long silence.

Finalement, Rudkin répète :

– Neuf pour cent de la population.

Nouveau silence.

– Bien, dit Rudkin, qui passe le combiné à Alf Hill.

Hill écoute, dit :

– D'accord.

Puis il raccroche.

Je reste immobile, debout.

Ils restent immobiles, assis.

Pendant deux minutes, personne ne dit un mot.

Rudkin me regarde, secoue la tête, dans le genre *putain, c'est pas possible.*

Je dis :

– Qu'est-ce qu'il y a ?

– Farley a relevé des traces de sperme sur le dos de l'imperméable de Marie.

– Et ?

– Groupe sanguin B.

*

Neuf pour cent de la population.

Il est huit ou neuf heures du soir, la nuit n'est pas encore tombée.

J'ai mal aux yeux, aux épaules et aux doigts à force d'écrire.

Le téléphone, entre ici et Leeds, n'a pas arrêté.

Panique dans les postes de police.

Rudkin me regarde sans cesse, dans le genre *c'est le bordel* et je jurerais que, de temps en temps, il croit que c'est ma faute.

On continue :

On transcrit, on copie, on vérifie, on re-vérifie, comme une bande de putains de moines penchés sur un livre saint.

Moi, je pense sans arrêt : *Rudkin ne savait pas tout ça, nom de Dieu ? Qu'est-ce qu'ils ont foutu, Craven et lui, quand ils sont venus ici ?*

Je me représente la scène, la chaussure et l'imperméable, je lève la tête et je dis :

– J'y retourne.

– Maintenant ? fait Ellis.

– Quelque chose nous échappe.

– On va passer la nuit ici ? demande Rudkin.

On jette un coup d'œil sur nos montres, on hausse les épaules.

Rudkin décroche le téléphone.

– Je vais vous trouver quelque chose, dit Frankie.

– Un endroit chouette, hein ? crie Rudkin, la main sur le micro du combiné.

Dans Church Street, une dernière lueur dans le ciel, un train sort lentement de la gare.

Lumières jaunes, visages morts derrière les vitres.

À la recherche des choses perdues, en quête d'un jeudi soir, deux ans plus tôt :

Le jeudi 20 novembre 1975.

La journée avait été pluvieuse, si bien que Clare avait passé l'essentiel du temps dans le pub situé en bas de la rue, le St Mary, même nom que le foyer.

À gauche, le parking à étages et Frenchwood Street.

Je traverse la rue.

Une voiture ralentit derrière moi, puis passe.

Un clochard au carrefour, endormi sur un lit de boîtes de conserve et de journaux.

Il pue.

J'allume une cigarette, m'immobilise près de lui, le regarde.

Il ouvre les yeux et sursaute :

– Ne mange pas mes doigts, s'il te plaît, seulement mes dents. Prends-les, elles ne me servent plus à rien. Mais il me faut du sel, tu as du sel, même un tout petit peu ?

Je m'éloigne, prends Frenchwood Street.

– DU SEL ! hurle-t-il, derrière moi. Pour conserver la viande.

Merde.

La rue est plongée dans le noir.

Selon les estimations, elle est morte entre vingt-trois heures et une heure. Peu après avoir été flanquée à la porte du pub.

La rue était sûrement plus noire, après la pluie, alors que le vent n'était pas encore levé.

Près du garage, les briques ont pratiquement abandonné la partie, humides alors qu'on est en mai.

Et de nouveau je le sens, j'attends.

J'ouvre la porte.

C'est là, ricanant :

Tu peux pas t'en passer, hein?

J'ai une torche à la main et je l'allume.

Elle remonte sa jupe, baisse un collant beige, libère le flasque des cuisses.

Je balaie la pièce, le poids devient oppressant.

Je ne vais pas pouvoir.

De la musique monte d'une voiture dehors, forte, rapide, dense.

Elle sourit, cherche à la faire durcir.

La musique cesse.

Je vais la faire durcir.

Silence.

Je la retourne, baisse la culotte à rayures noires et blanches, satinée, et voilà que je grossis, c'est mieux, et elle recule vers moi.

Il y a des rats, là-dedans.

Mais ce n'est pas ce que je veux ; je veux son cul, mais elle tend la main, me dirige vers sa putain de chatte énorme.

Des saloperies de gros rats à mes pieds.

Et je suis en elle, et j'en sors, et elle est tombée à genoux...

Dehors, je dégueule, les doigts sur le mur, en sang.

Je jette un coup d'œil dans la rue : personne.

J'essuie la salive et les saloperies, suce mes doigts ensanglantés.

Un hurlement :

– DU SEL !

Je sursaute.

Merde.

– Pour conserver la viande.

Le clochard, là, qui rit.

Connard.

Je le pousse contre le mur et il trébuche, tombe, me dévisage, voit en moi, à travers moi.

J'abats le poing sur le côté de son visage.

Il se met en boule, gémit.

Je frappe une nouvelle fois, coup mal ajusté, qui glisse sur son dos, aboutit contre le mur.

Furieux, je lui donne un coup de pied, et un autre, et encore un, jusqu'au moment où des bras se saisissent de moi, serrent, et Rudkin souffle :

– Du calme, Bob, du calme.

Dans un coin du Post House, je quémande, supplie au téléphone.

– Je suis désolé, on croyait qu'on n'en aurait que pour la journée, mais ils veulent qu'on...

Elle n'écoute pas, j'entends Bobby pleurer et elle me dit que je l'ai réveillé.

– Comment va ton père ?

Mais c'est : comment je crois qu'il va, putain, je m'en branle, apparemment, donc pas la peine de gaspiller ma salive.

Elle raccroche.

Je reste immobile, dans l'odeur de friture du restaurant, écoutant tous les occupants du bar : Rudkin, Ellis, Frankie et cinq ou six flics de Preston.

Je regarde mes doigts, mes phalanges, les éraflures de mes chaussures.

Je décroche le combiné, essaie une nouvelle fois de joindre Janice, mais elle ne décroche pas.

Coup d'œil sur ma montre : une heure passée.

Elle travaille.

Se fait sauter.

– Ils ferment, bordel, non mais tu te rends compte ? dit Rudkin sur le chemin des chiottes.

Je regagne le bar, vide mon verre.

Tout le monde est bourré, vraiment bourré.

– Il y a des boîtes correctes dans ce foutu patelin ? dit Rudkin quand il revient, finissant de boutonner sa braguette.

– On doit pouvoir trouver ça, fait Frankie d'une voix pâteuse.

Tout le monde essaie de se lever, parle de taxis, d'une boîte et d'une autre, raconte des histoires, ce qui est arrivé à ce type et cette bonne femme.

Je m'éloigne et dis :

– Je vais me pieuter.

Tout le monde me traite de putain de pédé, d'enculé, et j'acquiesce, feins l'ivresse, m'éloigne d'un pas incertain dans le couloir mal éclairé.

Soudain, les bras de Rudkin à nouveau sur mes épaules.

– Ça va ? demande-t-il.

– Ça va, je réponds. Crevé, c'est tout.

– Oublie pas que je suis toujours là.

– Je sais.

Il accentue son étreinte :

– N'aie pas peur, Bob.

– De quoi ?

– De tout ça, dit-il, montrant tout et rien, braquant un doigt sur moi.

– Je n'ai pas peur.

– Alors va te faire foutre, pédé, dit-il dans un rire, avant de s'éloigner.

– Amusez-vous bien.

– Tu vas regretter, crie-t-il, au bout du couloir.

Une porte s'ouvre et un homme me dévisage.

– Qu'est-ce que tu veux, bordel ?

Il ferme la porte.

J'entends le verrou tourner, le type vérifier.

Je frappe à sa porte, fort, j'attends, puis je gagne ma chambre, la clé au creux de mon bras.

Assis sur un lit d'hôtel au milieu de la nuit, lampe allumée ; le téléphone de Janice sonne encore et encore, le combiné près de moi sur le lit.

Je vais prendre le dossier sur le lit de Rudkin.

Je tourne les pages, les copies qu'on doit rapporter.

J'arrive au rapport d'autopsie.

Je fixe une lettre unique, solitaire, sanglante.

Bizarre, le B est bizarre.

Je place la feuille devant la lampe.

C'est l'original.

Merde...

Rudkin leur a laissé la copie.

Je pose la feuille et ferme le dossier.

Prends le combiné posé sur le lit.

Le téléphone de Janice sonne toujours.

Je reprends la feuille.

La remets en place.

J'éteins la lampe et m'allonge dans l'obscurité du Preston Post House, putain de chaleur insupportable dans la chambre, tout pèse.

Terreur, peur.

Quelque chose, quelqu'un, qui m'échappe.

Enfin je ferme les yeux.

Pensant : *n'aie pas peur.*

L'auditeur : Vous avez vu ça [il lit] : « *L'appel de fonds en faveur du Jubilé d'argent atteint un million de livres.* »

John Shark : Ça ne vous plaît pas, Bob ?

L'auditeur : Bon sang non, évidemment. Le jour où le FMI vient à Londres pour rencontrer Healey [1] *!*

John Shark : Un peu bizarre.

L'auditeur : Bizarre ? C'est ridicule, John, un point c'est tout. Absolument et totalement ridicule. Le pays a perdu la boule.

> *The John Shark Show*
> Radio Leeds
> Mercredi 1ᵉʳ juin 1977

---

1. Dennis Healey, ministre des Finances de 1974 à 1979. (*N.d.T.*)

4

C'est une cour étroite sur laquelle donnent six maisons, blanchies à la chaux jusqu'au premier étage,
des restes de peinture verte sur les huisseries. On
accède à la cour par un passage voûté, semblable à
un tunnel, situé entre le 26 et le 27 Dorset Street,
immeubles qui appartiennent à M. John McCarthy,
sujet britannique naturalisé, né en France. Le numéro
27, à gauche du passage, est occupé par la droguerie
de McCarthy, mais l'immeuble abrite également, au-
dessus et derrière, un hôtel meublé. Le numéro 26 est
également un hôtel meublé et le rez-de-chaussée a été
divisé, sur l'arrière, si bien qu'une deuxième chambre
a ainsi été créée. C'est sa chambre, le numéro 13.

Elle est petite, environ quinze mètres carrés, et on y
accède par une porte située sur le flanc droit du passage, à l'extrémité opposée de celle qui donne sur la
rue. Outre le lit, il y a deux tables, une troisième table,
plus petite, et deux chaises de salle à manger, dont
une au dossier cassé. On a fait un feu d'enfer dans la
cheminée et des lambeaux de vêtements sont mêlés
aux cendres. Au-dessus de la cheminée, face à la
porte, est accrochée une gravure intitulée La veuve
du pêcheur. Dans un petit placard mural, près de la
gravure, il y a un peu de vaisselle, des bouteilles de
soda vide et un morceau de pain rassis. Un manteau

d'homme tient lieu de rideau devant la fenêtre, une
des deux qui donnent sur la cour, à angle droit de la
porte de la chambre.

Je me réveillai avant le jour, pluie tambourinant
contre la fenêtre, talons de femmes dans une ruelle
obscure.

Je m'assis sur les draps et les vis perchés sur les
meubles, six anges blancs, des trous dans les pieds,
des trous dans les mains, des trous dans la tête, qui
caressaient leurs cheveux et leurs ailes.

– Tu es en retard, dit la plus grande, qui se diri-
gea vers mon lit.

Elle s'allongea près de moi et prit ma main, la
pressa contre les parois de son ventre, fort, sous le
coton blanc de sa robe.

– Tu saignes, dis-je.

– Non, souffla-t-elle. C'est toi.

Je portai les mains à mon visage et, quand je les
en éloignai, elles étaient couvertes de sang.

Je me pinçai le nez, un vieux mouchoir sale dans
la main, et je demandai :

– Carol ?

– Tu t'es souvenu, répondit-elle.

– Merci de me recevoir aussi vite.

– Pas de problème, dit George Oldman, directeur
adjoint de la police.

On était dans son bureau flambant neuf de Wakefield, moderne jusqu'à l'os.

C'était le mercredi 1er juin 1977.

Onze heures du matin, la pluie avait cessé.

– Écoutez ça, dit George Oldman, qui montra
d'un signe de tête la fenêtre ouverte, les cris et
le pas cadencé des cadets qui venaient de l'École
de police. On en perdra cinquante pour cent en
cinq ans.

90

– Tant que ça?

Il regarda les documents posés sur son bureau et soupira :

– Probablement plus.

Je regardai la pièce, me demandant ce qu'il voulait que je dise, me demandant pourquoi j'avais insisté pour que Hadden obtienne ce rendez-vous.

– On dirait que vous avez traversé des guerres, vous aussi, Jack?

– Vous me connaissez, dis-je en touchant un bleu, sous mon œil.

– Comment ça va, sérieusement?

Stupéfait par l'intérêt sincère qu'exprimait sa voix, je souris.

– Bien, vraiment. Merci.

– Il y a un bail.

– Pas vraiment. Trois ans.

Il regarda une nouvelle fois son bureau.

– Seulement?

Il avait raison : *cent ans*.

J'eus envie de soupirer, de m'allonger à plat ventre par terre, qu'on me ramène dans mon lit.

George agita une main au-dessus de son bureau et demanda, tristement :

– Mais vous vous êtes tenu au courant de tout ça.

– Ouais, mentis-je.

– Et Bill veut que vous vous en occupiez.

– Ouais.

– Et vous?

Pensant aux choix et aux promesses, aux dettes et à la culpabilité, hochant la tête et continuant de mentir, pour dire :

– Ouais.

– Dans un sens, c'est bien, parce qu'on a besoin d'un maximum de publicité.

– Ça ne vous ressemble pas.

– Non. Mais ça non plus et...

– Et ça ne peut qu'empirer.

George me tendit un épais dossier relié et dit :

– Ouais.

Je lus :

Meurtres et agressions de femmes dans le nord de l'Angleterre.

J'ouvris la première page, table des matières sanglante :

Joyce Jobson, agressée à Halifax en juillet 1974.

Anita Bird, agressée à Cleckheaton en août 1974.

Theresa Campbell, assassinée à Leeds en juin 1975.

Clare Strachan, assassinée à Preston en novembre 1975.

Joan Richards, assassinée à Leeds en février 1976.

Ka Su Peng, agressée à Bradford en octobre 1976.

Marie Watts, assassinée à Leeds en mai 1977.

– C'est top secret.

Je hochai la tête.

– Bien entendu.

– Nous l'avons transmis à toutes les forces de police du pays.

– Et vous croyez que toutes ces femmes ont été victimes du même homme ?

– En ce qui concerne celles entre lesquelles nous avons publiquement établi un lien, absolument. Nous ne pouvons pas négliger les autres, du fait que nous n'avons pas d'indices dans l'un ou l'autre sens.

– Merde.

– Clare Strachan paraît de plus en plus probable et, si on parvient à la placer dans la même catégorie que les autres, ce sera un gros progrès.

– Des indices ?

– Davantage que ce dont on dispose ici.

Je feuilletai, parcourus.

Tournevis Philips, abdomen, grosses bottes en caoutchouc, vagin, marteau, crâne.

Des photos en noir et blanc, agressant les yeux :
Ruelles, arrières de cités ouvrières, terrains vagues, dépôts d'ordures, garages, terrains de jeu.

– Qu'est-ce que vous voulez que j'en fasse ?

– Lisez-le.

– Il faudrait que j'interviewe les survivantes.

– Ne vous gênez pas.

– Merci.

Il jeta un coup d'œil sur sa montre, se leva.

– Déjeuner, même s'il est un peu tôt ?

– Avec plaisir, mentis-je.

Encore un ange qui mourait.

Devant la porte, George Oldman s'immobilisa.

– Je n'ai pas arrêté de parler et c'est vous qui aviez demandé une interview.

– Exactement comme dans le temps, dis-je en souriant.

– Qu'est-ce qui vous intéressait ?

– On l'a évoqué. Je me demandais si vous aviez établi un lien avec d'autres agressions ou meurtres.

– Et ?

Nous nous tenions sur le seuil, ni dedans ni dehors, des femmes en combinaison bleue briquaient le plancher et les murs.

– Et s'il avait pris contact avec vous.

Oldman regarda son bureau.

– Non.

George apporta les pintes de bière.

– Les plats arrivent dans cinq minutes.

The College était silencieux, deux autres flics vidèrent leur verre quand ils nous virent, les autres clients étaient soit des avocats soit des hommes d'affaires.

George les connaissait tous.

– Vous vous plaisez à Wakefield ? demandai-je.

– Ça va.

– Leeds vous manque ?

– Oui, mais j'y vais un jour sur deux. Surtout en ce moment.

– Lillian et les filles vont bien ?

– Oui, merci.

La muraille était encore là, toujours aussi haute.

Un accident de voiture, il y avait quatre ou cinq ans. Son fils unique mort, une de ses filles paralysée, toutes sortes de rumeurs.

– Voilà, dit George, quand deux grandes assiettes de foie furent placées devant nous.

On mangea en silence, se regardant à la dérobée, élaborant des questions, y renonçant sous le poids de mille tangentes malsaines, de souvenirs plus encore, de fondrières et de pièges. Puis pendant un instant, juste un instant, entre le foie et les oignons, la cible de fléchettes et le bar, j'eus pitié du colosse assis en face de moi, pitié comme s'il ne méritait pas ce qu'il avait subi, les leçons qu'on lui avait données, celles qu'on lui donnerait, comme si nous ne méritions ni l'un ni l'autre nos villes cruelles, nos prêtres sans foi, nos femmes stériles et nos lois injustes. Mais je me souvins de tout ce que nous avions fait, de tout ce que nous nous étions mis dans les poches, des vies volées et perdues, et je compris que j'avais eu raison quand j'avais dit qu'elles ne pouvaient qu'être plus terribles, bien plus terribles, les leçons qui nous attendaient.

Il posa son couteau et sa fourchette sur son assiette vide, dit :

– Pourquoi avez-vous demandé s'il avait pris contact ?

– Une intuition, c'est tout, une impression.

– Ouais ?

J'avalai la dernière bouchée de mon déjeuner, le premier depuis longtemps.

– Si c'est le même gars, il voudra que vous sachiez.

– Qu'est-ce qui vous fait croire ça ?
– Vous ne voudriez pas ?

Je regagnai Leeds, par le chemin des écoliers, m'arrêtai boire une troisième pinte au Halfway House.

– Pas du tout. Il faut que les secrets restent secrets.
Et une quatrième.
La radio :

La princesse Anne accueillie par des manifestants bruyants à l'inauguration de la mairie de Kensington et Chelsea, la police incitée à ne pas coopérer dans le cadre de la nouvelle procédure sur les plaintes, un Asiatique condamné à trois ans après le meurtre d'un Blanc.

Trois ans, il n'y avait pas plus.

Mercredi 1er juin 1977.
La rédaction victime de la folie du Derby.
Gaz criait :
– Lequel tu choisis, Jack ?
– Je n'ai pas regardé.
– Tu n'as pas regardé ? Allons, Jack. C'est le Derby. Le Derby du Jubilé, en plus.
– La course des gens ordinaires, ajouta George Greaves. Rien à voir avec le grand prix d'Ascott.
– Il paraît qu'il y aura un quart de million de personnes, dit Steph. Ça va être formidable.
J'ouvris le journal, cachant le dossier.
Bill Hadden regarda par-dessus mon épaule, souffla :
– Minstrel à cinq contre un.
– Ce sera le dernier Derby de Lester, s'il le court, dit Gaz.
J'avais envie de refermer le journal, mais je n'avais pas envie de revoir le dossier.
– Impossible d'imaginer qu'il ne le courra pas, hein ?

– Allez, Jack. Back Baudelaire, fit Bill, souriant. Je pris sur moi.

– Qu'est-ce que tu en penses, George ?

– Un gros cul.

– Gifle-le, Steph, cria Gaz. Tu ne peux pas le laisser parler de toi comme ça.

– Frappe-le, Jack, blagua Steph.

– Royal Plume, dit George.

– Qui le monte ?

– Joe Mercer, dit Gaz.

George Greaves parlait tout seul.

– Royal Plume l'année du Jubilé, c'est le destin.

– Allez, Jack. Il faut que je descende avant qu'ils soient au départ.

– Une minute, Gaz. Une minute.

– Milliondollarman ? blagua Steph.

– On ne peut pas reconstruire Jack, hein ? fit Gaz.

Je dis :

– Hot Grove.

– Va pour Carson et Hot Grove, dit Gaz, qui sortit.

Une heure plus tard, Lester Piggot avait gagné le Derby pour la huitième fois et on avait tous perdu.

Au Cercle de la presse, on noyait notre chagrin.

George disait :

– Le problème, avec les courses, c'est que c'est comme le sexe : des préliminaires formidables, mais c'est terminé en deux minutes trente-six secondes et quarante-quatre dixièmes.

– Parle pour toi, dit Gaz.

– Sauf si on est français, fit Steph avec un clin d'œil.

– Ouais, ils n'ont même pas des préliminaires formidables.

– Qu'est-ce que tu en sais, George Greaves ? glapit Stephanie. Il y a dix ans que tu ne l'as pas fait et je parie que tu n'as jamais enlevé tes chaussettes.

– C'est toi qui m'as dit de les garder, que ça t'excitait.

Je pris le dossier et les laissai continuer sans moi.

– Tu aurais dû aussi jouer placé, Jack, cria Gaz.

Ciel crépusculaire gris, toujours très chaud et la pluie à venir, feuilles vertes et puantes tambourinant contre ma fenêtre dans le genre JE T'AIME.

Lune basse, dossier ouvert.

Meurtres et agressions de femmes dans le nord de l'Angleterre.

Sucre renversé, lait tourné.

Esprit vide, yeux creux.

Étoiles de malheur tombées sur Terre, elles me narguaient de leurs strophes idiotes, me raillaient de leurs ritournelles enfantines.

Jack le fat qui se gratte.

Jack le vif, Jack le rapide.

Jack Babouin assis dans son coin.

Jack et Lynn en haut de la colline.

Pas de Lynn, les Lynn sont parties, seulement des Jack.

Jack qui jaillit de sa boîte, Jack le petit diable.

Jack, Jack, Jack.

Ouais, c'est moi Jack.

Union Jack.

La même chambre, toujours la même chambre :

Le soda, le pain rassis, les cendres dans la cheminée.

Elle est en blanc, noircissant jusqu'au bout des ongles, tirant une table de toilette à dessus en marbre pour barricader la porte, chutant, trop épuisée pour rester debout, affalée sur une chaise au dossier cassé, tournoyant, on ne la comprend pas, les mots de sa bouche, les images de sa tête, on ne les comprend pas, perdue dans sa chambre, comme tombée de très haut, brisée, et personne ne peut recoller les morceaux ; des messages : personne ne les reçoit, ne les décode, ne les traduit.

« Comment allons-nous payer le loyer ? » chante-t-elle.

Juste des messages dans une chambre, prisonniers entre la vie et la mort, la table de toilette à dessus en marbre devant la porte.

Mais pas pour longtemps, plus maintenant.

Juste une chambre et une jeune femme en blanc, noircissant jusqu'au bout des ongles, avec des trous dans la tête, juste une jeune femme qui entend des pas, dehors, sur les pavés.

Juste une jeune femme.

Je me réveillai, le souffle court, brûlant, certain qu'elles seraient là.

Elles sourirent, me prirent les mains et les pieds.

Je fermai les yeux et les laissai m'emporter dans cette chambre, la même chambre, toujours la même chambre...

Des périodes différentes, des endroits différents, des villes différentes, des maisons différentes, toujours la même chambre.

Toujours la même putain de chambre.

Le corps gît, nu, au milieu du lit, les épaules à plat, l'axe du corps incliné vers la gauche. Le bras gauche repose le long du corps, l'avant-bras fléchi à angle droit, sur l'abdomen. Le bras droit est légèrement éloigné du corps et repose sur le matelas, coude fléchi et avant-bras inerte, doigts crispés. Les jambes sont écartées, la cuisse droite formant un angle droit avec le tronc, la gauche un angle obtus avec les parties génitales.

La totalité de la surface de l'abdomen et des cuisses ont été retirés et les viscères sorties de la cavité abdominale. Les seins coupés, les bras marqués par plusieurs plaies aux bords irréguliers, le visage tailladé au point qu'il est méconnaissable. Les tissus du cou ont été entaillés sur toute la circonférence, jusqu'à l'os.

Les viscères se trouvent dans plusieurs endroits, à savoir : l'utérus, les reins et un sein sous le lit, l'autre sein près du pied droit, le foie entre les pieds, les intestins près du flanc droit, la rate près du flanc gauche. Les bandes de chair provenant de l'abdomen et des cuisses se trouvent sur la table.

La literie du côté droit est imbibée de sang et sur le plancher, dessous, il y a une flaque de sang d'environ un mètre carré. Il y a des flaques de sang sur le mur situé à droite du lit, à la hauteur du cou.

Le visage a été tailladé dans toutes les directions, le nez, les joues, les sourcils et les oreilles partiellement arrachés. Les lèvres ont été vidées de leur sang, entaillées par plusieurs incisions qui courent obliquement sur le menton. Il y a aussi de nombreuses entailles au tracé irrégulier.

Le cou a été tranché jusqu'aux vertèbres, la cinquième et la sixième étant profondément entaillées. Près de l'incision du cou, on distingue, sur la peau, des traces nettes d'ecchymose.

La trachée a été sectionnée à hauteur de la partie inférieure du larynx, à travers le cartilage cricoïde.

Les deux seins ont été coupés à l'aide d'incisions plus ou moins circulaires, les muscles de la cage thoracique restant reliés aux seins. Le tissu intercostal séparant la cinquième et la sixième côtes a été coupé, et le contenu du thorax est visible par cette ouverture.

La peau et les tissus de l'abdomen, de la partie inférieure de la cage thoracique aux parties génitales, ont été retirés en trois larges bandes. La cuisse droite est dénudée, dans sa partie supérieure, jusqu'à l'os, la

99

bande de chair arrachée comportant les organes reproducteurs externes et une partie de la fesse droite. La peau, l'aponévrose et le muscle de la cuisse gauche ont été arrachés jusqu'au genou.

Le mollet gauche présente une longue entaille, qui s'étend du genou à douze centimètres au-dessus de la cheville, si profonde qu'elle entame la couche inférieure des muscles.

Les bras et les avant-bras présentent de nombreuses entailles aux bords irréguliers.

Le pouce droit présente une petite incision superficielle d'environ un centimètre et demi de long, avec épanchement de sang sous la peau, et il y a, sur la main, plusieurs éraflures ayant la même caractéristique.

À l'ouverture du thorax, on constate que le poumon droit n'est que peu adhérent, hormis quelques adhérences anciennes. La base du poumon est écrasée et dilacérée.

Le poumon gauche est intact : adhérent à l'apex, avec des adhérences latérales. Il y a plusieurs nodules cicatriciels dans la masse du poumon.

Le péricarde est ouvert dans sa partie inférieure.

Dans la cavité abdominale, on trouve de la nourriture partiellement digérée : on a retrouvé du poisson, des pommes de terre et des produits analogues dans la partie de l'estomac toujours fixée à l'intestin.

Spitalfields, 1888.

Le cœur est absent et la porte fermée à clé de l'intérieur.

Je me réveillai, constatai qu'elles étaient toujours perchées sur le canapé.

Je me levai d'un bond et, les écartant, ouvris précipitamment le dossier d'Oldman :

Meurtres et agressions de femmes dans le nord de l'Angleterre.

100

Je lus et relus, jusqu'au moment où mes yeux furent rouge sang, se mirent à saigner à cause de ce que je venais de lire.

Puis je me mis à taper, taper pendant qu'elles bavardaient, tournoyaient dans la pièce dans une cacophonie horrible, Carol me provoquant, me faisant des reproches.

– Tu es en retard. Tu es en retard. Tu es toujours tellement en retard.

Un doigt mordu dans mon oreille, je continuai de taper, des textes récrits en rouge sang frais assorti, attrayant.

Au moment le plus noir de la nuit, avant l'aube et la lumière, j'avais fini, juste une dernière chose à faire :
Je décrochai le téléphone, fis tourner le cadran, l'estomac chaviré à chaque chiffre.

– C'est moi, Jack.
– J'ai cru que tu n'appellerais jamais.
– Ça n'a pas été facile.
– Ça ne l'est jamais.
– Il faut que je te voie.
– Mieux vaut tard que jamais.

Avec l'aube et encore la bruine, je me réveillai une nouvelle fois. Elles dormaient, flétries, sur les meubles.

Je restai allongé, seul, contemplai le plafond fissuré, la peinture écaillée, pensai à elle, pensai à lui, attendis St Anne.

Je me levai, passai près d'elles sur la pointe des pieds, gagnai la table.

Je retirai la feuille de la machine à écrire.

Les mots à la main, je sentis que mon ventre saignait.

Yorkshire, 1977.

Le cœur absent, la porte toujours fermée à clé de l'intérieur.

Elle s'immobilisa derrière moi, se pencha sur mon épaule, chaude contre mon oreille, les yeux fixés sur les mots que j'avais écrits.

Les nouvelles d'hier, le gros titre de demain :
L'Éventreur du Yorkshire.

L'auditeur : Je voudrais demander au docteur Rabonwick...

John Shark : Raazinowicz.

L'auditeur : Ouais, c'est ça. Je voudrais lui demander, bon, il dit que tous ces crimes ont été commis et que personne ne sait qu'ils existent...

Le Dr Raazinowicz : Plus de quatre-vingts pour cent, oui.

L'auditeur : C'est ça. Ce que je ne comprends pas, c'est : où sont les victimes ?

Le Dr Raazinowicz : Les victimes ? Les victimes, elles sont partout.

The John Shark Show
Radio Leeds
Mardi 2 juin 1977

5

Terrassement :

On creuse sans relâche depuis vingt-quatre heures.

Pas une heure de sommeil depuis qu'on a quitté Preston...

Retour dans la matinée de mercredi, Rudkin et Ellis cuvant sur la banquette arrière, gueule de bois de tous les diables.

Millgarth, toujours le chaos et les corps, un tuyau chaque foutue minute qui passe, pas le temps de vérifier. Et je pense : son nom pourrait être dans cette pièce en ce moment, ici, écrit à l'encre, ici et maintenant, n'attendant que moi.

15 h 30 et je reçois l'appel dont j'ai le moins envie : encore un bureau de poste[1], encore une attaque.

Rudkin engueulant Noble :

– Putain, qu'est-ce que ça a à voir avec Bob ?

– On n'a personne d'autre.

– Moi non plus.

Conséquence du refus des heures supplémentaires, les agents en uniforme ayant voté la pour-

---

1. Il s'agit de petits commerces, généralement de journaux, qui tiennent également lieu de bureaux de poste auxiliaires, comme on en trouve en Grande-Bretagne. (*N.d.T.*)

suite de leur action pendant notre séjour à Preston, et Rudkin dit ce qu'il dit toujours :

– On peut pas leur en vouloir, bordel.

– Tu deviens un vrai putain d'emmerdeur, John. Ce n'est que pour deux jours.

– Conneries. On n'a pas deux jours. Il fait théoriquement partie de la Brigade d'enquête sur les meurtres de prostituées.

Mais Noble est parti et je bosse à nouveau sur ces putains d'attaques de bureaux de poste :

Hanging Heaton, Skipton, Doncaster et, maintenant, Selby.

Des boulots sabotés du début à la fin.

Ça serait simple cambriolage et cinq ans maximum, si ces têtes de nœud avaient tenu leurs putains de doigts éloignés de leurs saloperies de gâchettes à Skipton et n'insistaient pas pour tabasser tous les vieux pratiquement à mort.

Meurtre : la prison à vie pour une vie.

Bien joué, les gars :

On suppose que les suspects sont quatre, gantés et masqués, accents de la région.

Ce pourrait être des gitans : surprise, surprise.

Ce pourrait être des Noirs : pas de surprise.

Le degré de violence semble désigner des Blancs, entre dix-huit et vingt-deux ans, délits antérieurs et excès d'*Orange mécanique.*

J'ai Selby au bout du fil :

M. Ronald Prendergast, soixante-huit ans, est en train de fermer son bureau de poste annexe, dans New Park Road, quand il est confronté à trois agresseurs masqués et armés.

Une bagarre éclate, au cours de laquelle M. Prendergast est frappé à plusieurs reprises avec un objet contondant et perd connaissance, grièvement blessé à la tête.

Sur place à cinq heures et demie, la soirée entre le lieu du crime et l'hôpital, attendant que Pépé Prendergast sorte du cirage.

Sa femme fleurissait l'église, putain de coup de chance.

Huit heures, j'arpente les couloirs de l'hôpital, téléphone et téléphone.

J'appelle Janice.

Zéro –

Certain qu'elle travaille, désespérément envie de traîner dans les rues, désespérément envie de la voir, désespérément envie de l'obliger à cesser.

J'appelle chez moi :

Zéro –

Louise et Bobby dans un hôpital, moi dans un autre, pas le bon.

J'appelle Millgarth :

En dessous de zéro –

Craven qui décroche, pas trace de Noble ou de Rudkin, tous ces mémos pleins de tuyaux et personne pour vérifier. Craven qui raccroche, et je le vois regagner la brigade des Mœurs en boitant, me dis qu'on a dû l'inventer spécialement pour lui et son putain de sourire cynique.

Neuf heures et j'ai l'impression que monsieur Prendergast ne va pas dire grand-chose, va se contenter de baver et de nous faire penser à la mort en embuscade, toute chaude, et je prie et prie pour qu'il tienne le coup et que ce ne soit pas un double meurtre, et je comprends à ce moment, je comprends que mon vrai désir c'est :

La Brigade d'enquête sur les meurtres de prostituées.

Et je comprends à ce moment, je comprends pourquoi.

Janice.

Deux heures plus tard, toutes mes prières se concrétisent, sont entendues.

– On demande le sergent Fraser à la réception.

Dans le couloir, les soins intensifs derrière, l'enfer intensif devant – à Leeds, Rudkin me demande de revenir :

– On a retrouvé Barton.

Pied au plancher dans la ville, Millgarth qui bourdonne, bouillonne, brûle. Briefing de minuit :

COFFREZ-LE.

La radio crache :

– Maintenant, dit la voix déformée de Noble dans la nuit : celle du jeudi 2 juin 1977.

Ellis hurle :

– Putain de bordel, c'est pas trop tôt !

Et on descend de voiture, on traverse Marigold Street, Chapeltown, Leeds.

Rudkin, Ellis et moi :

Un fusil, une masse et une hache.

À un bout de la rangée de maisons, Craven et ses gars descendent la rue, les autres font le tour par-derrière.

On arrive devant la porte.

Ellis lève la masse.

Rudkin jette un coup d'œil sur sa montre.

On attend.

Quatre heures du matin.

Big John adresse un signe de tête à Ellis.

Toc-toc, inutile de frapper.

Il la brandit au-dessus de sa tête et crie :

– Debout là-dedans, putains de sales nègres !

Puis il l'abat sur la porte verte et il y a des éclats de bois partout ; il la lève à nouveau et recommence, Rudkin donne un coup de latte et on entre, moi mort de trouille au cas où ce putain de fusil pèterait, mais me marrant presque quand on voit un des gars de Prentice avec son gros cul coincé dans l'encadrement de la fenêtre de la cuisine, ni dedans ni dehors, et nous voilà dans l'escalier où Steve Barton, M. Maladie-du-sommeil en personne, se trouve, vêtu du costume noir qu'il portait à la naissance, se frottant les cheveux et se grattant les noix, puis se chiant dessus dans les cinq secondes qu'il lui faut pour piger qui on est, moi et ma putain de hache, au moment où je monte l'escalier, injuriant ce foutu connard, Rudkin, Ellis et les deux canons du fusil derrière moi, décompressant après quatre heures dans cette putain de voiture, dans ce trou du cul banalisé de l'enfer, pas de téléphone, pas de Janice, rien, dans cette voiture à attendre ce putain d'ordre, et je cogne Barton au ventre, si bien qu'il se plie en deux et bascule dans l'escalier, dans les bras de Rudkin et Ellis qui l'aident d'un coup de pied et d'un coup de poing, puis se jettent aussitôt sur lui, parce qu'ils ne veulent pas que Craven ou Prentice arrivent avant ; je les rejoindrais mais la cousine ou la tante de Barton, ou sa mère, ou je ne sais quel membre de son immense putain de tribu qui le cachait, sort la tête par l'entrebâillement d'une porte, et je lui serre un nichon, lui passe la main sur la chatte, la repousse dans la chambre où un bébé s'est mis à pleurer, et la femme a trop peur pour aller près de lui, car elle ne pense qu'à se cacher, croit qu'elle va se faire violer, et c'est ce que je veux qu'elle croie, parce qu'elle restera dans la chambre et nous laissera tranquilles, mais il faut qu'elle fasse taire ce putain de bébé, parce qu'il me fait penser à Bobby et qu'à cause de ça je le hais, je la hais, je hais Bobby, je hais Louise, je hais tous les habitants de ce putain de monde, sauf Janice, mais surtout parce qu'à cause de ça je me hais moi-même.

Je claque la porte.

L'escalier en sens inverse et ils ont traîné Barton dehors, nu sur la chaussée, les lumières s'allumant d'un bout à l'autre de la rue, les portes s'ouvrant, et debout au milieu de la chaussée comme si l'endroit lui appartenait, il y a Noble, le superintendant Peter Noble, arrogant parce qu'il sait qu'il est une huile, les mains sur les hanches comme s'il se foutait complètement des spectateurs ; il se dirige vers Barton, qui se met en boule, essaie de se faire le plus petit possible, gémit comme le chiot minuscule qu'il est, et Noble lève la tête, pour s'assurer que tout le monde regarde et que tout le monde sait qu'il sait que tout le monde regarde, puis il se baisse et souffle quelque chose à l'oreille de Barton, il saisit ses dreadlocks à pleine main, les enroule autour de son poing, l'oblige à se lever et à se tenir sur la pointe des pieds, la queue et les noix de l'homme réduites à rien dans la lumière de l'aube, et Noble, regardant les fenêtres et les rideaux frémissants de Marigold Street, dit calmement :

– Qu'est-ce que vous avez, putains de connards ? Une femme porte ses tripes en guise de boucles d'oreilles et vous ne levez pas le putain de petit doigt ? Est-ce qu'on ne vous a pas demandé gentiment où était cette ordure ? Ouais. Est-ce qu'on est venu tout foutre en l'air dans vos petites maisons merdiques ? Est-ce qu'on vous a tous foutus au placard ? Non, putain. Vous le cachiez sous le lit, bordel, sous notre nez.

Un fourgon cellulaire descend la rue et s'arrête.

Des agents en uniforme ouvrent les portières arrière.

Noble cogne Barton contre le flanc du fourgon, le retourne, ensanglanté et instable sur ses jambes, le pousse à l'intérieur du véhicule.

Le superintendant Peter Noble pivote sur lui-même et regarde une nouvelle fois Marigold Street, les fenêtres désertes, les rideaux immobiles.

– C'est ça, cachez-vous, dit-il. La prochaine fois, on ne prendra pas la peine de vous poser la question.

Puis il crache et monte dans le fourgon, qui s'en va.

On rejoint les voitures.

Quand on arrive à Millgarth, Barton a déjà été conduit dans le Ventre – énorme cellule au tréfonds du sous-sol, ampoules nues et béton.

Une dizaine ou une quinzaine de gars s'y trouvent, debout.

Steve Barton est par terre, toujours complètement à poil, il frissonne, tremble, crève de trouille.

On reste là, on fume, on secoue la cendre n'importe où, Craven montre ses plaies et ses bosses, plein de haine des Noirs, et nous, les autres, indifférents, on attend le début du spectacle.

Et, au moment où je pense à Kenny D, où je me demande si je pourrai supporter un deuxième passage à tabac de Noir, Noble se fraye un chemin dans le groupe à coups d'épaules, et tout le monde forme un cercle, Barton et Noble au centre, le Chrétien et le Lion.

Noble tient un gobelet en plastique semblable à ceux de la machine à café.

Il examine l'intérieur, regarde Barton, puis le jette par terre devant lui et dit :

– Décharge là-dedans.

Barton lève la tête, yeux dilatés veinés de rouge.

– Tu as compris, dit le superintendant Peter Noble. Crache ton putain de venin là-dedans.

Barton ne sait plus où il en est, cherche des yeux un visage compatissant, un soutien et, pendant un bref instant, son regard s'arrête sur le mien, mais il n'y trouve rien et ses yeux continuent leur chemin, se posent à nouveau sur le gobelet.

– Merde, souffle-t-il, assimilant, jusque dans ses os denses et noirs, la perversité horrible de la situation.

– Branle-toi, crache Noble.

Et le lent claquement des mains commence et je suis là, je bats la mesure, je marque le tempo, tandis que Barton rampe en cercle, le plus petit que son corps puisse décrire, se tortille, se tourne d'un côté et de l'autre, pas d'issue, ni d'un côté ni de l'autre, aucune issue.

Noble hoche la tête et les claquements de mains cessent.

Il se baisse, pose la main sous le menton de Barton.

– Je vais t'aider, mon gars. Imaginons que ta petite amie ne soit pas morte, que tout ça ait simplement été un cauchemar. Hein ? Imaginons qu'elle soit nue et chaude, qu'elle mouille, hein ? Je parie que tu la faisais mouiller, hein, Steve ? Allez, montre-nous comme tu as une grosse queue noire. Montre-nous comme tu la faisais grossir pour Marie. Allez, mon gars, ne sois pas timide. On est entre amis, ici, rien que des mecs. On ne voudrait pas être obligé de te mettre dans la même cellule qu'un de ces pédés d'Armley, qui passe ses journées au gymnase. Pas la peine. Imaginons simplement cette bonne vieille Marie, chaude et nue, attendant ta bonne vieille grosse queue, caressant sa grosse motte, qui devient large, rose et pendante comme une petite cerise rebondie, rien que pour toi. Ooh. Ooh. Qu'est-ce que c'est ? Une goutte de précieux liquide qui prend la tangente, se fait la malle ? Allons, Steve, elle n'est pas morte, tu ne l'as pas tuée, elle est ici, et elle est chaude, elle attend que tu fourres ta bonne vieille grosse queue à l'intérieur et que tu la ramones, que tu la ramones sérieusement. Allez, fais-la grossir. Allez, elle mouille et elle n'attend que ça, elle en veut, elle se met sur le ventre, ses petits doigts grassouillets dans son trou dégoulinant, et elle se demande où tu es, nom de

Dieu, alors qu'elle a besoin de toi. Où est Stevie, elle pense, et puis la porte s'ouvre et voilà qu'entre une grosse bite noire, mais ce n'est pas toi, Stevie, hein ? Ce n'est pas ta grosse queue noire, hein ? Mais ça ne serait pas ton vieux pote Kenny D, et il la regarde, toute mouillée et nue, les doigts dans son trou, parce que tu n'es pas là, alors il la sort, la met dedans et la retire, la met dedans et la retire, la met dedans et la retire, jusqu'au moment où ça lui coule sur les jambes, et tu arrives et tu les vois, lui et elle, ta femme et ton pote qui font cette bonne vieille bête à deux dos, et tu es furax, hein, Stevie ? Furax et qu'est-ce qu'il y a de plus normal ? Lui avec sa grosse queue noire dans ta femme blanche, ta femme blanche qui devrait gagner du blé, pas se faire sauter par ton pote, se faire sauter gratuitement. Ça te dégoûte, hein, putain, ça te dégoûte. Ton pote et ta femme. Difficile à accepter, hein ? C'est ce qui s'est passé, hein, Steve ? Et il fallait que tu la fasses payer, qu'elle paie cher, hein, Stevie, hein ?

– Non, non, non, gémit-il.

Noble se redresse, Barton sanglotant entre ses jambes.

– Donc tu décharges, après tu pourras partir.

Barton prend le gobelet, le met sur sa queue ratatinée.

Quinze visages blancs et le Noir par terre, devant nous, un gobelet en plastique blanc sur la queue, l'autre main la secouant, l'empêchant de se ratatiner davantage.

Une poussée dans mon dos, et voilà Oldman.

Il regarde la scène, le Noir par terre, devant lui, un gobelet en plastique blanc sur la queue, en train de la secouer avec sa main libre.

Oldman regarde Noble.

Noble lève la tête.

Oldman a l'air furax.

– Donne du porno à ce con de Noir et envoie sa putain de purée au labo, dit-il.

– Tu as entendu ? crie Noble à l'homme le plus proche de la porte, moi.

Craven esquisse un pas, mais Noble braque un doigt sur moi.

Le couloir, trois étages et j'arrive aux Mœurs. Le repaire de Craven.

Désert, la moitié des gars sont dans le Ventre.

J'ouvre un placard : enveloppes.

Tiroir suivant : même chose.

Et le suivant.

Pensant : c'est les putains de Mœurs, il devrait y en avoir.

Puis ça me traverse l'esprit et je regarde la porte, la pensée juste devant moi : JANICE.

Retour aux classeurs, un coup d'œil sur la porte chaque seconde, les oreilles qui guettent les bruits de pas.

Ryan, Ryan, Ryan...

Rien.

Que dalle.

Zéro.

Je suis presque à la porte quand je me souviens de ce putain de truc porno.

Je tends le bras au-dessus d'un bureau, ouvre un tiroir : deux magazines, bon marché et dégueulasses, une blonde grasse avec une casquette, la chatte largement ouverte.

Spunk[1].

Je les prends et je file.

De retour dans le Ventre, le public s'écarte, Barton toujours recroquevillé par terre, toujours en larmes, bordel, une couverture près de lui.

Je jette les revues sur le sol, près de lui.

1. C'est-à-dire « foutre ». (*N.d.T.*)

Il tourne la tête et tire lentement la couverture vers lui, sur le béton.

– J'avais une tante qui s'appelait Margaret, dit Rudkin. On l'appelait Mag. Et tout le monde la surnommait Decul.

Rires étouffés.

– On devrait demander à une femme de l'aider, dit quelqu'un.

– De s'occuper aussi de nous, pendant qu'elle y serait.

– Du moment que je passe avant le bougnoule...

Noble pousse les magazines du pied.

– Vas-y.

Barton s'allonge sur le flanc sous la couverture, le magazine devant lui.

Ellis se baisse et l'ouvre.

Tout le monde éclate de rire.

– Allez, Mike, crie Rudkin, donne-lui un coup de main.

On se boyaute dans le Ventre.

Barton bouge sous la couverture.

Nouveaux rires.

– Oublie pas le putain de gobelet, dit Oldman. Faut pas décharger sur la couverture.

Steve Barton continue, yeux fermés, vannes des larmes ouvertes, dents serrées, les injures lui lacérant le cerveau.

Les claquements de mains commencent et j'en suis encore, mais je pense à Bobby, je pense que Steve Barton a sûrement été le petit garçon de quelqu'un il n'y a pas si longtemps, avec ses trains et ses voitures, ses espoirs et ses rêves, les plats qu'il aimait et ceux qu'il n'aimait pas, mais que le voilà aujourd'hui, videur, maquereau, drogué, se branlant dans un gobelet en plastique devant quinze flics blancs.

Puis, au moment où il accélère, Rudkin se penche et écarte la couverture, à l'instant même où la queue de Barton crache sa purée, à l'instant même où Craven prend un polaroid, où les claquements de mains se muent en applaudissements.

– Agent Ellis, dit Oldman, veuillez apporter le sperme de monsieur Barton au professeur Farley.

Tout le monde se marre.

– Et n'en bois pas, j'ajoute, sous les applaudissements, le visage d'Ellis, tourné vers moi, dur et signifiant : tu vas voir ta gueule.

Et Barton, Barton est toujours recroquevillé, tremble et tremble, secoué de longs sanglots secs, la fête est finie.

Et, à l'instant où tout le monde s'en va, je me penche, ramasse les magazines et les tends à Craven.

– Je crois qu'ils sont à toi.

Craven les prend, yeux froids, sombres et fixes, jusqu'au moment où il regarde les couvertures et s'immobilise.

– Où tu les as trouvés ?

– Ta femme me les a donnés. Pourquoi ?

Sourires et silence dans la pièce, un temps d'arrêt, tout le monde attend la suite.

– Très drôle, Fraser. Tu es très drôle.

Et Craven s'en va en boitillant, regagne les locaux des Mœurs.

Je suis à la cantine, lessivé.

Rudkin apporte les cafés.

On nous a dit d'attendre que Prentice et Alderman aient interrogé Barton, d'attendre le résultat des analyses, mais c'est un tas de conneries, parce qu'on sait tous que ce n'est pas lui, qu'on voudrait que ce soit lui, mais que ce n'est pas lui.

– On aurait pu faire une putain d'analyse de sang, dit Rudkin, furax parce qu'il ne participe pas à l'interrogatoire, le regard fixe pour mieux imaginer ce qui se passe :

PASSAGE À TABAC.

– Qu'est-ce que tu vas faire, te curer les ongles ?

– Tu es vraiment très drôle.

Il rit tandis qu'on met du sucre dans nos tasses, des tonnes.

J'ai sommeil mais, si on me laisse partir, j'ai des tas de putains de brèches à combler.

– Quelle heure il est ? demande Rudkin, trop fatigué pour jeter un coup d'œil sur sa montre.

– Pour qui tu me prends ? Est-ce que j'ai une tête d'horloge parlante ?

– Non, plutôt une tête de nœud.

On continue pendant deux minutes, puis on s'enfonce à nouveau dans un de ces silences merdiques, épuisés, derrière lesquels on se cache.

– On le relâche.

Fini le silence et retour dans la lumière vive, si vive, de la cantine, dans l'univers du superintendant Peter Noble.

– *Quelle surprise**, marmonne Rudkin.

– Il n'est pas du groupe B ? je dis.

– O, fait Noble.

Je demande :

– Vous en avez tiré quelque chose ?

– Pas grand-chose. C'était son mac. Il ne l'avait pas vue depuis l'après-midi.

– Vous auriez dû nous laisser faire, crache Rudkin.

– Vous allez en avoir l'occasion. Il vous attend en bas avec Ellis.

– Vous n'avez pas besoin de nous. Ellis peut le raccompagner chez lui.

Noble sort une liasse de billets de cinq livres de sa veste, la fourre dans la poche de Rudkin.

* En français dans le texte.

– Le directeur adjoint veut que vous sortiez Barton, que vous le saouliez, que vous l'amusiez. Sans rancune, etc.

– Merde, Pete, dit Rudkin. On a du putain de boulot par-dessus la tête. On a tout ce qu'on a rapporté de Preston et vous avez mis Bob sur ces putains d'attaques à main armée. Et maintenant ça? On n'a pas le temps.

Je fixe la table, le reflet des lampes sur le Formica.

Noble se penche, tapote la poche de Rudkin.

– Cesse de rouspéter, John, fais-le, c'est tout.

Rudkin attend que Noble ait franchi la porte puis y va :

– Le con. Le putain de con.

On se lève, aussi raides que des marionnettes en bois.

Ellis est dans la Rover, au volant, et attend.

Barton est à l'arrière, pantalon trop grand et veste minuscule, dreadlocks contre la vitre.

Rudkin s'installe près de lui.

– Où on va?

Je monte devant.

Barton fixe le pare-brise.

– Allez, Steve. Où on va?

– Chez moi, marmonne-t-il.

– Chez toi? Tu ne peux pas rentrer maintenant. Il n'est que trois heures. Allons boire un verre.

Barton comprend qu'il n'a pas le choix.

Ellis démarre et demande :

– Alors, où on va?

– À Bradford. À Manningham, dit Rudkin.

– Va pour Bradford, dit Ellis en souriant, alors qu'on quitte Millgarth.

Je ferme les yeux tandis qu'il allume la radio.

Je me réveille au moment où on entre dans Manningham, les Wings à la radio, Barton silencieux, à
l'arrière, comme un fantôme noir.

Ellis s'arrête devant le New Adelphi.

Rudkin dit :

– Qu'est-ce que tu en penses, Steve ?

Steve ne desserre pas les dents.

– C'est bon, dit Ellis, et on descend.

Il y a du vomi de la veille sur les marches, et
l'intérieur du New Adelphi est une ancienne salle de
bal, plafond haut et papier peint gaufré, clientèle
mélangée, faisandée et carrément partie, alors qu'il
n'est pas quatre heures de l'après-midi.

Je suis sur les rotules, épaules tombantes, tête en
feu, la strip-teaseuse n'est pas là avant six heures et
ils passent de la connerie de reggae :

Your mother is wondering where you are [1]...

Rudkin se tourne vers Steve et dit :

– Tu vois, exactement ce qu'il te faut.

Steve se contente d'acquiescer et on le pose dans
un coin, sous l'escalier du balcon, moi d'un côté,
Rudkin de l'autre, Ellis au bar.

On reste assis, en silence, on regarde la salle de
bal, les visages noirs, et les blancs.

– Tu connais des gens ? demande Rudkin.

Barton secoue la tête.

– Bien. Faudrait pas qu'on croie que tu es un
putain d'indic, hein ?

Ellis revient avec des pintes et des alcools sur un
plateau.

Il donne un grand rhum Coca à Barton.

– Avale ça.

– Hé, Steve, blague Rudkin, tu viens souvent ici ?

On rit, mais pas Steve.

Il n'est pas près de rire à nouveau.

---

1. « Ta mère se demande où tu es... » (*N.d.T.*)

Ellis retourne au bar et rapporte à boire, d'autres rhums Coca, on les boit et il va à nouveau en chercher.

Et on reste là tous les quatre, et on parle de temps à autre, sempiternel reggae, chauffeurs de taxi pakistanais qui entrent et sortent, vieilles putes sur la piste de danse, vieux types avec leurs dominos, Blancs à face de rat avec leurs pulls à col en V sans chemise, Noirs au visage gras, qui battent la mesure de la tête :

What do you see at night when you're under the stars [1]...

Rudkin et Ellis, tête contre tête, se moquent d'une des femmes du bar, celle qui leur montre deux doigts.

Stay at home, sister, stay at home [2]...

Et Barton se penche soudain vers moi, la main sur mon bras, yeux jaunes et haleine rance, et dit :

– Cette connerie sur Kenny et Marie, c'est vrai ?

Je le regarde, veste étroite et pantalon flottant, le revois dans le Ventre, sous cette couverture grise, ses mains qui bougent, les magazines près de lui.

– Faut que vous me le disiez. Je sais que vous êtes pote avec Kenny et Joe Ro. Je ferai rien, mais faut que je sache.

Je retire sa main posée sur son bras, lui crache au visage :

– J'en ai rien à foutre de tes merdes. Tu es mal informé, mon gars.

Et il s'appuie à nouveau contre le dossier de sa chaise, Rudkin lui lance une nouvelle cigarette et Ellis retourne au bar, rapporte à boire, des rhums Coca, et le reggae continue :

1. « Qu'est-ce que tu vois la nuit quand tu es sous les étoiles... » (*N.d.T.*)
2. « Ne sors pas, ma sœur, ne sors pas... » (sœur au sens racial, pas familial). (*N.d.T.*)

Baby keep on running, but you won't get far [1]...

Et quand je jette un coup d'œil sur ma montre il est presque six heures et j'ai envie d'être ailleurs, ailleurs, comme Steve, qui est bourré, maintenant, la tête sur la table, les dreadlocks dans le cendrier.

La musique cesse, le micro gémit, un projecteur éclaire les lourds rideaux rouges du fond de la scène.

Dancing Queen commence, les rideaux s'ouvrent sur une brune flasque en bikini à paillettes, regard fixe, membres mous.

– Ce putain de con de babouin va rater le spectacle, souffle Ellis, qui montre Barton d'un signe de tête tandis que, sur scène, la femme s'anime vaguement.

– Mike, tu es foutrement chiant, crache Rudkin, qui se lève et prend l'escalier du balcon.

– Qu'est-ce qui lui prend, bordel ?

Je dis :

– Il faut que tu apprennes à comprendre les gens.

Mike remet ça, gémit, pleurniche, vexé.

– Surveille la Belle au bois dormant, je lui dis, suivant Rudkin dans l'escalier.

Accoudé à la rambarde du balcon, il regarde la strip-teaseuse.

– Jolie vue, je dis, au coude à coude avec lui.

Tous les types, au rez-de-chaussée, regardent la scène, les femmes allant et venant parmi eux, l'une d'entre elles lançant des cacahouètes en l'air et les rattrapant entre ses nichons.

Rudkin fait tourner le whisky au fond de son verre et dit :

– Tu sais ce qui va se passer, maintenant, hein ?

Pensant : *c'est parti, putain*, je dis :

– Non. Qu'est-ce qui va se passer ?

1. « Ne cesse pas de courir, chérie, mais tu n'iras pas loin... » (*N.d.T.*)

Rudkin garde les yeux fixés sur le fond de son verre.

– Il va continuer de tuer et on va continuer de trouver les cadavres. Toujours derrière, jamais devant.

– On l'aura, je dis.

– Ouais ? Comment ?

– Beaucoup de travail, de la patience, et il fera une connerie. Comme toujours.

– Comme toujours ? Rien n'est comme toujours, ici.

– Tu sais ce que je veux dire.

– Non. Tu as déjà vu ce genre de truc ?

Je pense aux petites filles et aux années perdues, je dis :

– Plus ou moins.

– Je ne crois pas.

Je refuse de marcher.

– On l'aura.

– Tu es un type bien, Bob, dit-il, et j'aurais voulu qu'il n'ait pas ouvert la bouche, parce qu'on m'avait déjà dit ça et que ce n'était pas vrai, que c'est encore moins vrai maintenant, seulement une putain de flatterie condescendante.

Donc je dis :

– Qu'est-ce que ça signifie, cette connerie ?

– Ça signifie ce que j'ai dit : tu es un type bien, mais tous les putains de types bien et tout le putain de boulot du monde ne permettront pas de coffrer ce branleur.

– Comment tu peux en être aussi sûr, putain ?

– Tu as lu ce baratin, *Meurtres et agressions de femmes dans le nord de l'Angleterre* ?

– Ouais.

– Et ?

– On l'aura, John.

– C'est ça. On n'a pas d'indices, pas un seul putain d'indice. Ce salaud, il est derrière un miroir,

121

il nous regarde et il rigole. Il nous regarde et il se pisse dessus.

– Tu m'emmerdes. Si tu as quelque chose à dire, dis-le.

Rudkin lève la tête, ombres lourdes sur son visage, grosses larmes noires dans des yeux d'un noir de goudron, un homme qui a une batte de cricket près de la porte de chez lui, au cas où, un homme qui saisit mon bras et dit :

– Ce merdier, à Preston, cette connerie n'a rien à voir avec ce qui se passe ici.

Mon cœur s'accélère, mon estomac se recroqueville, l'homme me fixe toujours, me tient toujours à sa merci, me terrifie toujours.

– Les groupes sanguins sont les mêmes.

– C'est de la connerie, Bob. Il se passe quelque chose, je ne sais pas ce que c'est, putain, et, putain, je n'ai pas envie de savoir ce que c'est, mais on est en plein dedans et je vais te dire une chose : ça va foutre ta vie en l'air si tu ne fais pas gaffe.

Qu'est-ce qu'il y a à foutre en l'air, je pense, mais je le laisse continuer.

– Tu ne les connais pas, Bob, dit-il. Moi, je les connais. Je sais quelles saloperies ils sont capables de manigancer. Surtout pour un des leurs.

Je regarde la scène, le dessus des nichons flasques de la strip-teaseuse, les hommes debout au bar, qui s'ennuient déjà.

Je dis :

– Tantôt tu me dis de ne pas avoir peur et tantôt tu me dis qu'on ferait mieux de laisser tomber. C'est quoi, au juste, John ?

Rudkin me dévisage et secoue la tête, un vague sourire aux lèvres, puis s'éloigne, reprend l'escalier, et j'ai envie de casser la gueule de ce connard arrogant.

Je me tourne à nouveau vers les nichons de la femme, jette un coup d'œil sur ma montre, décide de foutre le camp.

Au rez-de-chaussée, Rudkin a la même idée, donne des coups de pied à Barton pour le réveiller, ne tient pas compte d'Ellis et de ses excuses.

Barton se lève, titubant, et Rudkin sort les billets de cinq livres restants, les fourre dans la poche de la veste trop petite de Barton.

Je regarde la strip-teaseuse au cul gras et boutonneux, elle ramasse son bikini, et je regarde le bar et les visages des morts, me demande s'il est là, avec nous, en ce moment, puis je reviens à la table, plus rien à regarder.

Et Barton est debout, il reprend ses esprits, toujours imbibé de rhum, et il sort les billets de la poche de sa veste, les jette sur la table.

— Gardez-les, dit-il. Gardez les pour le prochain.

Puis il pivote sur lui-même et sort.

— Je croyais qu'on devait s'arranger pour qu'il se fasse sucer la queue, blague Ellis.

Je prends un verre de rhum et le vide.

Ellis, craignant soudain que la soirée se termine mal et qu'on le laisse tomber, soupire :

— Qu'est-ce qu'on fait, maintenant ?

— Fais ce que tu veux, dit Rudkin, qui se dirige vers le bar, bouscule les gens, cherche la bagarre dans l'espoir de se sentir mieux.

— Où tu vas ? crie Ellis quand je prends la direction de la porte.

— Chez moi, je réponds.

— Ouais, bon, fait-il quand je pousse la porte à double battant et m'évade.

Sur la banquette arrière d'un taxi qui se traîne, à la sortie de Bradford, paupières lourdes, cœur pesant, cerveau en flammes :

Il faut que je voie Janice, il faut que je voie Bobby, il faut que je voie Louise et il faut que je voie son père.

Quatre putains assassinées, peut-être plus.

Fusils à Hanging Heaton, fusils à Skipton, fusils à Doncaster, fusils du côté de Selby.

Quatre putains assassinées, peut-être plus.

Mon fils et ma femme, son père dont les jours sont comptés.

Janice, ma maîtresse, mon bourreau, ma putain personnelle pendant les jours qui me sont comptés.

– Ici ça va ?

– Très bien.

Et je paie la course.

Je monte l'escalier, pense soudain : *aide-moi, je suis en train de mourir.*

Sur le palier, je pense : *si tu n'ouvres pas la porte, je suis mort.*

Je frappe et je pense : *aide-moi, je ne veux pas mourir ici, dans ton escalier.*

Elle ouvre la porte et sourit, cheveux mouillés, peau plus brune.

La radio, à l'intérieur.

– Je peux entrer ?

Son sourire s'élargit.

– Tu es policier. Tu peux faire tout ce que tu veux.

– J'espère, je dis, et on s'embrasse, violemment ; baisers violents pour pardonner et oublier ce qui est arrivé et ce qui arrivera.

On tombe sur le lit, mes mains partout sur elle, tentant d'aller plus profondément en elle, ses ongles dans mon dos, tentant d'aller plus profondément en moi.

Je lui retire son jean, écarte ses chaussures d'un coup de pied, la mort envolée.

Et on baise, et on baise encore, et elle m'embrasse et me suce jusqu'au moment où je la saute une dernière fois, puis on s'endort, avec Rod à la radio.

Je me réveille et elle sort de la salle de bains, en T-shirt et culotte.

– Tu t'en vas ? je demande.

– Il le faut, dit-elle.

– Ne sors pas.

– Il le faut, je te dis.

Je me lève, m'habille.

Elle se maquille, devant le miroir.

Je lui demande :

– Ça ne t'inquiète vraiment pas ?

– Quoi ?

– Ces saloperies de meurtres.

– Pourquoi ? Parce que je suis prostituée ?

– Ouais.

– Ta femme, elle, n'a pas de raison de s'inquiéter, c'est ça ?

– Elle ne traîne pas dans les rues de Chapeltown à deux heures du matin, hein ?

– Elle a de la chance, cette salope. Elle a probablement trouvé un gentil mari avec un gros salaire, donc elle n'a pas besoin de faire le trottoir...

Mon portefeuille est ouvert.

– Si tu veux de l'argent, bordel, je t'en donne.

– Ce n'est pas l'argent, Bob. Ce n'est pas cette saleté d'argent. Combien de fois il faudra que je te le dise ?

Elle est au milieu de la pièce, sous l'abat-jour en papier, la brosse à cheveux à la main. Je dis :

– Je regrette.

Elle gagne la commode, met une sorte de haut en PVC noir et une courte jupe en toile de jean, de celles qui se boutonnent devant.

125

Mes yeux piquent, s'emplissent.

Elle est si foutrement belle, et je me demande comment tout ça est arrivé, ce qui nous a rapprochés.

– Tu n'es pas obligée de faire ça.

– Si.

– Pourquoi ?

– S'il te plaît. Ne commence pas.

– Ne commence pas ? Ça ne cesse jamais.

– Ça peut cesser quand tu veux.

– Non.

– Ne viens plus, c'est tout.

– Je vais la quitter.

– Tu vas quitter ta femme et ton fils pour une radasse de Chapeltown, une putain ? Je n'y crois pas.

– Tu n'es pas une putain.

– Si. Je suis une sale petite pute, une femme qui baise pour de l'argent, qui suce pour de l'argent, à genoux dans les parcs et les voitures, et je me taperai au moins dix types cette nuit, si j'ai de la chance, donc ne fais pas comme si je n'étais pas ce que je suis.

– Je vais la quitter.

– Ferme-la, Bob. Ferme-la.

Et elle s'en va, le bruit de la porte résonnant dans la pièce.

Je m'assieds sur le lit et je pleure.

Je vais à St James à pied.

Les visites sont presque terminées, les gens sortent, leur devoir accompli.

Je gagne le service par l'ascenseur et je prends le couloir, passe devant les chambres trop brillamment éclairées des presque morts au crâne rasé, au visage creusé, à la peau jaunâtre, aux mains froides, si froides.

Pas d'air, seulement de la chaleur.

Pas de noir, seulement de la lumière.

Un soir comme les autres, à Dachau.

Et je pense : *ne dors jamais, ne dors jamais.*

Louise est partie et son père l'est presque, les yeux fermés et seul.

Une infirmière arrive, sourit, et je lui rends son sourire.

– Ils viennent de s'en aller, dit-elle.

– Merci, je fais, hochant la tête.

– Votre fils n'a pas la moitié de vos yeux, blague-t-elle.

J'acquiesce, me tourne à nouveau vers le père de Louise.

Je m'assieds près du lit, près des boîtes de médicaments, des perfusions et des tubes, et je pense à Janice, là, près du corps à moitié mort du père de ma femme, la queue raide du simple fait que je pense à une autre femme, à une putain de Chapeltown, et tandis qu'il est sur le dos et meurt, elle est sur les genoux et suce, me suce le sang.

Je lève la tête.

Bill me regarde, yeux injectés et mouillés qui cherchent qui je suis, qui cherchent des réponses et la vérité.

Une main passe entre les barreaux du lit et il ouvre la bouche, crevassée et sèche, je m'approche.

– Je ne veux pas mourir, souffle-t-il. Je ne veux pas mourir.

Je m'éloigne, m'éloigne de son pyjama rayé et de son haleine horrible, m'éloigne des menaces et des divagations qui vont suivre.

Il tente de s'asseoir, mais les sangles l'en empêchent et il ne peut que lever la tête.

– Robert ! Robert ! Ne me laisse pas ici, ramène-moi à la maison !

Je suis debout, cherche l'infirmière.

– Je lui dirai ! Je lui dirai ! il crie.

Mais il n'y a personne, seulement moi.

J'ouvre la porte, la maison dans le noir.

Je ramasse le journal du soir sur le paillasson.

Le petit anorak bleu de Bobby est accroché à un portemanteau.

J'allume la lampe de la cuisine et je m'assieds à la table.

J'ai envie de monter à l'étage, d'aller le voir, mais je redoute qu'elle ne dorme pas, qu'elle attende.

Donc je reste assis sous la lampe de la cuisine, seul, et je réfléchis.

Sous la lampe de la cuisine, au cœur de la nuit, faisant les cent pas dans le service de cancérologie, berçant Bobby, dans une voiture à l'arrêt ; tels sont les endroits où je réfléchis, près de la vaisselle sale et de mon beau-père, regardant les gribouillages de mon fils sur la porte du réfrigérateur, les miettes de pain sous le toasteur, je réfléchis.

Je jette un coup d'œil sur ma montre, presque minuit.

Je suis assis là, la tête entre les mains, tandis qu'ils dorment à l'étage, une tasse ébréchée célébrant le Jubilé, sèche sur l'égouttoir, et là, au sein de ma famille, je pense à ELLE.

Je pense : voilà ce qui nous a rapprochés :

J'avais entendu parler d'elle, entendu les autres parler d'elle, savais qu'elle donnait parfois des tuyaux à Hall, un flic de Bradford, pour qu'il ferme les yeux, mais je ne l'avais jamais vue, l'ai vue pour la première fois le 4 novembre dernier.

Mischief Night [1].

Je l'ai coffrée pour racolage près du Gaiety, ivre et tenant à peine sur ses jambes, tentant d'arrêter les

_____

1. Halloween, dans sa tradition anglaise et irlandaise, d'origine celtique. (*N.d.T.*)

camions, l'ai emmenée à Millgarth, mais l'ai rac-
compagnée chez elle cinq minutes plus tard, son
grand rire sonore dans les oreilles, pensant : je les
emmerde.

J'étais marié depuis cinq ans, j'avais un fils, âgé de
presque un an à l'époque, et j'en voulais un
deuxième.

Mais ce que j'ai eu, c'est le meilleur coup de ma
vie, à l'arrière d'une voiture de police banalisée, et
l'occasion de la savourer pour la première fois, en
léchant ses lèvres, ses seins, sa chatte, son cul, ses
paupières, la pointe de ses cheveux.

Et ce soir-là je suis rentré chez moi, auprès de
Louise et Bobby, et je les ai regardés dormir, le ber-
ceau près de notre lit.

J'ai pris un bain, pour chasser son odeur, mais j'ai
fini par boire l'eau, pour la savourer à nouveau.

Et plus tard, dans la nuit, je me suis réveillé en hur-
lant que Bobby était mort, me suis jeté sur le berceau,
assuré qu'il respirait toujours, la sueur empuantissant
la chambre, puis j'ai repris un bain, la queue durcie,
et me suis branlé.

Et ça n'a pas cessé.

Après cette nuit, j'ai pensé à elle chaque seconde,
regardé les listes de personnes arrêtées, posé des
questions que j'aurais dû garder pour moi, traîné
dans les rues, sorti des dossiers, certain que tout
s'effondrerait au moindre mot imprudent.

Donc j'ai appris à garder les secrets, à vivre deux
vies, à les embrasser, mon fils et elle, avec les mêmes
lèvres, j'ai appris à pleurer seul dans des pièces trop
bien éclairées tandis qu'ils dormaient tous les trois,
appris à me contrôler, me rationner, certain que vien-
draient la famine et la sécheresse, et des fléaux plus
graves, appris à embrasser trois bouches.

Sous la lampe de la cuisine, entre le réfrigérateur
et la machine à laver, je pense :

Elle a vingt-deux ans, j'en ai trente-deux.

C'est une prostituée métisse et je suis un policier, marié à la fille d'un des meilleurs flics ayant jamais exercé dans le Yorkshire.

J'ai un petit garçon de dix-huit mois qui s'appelle Bobby.

Comme moi.

Et puis, quand je ne peux plus penser, je monte à l'étage.

Elle est allongée sur le flanc, souhaitant ma mort.

Bobby est dans le berceau et, plus tard, il souhaitera ma mort, lui aussi.

Elle jure, dans son sommeil, se retourne.

Bobby ouvre les yeux et me regarde.

Je lui caresse les cheveux, me penche sur le berceau et l'embrasse.

Il se rendort et, plus tard, je retourne au rez-de-chaussée.

J'erre dans la maison obscure, me souviens du jour où on y a emménagé, du premier Noël, du jour de la naissance de Bobby, du jour où il y est arrivé, de toutes les fois où la maison était illuminée.

Debout dans le séjour, je regarde passer les voitures, les sièges vides et les phares jaunes, les chauffeurs et les coffres, jusqu'au moment où tous deviennent des gogos qui quittent le quartier chaud, qui quittent Janice, chaque véhicule n'étant qu'un moyen comme un autre de transporter le meurtrier du point A au point B, un moyen comme un autre de déplacer les morts, un moyen comme un autre de me l'enlever.

Et j'avale ma salive.

Je regagne la cuisine, jambes faibles, estomac vide.

Je me rassieds, larmes sur le journal du soir et larmes sur le livre de Bobby ; j'ouvre le livre, regarde fixement l'image d'une grenouille portant des bottes en caoutchouc, mais ça n'arrange rien, parce que je n'habite pas une petite maison humide, parmi les boutons d'or, au bord d'un étang, j'habite ici.

Yorkshire, 1977.

Je m'essuie les yeux, mais ils ne sèchent pas, parce que les larmes ne cessent de couler, et je comprends qu'elles ne cesseront que lorsque je lui aurai mis le grappin dessus.

Lorsque je lui aurai mis le grappin dessus.

Avant qu'il mette le grappin sur elle.

Lorsque j'aurai vu son visage.

Avant qu'il ait vu le sien.

Lorsque je prononcerai son nom.

Avant qu'il prononce le sien.

Et je retourne l'*Evening Post* et il est là, en avance sur nous, il nous attend :

L'Éventreur du Yorkshire.

DEUXIÈME PARTIE

Policiers et voleurs

L'auditeur : Vous avez vu ça [il lit] *: « Les hommes gagnent en moyenne soixante-douze livres par semaine. »*

John Shark : Comme vous, hein, Bob ?

L'auditeur : Sûrement pas. Dans le Sud, peut-être, mais, dans ce coin, personne.

John Shark : C'est ce rapport qui indique qu'il y a neuf millions de retraités et que les immigrants représentent trois pour cent de la population.

L'auditeur : Eh ben, ils ont sûrement inversé les chiffres, et d'un.

The John Shark Show
Radio Leeds
Vendredi 3 juin 1977

6

Jubila...

– Deux fois. Il m'a frappée deux fois, en plein sur le haut.

Madame Jobson se pencha, écarta ses cheveux gris, dévoila les dépressions de son crâne.

– Allez-y, touchez-les, insista son mari.

Je tendis la main et touchai le sommet de son crâne, les racines de ses cheveux grasses sous mes doigts, les dépressions énormes et profondes.

Monsieur Jobson épiait mon visage.

– Sacrés trous, n'est-ce pas ?

– Oui, dis-je.

C'était vendredi, un peu avant onze heures, on était dans la jolie salle de séjour de monsieur et madame Jobson, en bas de Halifax, on sirotait du café, on regardait des photos, on parlait du jour où un homme avait donné deux coups de marteau sur la tête de madame Jobson, avait soulevé sa jupe et son soutien-gorge, lui avait entaillé le ventre avec un tournevis et s'était masturbé sur ses seins.

Et parmi les photos, parmi les bibelots, parmi les cartes postales et les vases vides, parmi les portraits des membres de la famille royale, il y avait des flacons et des flacons de cachets, parce que madame

Jobson n'avait pas quitté la maison depuis le soir où, trois ans auparavant, elle avait rencontré l'homme au marteau et au tournevis, alors qu'elle rentrait de sa soirée hebdomadaire entre filles, des filles qui avaient également cessé de sortir, des filles qui s'étaient fait tabasser par leurs maris quand les policiers avaient suggéré que madame Jobson se faisait un peu d'argent de poche en suçant la quéquette des Noirs, à la gare routière, quand elle rentrait de la soirée hebdomadaire entre filles, madame Jobson qui n'avait pas quitté la maison depuis cette dernière soirée entre filles, en 1974, même pas pour effacer les graffitis de la porte d'entrée, des graffitis selon lesquels elle aimait sucer la quéquette des Noirs à la gare routière, des graffitis sur lesquels son mari, mal de dos ou pas, avait passé une couche de peinture, puis avait dû en passer une deuxième, graffitis à cause desquels leur petite Lesley avait cessé d'aller à l'école, à cause de tout ce qu'on racontait sur sa maman et les Noirs à la gare routière, et c'en était arrivé à un point tel que Lesley avait carrément demandé à sa maman si elle était déjà allée avec un Noir à la gare routière, en chemise de nuit au pied de l'escalier, après avoir mouillé son lit pour la troisième fois de la semaine, et que madame Jobson avait dit ce soir-là, et de nombreuses fois depuis :

– Il y a des moments, des moments comme ça, où je regrette qu'il ne m'ait pas tuée.

Monsieur Jobson hochait la tête.

Je posai ma tasse sur la table basse, près du Philips Pocket Memo qui tournait.

– Et comment allez-vous maintenant ?

– Mieux. Enfin, chaque fois qu'il y en a une nouvelle et que c'est une prostituée, je sais que les gens se remettent à parler. Je voudrais seulement qu'ils se dépêchent d'arrêter ce salaud.

– Vous avez vu Anita ? demanda monsieur Jobson.

– Je la vois cet après-midi.

– Dites-lui que Donald et Joyce lui passent le bonjour.

– Je n'y manquerai pas.

Sur le seuil, monsieur Jobson dit :

– Désolé pour les photos, c'est seulement qu'on...

– Je sais, ne vous inquiétez pas. C'est vraiment très gentil de votre part de m'avoir reçu.

– Si ça peut contribuer à faire arrêter le...

Monsieur Jobson regarda la rue et ajouta, plus bas :

– Dix minutes seul avec ce fumier, c'est tout ce que je demande. Et, nom de Dieu, je n'aurai pas besoin d'un marteau ou d'un tournevis.

Immobile sur le perron, j'acquiesçai.

On se serra la main.

– Merci encore, dis-je.

– De rien. Surtout, téléphonez si vous avez des nouvelles.

– Je n'y manquerai pas.

Je montai dans la Rover et m'en allai.

Jubilo...

*

Anita Bird habitait à Cleckheaton, une cité ouvrière absolument identique à celle des Jobson, des maisons toutes deux situées en haut d'une côte raide.

Je frappai à la porte et attendis.

Une femme aux cheveux blonds décolorés, très maquillée, ouvrit.

– Jack Whitehead. Je vous ai téléphoné.

– Entrez, dit-elle. Il va falloir que vous excusiez le fouillis.

139

Elle retira le tas de linge à repasser posé sur un des canapés et je m'assis dans son salon sombre.

– Du thé ?

– Je viens d'en boire, merci. Donald et Joyce Jobson m'ont demandé de vous passer le bonjour.

– Oui, bien sûr. Comment va-t-elle ?

– Je ne la connaissais pas, donc je ne peux pas avoir d'opinion. Mais elle ne sort pas.

– Moi, c'était pareil. Et puis je me suis dit : merde. Excusez-moi d'être crue mais, après ce qu'il m'a fait, pourquoi m'obligerait-il à rester chez moi, comme si c'était moi qui étais en prison, alors qu'il est libre comme l'air ? Non, merci. Alors un jour je me suis dit : Anita, tu ne vas pas rester enfermée ici, espèce d'idiote, sinon tu ferais aussi bien d'avaler ton bulletin de naissance et d'en finir, vu que, dans cet état, tu ne sers à rien.

Je hochai la tête, posai le magnétophone sur le bras du canapé.

– Parfois, j'ai l'impression qu'il y a de ça une éternité, d'autres fois, c'est comme si c'était hier.

– Vous n'habitiez pas ici, si j'ai bien compris.

– Non, je vivais avec Clive, le type avec qui je sortais à l'époque. Dans Cumberland Avenue. Ça a été une partie du problème, parce qu'il était noir, et tout.

– Comment ça ?

– Ils ont tous cru que ça ne pouvait être que lui, forcément.

– Parce qu'il était noir ?

– Aussi parce qu'il m'avait tabassée deux ou trois fois et que la police avait dû venir.

– A-t-il été inculpé ?

– Non, il a toujours réussi à me convaincre de ne pas porter plainte.

– Où est-il maintenant ?

– Clive ? À Armley, la dernière fois que j'ai eu des nouvelles. GBH.

– GBH ?

– Il a tabassé un type dans International. Les flics le haïssent depuis toujours. Ce crétin leur a facilité la tâche.

– Quand doit-il sortir ?

– À la Saint Glinglin, si j'avais mon mot à dire. Vous êtes sûr que vous ne voulez pas une tasse de thé ?

– Allez-y. Forcez-moi la main.

Elle rit et gagna la cuisine.

Dans un coin, la télé était allumée sans le son, les informations de la mi-journée, images de l'Ulster, puis de Wedgwood-Benn [1].

– Du sucre ?

Anita Bird me tendit une tasse de thé.

– S'il vous plaît.

Elle alla chercher un sachet de sucre dans la cuisine.

– Désolée, dit-elle.

– Merci.

On sirota notre thé, regardant du cricket en direct d'Old Trafford, sans le son.

Le deuxième test match.

Je dis :

– Vous voulez bien me raconter ce qui s'est passé ?

Elle posa sa tasse et sa soucoupe.

– Oui.

– C'était en août 1974 ?

– Oui, le cinq. J'étais allée chercher Clive au Bibby's, mais...

– Au Bibby's ?

– C'était une boîte. Fermée. Et Clive n'y était pas. Typique. Donc j'ai bu un verre, pas seulement

---

1. Anthony Wedgwood-Benn, dit Tony Benn. Situé à l'aile gauche du parti travailliste, il exerça divers postes ministériels de 1966 à 1979. (*N.d.T.*)

un, en fait, puis il a fallu que je m'en aille parce qu'un de ses potes, Joe, était saoul et essayait de me convaincre de l'accompagner chez lui et je savais que, si Clive était arrivé, il y aurait eu des problèmes, donc je me suis dit que j'allais retourner à Cumberland Avenue et l'attendre. J'y suis restée un peu, je me suis sentie ridicule, puis j'ai décidé de retourner au Bibby's et c'est à ce moment que c'est arrivé.

Pièce sombre, soleil caché.

– L'avez-vous vu ?

– Ils disent que oui. Quelques minutes avant que ça arrive, un type m'a croisée et a dit quelque chose du genre « le temps nous laisse tomber en ce moment », et il a continué son chemin. D'après la police, il y avait des chances pour que ça soit lui, parce qu'il ne s'est pas fait connaître.

– Avez-vous répondu ?

– Non, j'ai continué mon chemin, c'est tout.

– Mais vous avez vu son visage.

– Ouais, j'ai vu son visage.

Elle avait fermé les yeux, les mains l'une dans l'autre entre les genoux.

Je restai assis dans son salon, l'équipe venait de perdre un autre *wicket*, et c'était comme s'il était là, près de moi sur le canapé, large sourire, une main sur mon genou, un dernier éclat de rire parmi les meubles.

Elle ouvrit les yeux tout grands, regardant fixement derrière moi.

– Ça va ?

– Il était bien habillé et sentait le savon. Il avait une barbe et une moustache soigneusement taillées. Il avait l'air italien ou grec, vous savez, comme ces serveurs séduisants.

Il caressait sa barbe, ricanait.

– Il avait un accent ?

– D'ici.

– Grand ?

– Pas particulièrement. Il portait peut-être des bottines à talons, un peu comme les Cubains.

Il secouait la tête.

– Donc il vous a croisée et...

Elle ferma à nouveau les yeux et dit lentement :

– Et quelques minutes plus tard, il m'a frappée, et voilà.

Un clin d'œil et il disparut.

Elle se pencha, aplatit ses cheveux blonds sur son crâne.

– Allez-y, touchez, dit-elle.

Je tendis la main et touchai le sommet d'un deuxième crâne, parmi d'autres racines noires en mauvais état, un deuxième cratère énorme et profond.

Je suivis les bords de la dépression, la peau lisse sous les cheveux.

– Vous voulez voir mes cicatrices ?

– O.K.

Elle se leva et remonta son pull mince, dévoila de larges traces rouges sur son estomac pâle et flasque.

On aurait dit des sangsues médiévales géantes, qui la saignaient.

– Vous pouvez les toucher, si vous voulez, dit-elle, avançant et prenant ma main.

Elle passa mes doigts sur la cicatrice la plus profonde, j'avais la gorge sèche et la queue dure.

Elle immobilisa mon doigt à l'endroit le plus profond.

Au bout d'une minute, elle dit :

– On peut aller en haut, si vous voulez.

Je toussai, me dégageai.

– Je ne crois pas...

– Marié ?

– Non. Pas...

Elle baissa son pull.

– Je ne vous fais pas envie, c'est tout, hein ?

– Ce n'est pas ça.

– Ne vous en faites pas, chéri. Vous n'êtes pas le seul, par les temps qui courent. Attaquée par un putain de cinglé et connue partout à cause de ses Noirs, c'est moi. Il n'y a plus que les métèques et les types pas nets qui me sautent.

– C'est pour ça que vous me l'avez demandé.

– Non, fit-elle, souriante. Vous me plaisez.

Avachi dans ma voiture, piochant tantôt du poisson tantôt des frites. *Celles qui en ont réchappé.*

Coup d'œil sur ma montre.

L'heure d'y aller.

Sous les arcades, ces arcades noires, si noires : Swinegate.

On avait rendez-vous à cinq heures, cinq heures pour que la lumière soit toujours avec nous.

Je me garai en bas mais je le voyais, à l'autre bout, près du Scarborough Hotel, portant ce chapeau et ce manteau, comme toujours, malgré le temps, pour contrarier le temps, cette mallette à la main, exactement comme la dernière fois.

Dimanche 26 janvier 1975.

– Révérend Laws, dis-je, la main dans ma poche.

– Jack, fit-il, souriant. Il y a trop longtemps.

– Pas assez longtemps.

– Jack, Jack. Toujours le même, toujours si triste.

Je pensais : *pas ici, pas dans la rue.*

Je dis :

– On peut aller quelque part ? Dans un endroit tranquille ?

D'un signe de tête, il montra l'immeuble énorme et noir qui dominait le Scarborough de toute sa taille.

– Le Griffin ?

– Pourquoi pas ?

Le révérend Martin Laws me précéda, voûté, géant trop grand pour avoir sa place dans ce monde et dans l'autre, ses cheveux gris dépassant de son chapeau, léchant le col de son manteau. Il se retourna pour que je me hâte, parmi les passants, devant les boutiques, entre les voitures, sous les échafaudages et dans la salle obscure du Griffin.

On s'assit et il ôta son chapeau, le posant sur ses genoux, sa mallette entre les mollets.

Il me sourit à nouveau, longue repousse de barbe grise et peau d'un jaune sale de vieux journal, exactement comme la mienne.

Il sentait le poisson.

Un serveur turc arriva.

– Mehmet, dit le révérend Laws. Comment vas-tu ?

– Mon père, quel plaisir de vous revoir. Nous allons tous bien. Merci.

– Et l'école ? Le petit s'est calmé ?

– Oui, mon père. Merci. C'était exactement ce que vous aviez dit.

– Bien. Si je peux encore faire quelque chose, ne...

– Vous avez déjà fait beaucoup. Vraiment.

– Ce n'était rien. Ça m'a fait plaisir.

Je toussai, m'agitai dans ma veste.

– Êtes-vous prêt à commander, mon père ?

Le révérend Laws me sourit.

– Oui, je crois que nous le sommes. Jack ?

– Un cognac, s'il vous plaît. Et du café.

– Très bien, monsieur. Mon père ?

– Du thé.

– Le même que d'habitude ?

– Merci, Mehmet.

Il s'inclina rapidement et s'en alla.

– Un homme d'une grande gentillesse. N'est pas ici depuis longtemps, seulement depuis les troubles.

– Bon Anglais.

– Oui, exceptionnel. Tu devrais le lui dire, il serait ton ami pour la vie.

– Il ne mérite pas ça.

Le révérend Laws sourit à nouveau, ce sourire interrogateur, vaguement incrédule, qui faisait fondre ou glaçait.

– Allons, dit-il. Tu es trop dur avec toi-même. Être ton ami me fait plaisir.

– Ce n'est pas vraiment réciproque.

– Le bois et la pierre, Jack. Le bois et la pierre.

Je dis :

– Elle est revenue.

Il regarda le chapeau qu'il tenait entre ses mains.

– Je sais.

– Comment ?

– Ton appel l'autre soir. J'ai senti...

– Qu'est-ce que tu as senti ? Tu as senti ma souffrance ? Connerie.

– Est-ce que c'est pour ça que tu voulais me voir ? Pour m'injurier ? D'accord, Jack.

– Regarde-toi, vieux con hypocrite, assis là, pompeux et papal, avec ton vieil imperméable crasseux, ton chapeau sur ta queue et ta petite sacoche pleine de secrets, ta croix et tes prières, ton marteau et tes clous, bénissant les putains de métèques, transformant le thé en vin. C'est moi, Martin, c'est Jack, pas une petite vieille solitaire qui ne s'est pas fait sauter depuis cinquante ans. J'étais là, tu te souviens ? Le soir ou tu as merdé.

J'étais arrivé et il était assis là.

Le soir où Michael Williams a serré une dernière fois Carol dans ses bras.

Assis là, le chapeau tournant entre ses doigts.

Le soir où Michael Williams...

Il leva la tête et sourit.

146

Le soir...

J'ouvris la bouche dans l'intention de reprendre, mais c'était au serveur qu'il souriait.

Mehmet posa les consommations puis sortit une petite enveloppe de sa poche et la mit entre les mains du révérend.

– Mehmet, je ne peux pas. Il n'y a pas de raison.

– Mon père, j'insiste, dit-il, puis il s'éloigna.

Je jetai un regard circulaire dans la salle du Griffin et vis le serveur regagner son trou, une vieille femme avec une canne, assise elle aussi sur une chaise à haut dossier, tenter de se lever, un enfant lisant une bande dessinée, la lumière jaune terne de la réception, les vieux tableaux, brochures et lampes presque complètement décolorés, et il n'était pas tellement difficile de deviner pourquoi le Griffin Hotel attirait le révérend Martin Laws, qui ressemblait comme deux gouttes d'eau à une vieille église qu'il aurait fallu restaurer.

Il se pencha, le chapeau toujours entre les mains, et dit :

– Je peux t'aider.

– Comme tu as aidé Michael Williams ?

– Je peux faire en sorte que cela disparaisse.

– Tu t'es effectivement débarrassé de Carol.

– Faire en sorte que cela cesse.

Je regardai le chapeau, ses longs doigts, blancs au bout.

– Jack ?

Je dis :

– Je veux que ça cesse. Que ça finisse.

– Je sais. Et ça finira, crois-moi.

– Est-ce qu'il n'y a que ce moyen ? Le moyen ?

– J'ai une chambre. On peut y monter tout de suite, et ce sera fini.

Je fixai la vieille femme à la canne, l'enfant dans un coin, les brochures et les tableaux, les lampes devenant plus ternes.

Jubila, Jubilo...
– Pas aujourd'hui, dis-je.
– Je t'attendrai.
– Je sais.

Je rentrai à pied par City Square, la lune presque pleine dans le ciel bleu de la nuit, parmi les gars et les filles du vendredi soir en ce début de week-end du Jubilé, avec ses menaces de pluie et ses promesses de sexe, traversai City Square et regagnai la rédaction, sachant ce qui aurait pu se passer dans une pièce, retournant à ce qui m'attendrait dans une autre, là, sur mon bureau entre la pluie et le sexe.

Il commençait déjà à flotter.

J'abaissai le couvercle des toilettes et sortis la lettre de ma poche.

Je pensai aux empreintes digitales et à ce que les policiers diraient, mais ils ne pouvaient pas espérer que je sache et de toute façon je savais qu'il n'y en aurait pas.

Je regardai à nouveau l'oblitération : *Preston*.

Postée la veille.

Courrier rapide.

Je déchirai le haut de l'enveloppe avec mon stylo.

Toujours avec mon stylo, je sortis la feuille.

Elle était pliée en deux, l'encre rouge en ayant imbibé le dos, quelque chose à l'intérieur.

Je la dépliai et tentai de lire ce qui était écrit.

Je tremblais, du vinaigre dans les yeux, du sel dans la bouche.

Ça ne finirait pas comme ça.

– Je vais appeler George Oldman, dit Hadden, les yeux toujours fixés sur la feuille de papier à lettres épais, sans regarder ce qui se trouvait à côté.

– Bien.

Il avala sa salive, décrocha le téléphone, composa le numéro.

J'attendis, lune disparue, pluie venue, nuit dehors.
C'était le soir, il était tard, cent ans trop tard.

Un flic en uniforme était venu au siège du *Yorkshire Post*, avait glissé l'enveloppe et son contenu
dans un sac en plastique, puis nous avait conduits,
Hadden et moi, ici, à Millgarth, où on nous avait
introduits dans le bureau du superintendant Noble,
l'ancien bureau de George Oldman ; Peter Noble et
George nous y attendaient.

— Asseyez-vous, dit Oldman.

L'agent en uniforme posa les sachets en plastique
sur la table et se fit discret.

Noble prit une pince à épiler, sortit l'enveloppe et
la lettre.

— Vous les avez touchées tous les deux ?
demanda-t-il.

Seulement moi.

— Ne vous inquiétez pas. On prendra vos
empreintes plus tard, dit Oldman.

Je souris.

— Vous les avez.

— Preston, lut Noble.

— Quand ?

— Hier, apparemment.

Ils faisaient l'un et l'autre l'effet d'être au plus
profond de quelque chose.

Hadden était assis sur le bord de son fauteuil.

Noble remit la lettre dans le sachet transparent,
qu'il poussa vers George Oldman, ainsi que l'enveloppe et le petit paquet.

Il lut :

Les Enfers

Monsieur Whitehead,
Monsieur, je vous envoie de la peau que j'ai pris
sur une des femme, que j'ai conserver à votre inten-

149

tion. J'ai grillé et mangé d'autres morceaux et c'été très bon. Je vous enverrai peut-être le couteau couvert de sang qui m'a servi, si vous attendez encore un peu.

Ça vous plaira, je suis sûr.

Attrapez-moi quand vous pourrez.

Lewis.

Tout le monde garda le silence.

Au bout d'un moment, Noble dit :

– Lewis ?

– Ce n'est sûrement pas son vrai nom ? demanda Hadden.

Oldman leva la tête et me dévisagea.

– Qu'est-ce que vous en pensez, Jack ? Elle est authentique ?

– C'est un pastiche d'une lettre envoyée à un nommé George Lusk pendant les meurtres de l'Éventreur, à Londres.

Noble secoua la tête.

– C'est vous qui avez écrit l'article sur l'Éventreur du Yorkshire, hein ?

– Ouais, soufflai-je. C'est moi.

– Formidable. Il était vraiment formidable.

Oldman :

– Laisse tomber, Pete.

– Non, merci.

Hadden :

– Jack...

– Mais tous les timbrés qui traînent entre ici et Tombouctou vont écrire, bordel de merde.

Oldman :

– Pete...

– Ce n'est pas un timbré. C'est lui.

– Pas un timbré ? Ouvrez les yeux. Merde, comment vous pouvez me dire ça en face ?

Je montrai le petit paquet posé près de son coude, le mince lambeau de peau prélevé sur madame Marie Watts.

– Ça, ce n'est pas une preuve ?

Sur les marches, dehors, au milieu de la nuit, j'allumai une cigarette.

– Qu'est-ce qu'il y a entre toi et Noble ? demanda Hadden.

– Je ne l'aime pas.

– Tu ne l'aimes pas ?

– Et il ne m'aime pas.

– Tu as l'air foutrement sûr que la lettre est authentique.

– Et alors ? Tu ne le crois pas ?

– Je n'en sais rien, Jack. Enfin, merde, comment tu sais à quoi ressemble une lettre envoyée par un tueur en série ?

J'ouvris la porte et elles étaient là, debout, leurs six dos blancs face à moi.

Je quittai ma veste, me servis un verre d'Écosse, m'assis et pris *Edwin Drood.*

Elles restèrent le dos tourné, regardèrent la lune.

Je souris intérieurement, me mis à siffler :

The man I love is up in the gallery [1]...

Carol tournoya, traversa la pièce à toute vitesse, dents découvertes et ongles en avant; pour m'arracher les yeux, pour m'arracher les oreilles, pour m'arracher la langue, me tirer hors de mon fauteuil et me jeter par terre.

Hurlant :

– Tu crois que c'est amusant ? Ces choses t'amusent.

– Non, non, non.

Blaguant :

– Amusant ?

– Me reposer, je veux juste me reposer.

1. « L'homme que j'aime est au balcon... » (*N.d.T.*)

Crachant :

– C'est l'enfer sur Terre et tu veux te reposer. On devrait te mettre le dos au mur.

Les autres psalmodiant :

– Le dos au mur. Jack le dos au mur.

– Je t'en prie, je t'en prie. Laisse-moi tranquille.

Se moquant :

– Laisse-moi tranquille ? Laisse-moi tranquille ? Et qui va nous laisser tranquilles, Jack ?

– Excuse-moi, je t'en prie...

Ironisant :

– S'excuser est bien loin de suffire.

Elles avaient ouvert les fenêtres, la pluie entrait, le vent gonflait les rideaux.

Hurlant : *The man I love is up in the gallery...*

Elle me prit par les cheveux, traîna mon visage dehors, sur l'appui de la fenêtre.

– Il va tuer à nouveau, et bientôt. Tu vois cette lune ?

La pluie sur mon visage, l'estomac plein de nuit, la lune noire dans mon œil :

– Je sais, je sais.

– Tu le sais, mais tu ne veux pas l'empêcher.

– Je ne peux pas.

– Tu peux.

Elles avaient sorti mes cassettes des tiroirs, faisaient tourner les bobines, banderoles au vent, mes livres, mes crimes d'enfance, les déchiraient.

Gémissant : *The man I love is up in the gallery...*

– Tu sais qui c'est.

– Non. Ça peut être n'importe qui.

Puis elle posa sa bouche sur la mienne, aspira l'air contenu dans mes poumons, sa langue me coupant le souffle.

– Baise-moi, Jack. Baise-moi comme autrefois.

Je me dégageai, hurlai sans relâche :

– Tu es morte, morte, morte, morte, morte, morte, morte, morte, morte.

Soufflant :

– Non, Jack. C'est toi qui l'es.

J'étais allongé par terre et elles me soulevèrent, m'emportèrent, me posèrent sur mon lit, Carol me caressant le visage, Eddie parti et ma bible ouverte, lisant :

Cela arrivera pendant les derniers jours : je verserai sur chacun une portion de mon esprit; et vos fils et vos filles prêcheront l'évangile; et vos jeunes hommes verront des visions et vos vieillards rêveront des rêves.

– On t'aime, Jack. On t'aime, chantonnèrent-elles.

Ne t'égare pas, pas maintenant.

Pendant les derniers jours.

L'auditeur : Ce type, Moody, il dirige la brigade de lutte contre les publications obscènes à Scotland Yard, hein ?

John Shark : Dirigeait, oui.

L'auditeur : Et il se faisait graisser la patte par les boss du porno, leur rendait des services. Pas croyable.

John Shark : Rien à voir avec Dixon de Dock Green [1].

L'auditeur : Merde, il en profitait sûrement. Foutus flics. Ça donne envie de vomir.

The John Shark Show
Radio Leeds
Samedi 4 juin 1977

---

1. Flic paternaliste d'une série policière (1955-76) présentant sous un jour favorable le quotidien d'un poste de police. (*N.d.T.*)

7

Je me réveille seul d'un sommeil vide, seul entre les draps vides de Janice, seul dans son lit vide, dans sa chambre vide.

C'est samedi matin, le 4 juin, j'ai eu deux heures de sommeil agité, un soleil chaud se lève.

Je me penche et j'allume la radio.

Trois policiers abattus en Ulster, un homme inculpé du meurtre de Nairac, ITV toujours en grève, arrivée des supporters écossais à Londres, Keagan signe à Hambourg pour un demi-million, les températures devraient atteindre vingt-cinq degrés.

Ou plus.

Je m'assieds au bord du lit, ma tête s'éveille.

Quartiers chauds, coups de fusil, services de cancérologie, camps de la mort, cadavres sous des imperméables, pièces horribles peuplées de morts.

Je mets mes chaussures, traverse le couloir, tambourine à la porte de Karen Burns.

Draguer les eaux, goulées suffocantes de rivière noire.

Keith Lee, un Spencer Boy lui aussi, torse nu et en jean :

– Qu'est-ce que vous voulez, bordel ?

– Tu as vu Janice ?

Karen est à plat ventre sur le lit, Keith jette un coup d'œil circulaire.

– C'est personnel ?

Je le pousse dans la pièce.

– Ce n'est pas une réponse, Keith. C'est une question.

Karen lève la tête.

– Bordel de merde.

– Je sais ce que vous avez fait à Kenny, mec. C'est pas le genre de truc qu'on oublie vite.

Je le gifle et je lui dis :

– Kenny sautait Marie Watts derrière le dos de Barton. Quand on saute la femme de quelqu'un, il faut s'attendre à avoir des ennuis.

Karen tire le drap gris sur sa tête, cul blanc dans ma direction.

Keith se frotte le visage, braque un doigt.

– Ouais, bon, je me souviendrai de ça la prochaine fois qu'Eric Hall ou Craven viendront frapper à ma porte.

Je le fixe, l'oblige à baisser les yeux.

Il regarde autour de lui, hoche machinalement la tête.

Keith a un problème, plus grave que le passage à tabac de Kenny.

Mais *je l'emmerde.*

Je tire le drap qui couvre Karen Burns, blanche, vingt-trois ans, prostituée déjà condamnée, droguée, et lui donne une claque sur le cul.

– Janice ? Où elle est, bordel ?

Elle se retourne, nichons plats, une main sur sa chatte, l'autre cherchant le drap.

– Vous faites chier, Fraser. Je l'ai pas vue depuis jeudi soir.

– Elle ne travaillait pas hier soir ?

– Qu'est-ce que j'en sais, bordel ? Tout ce que je dis, c'est que je l'ai pas vue.

Je laisse le drap retomber sur elle, me tourne à nouveau vers Keith :

– Et Joe ?

– Quoi, Joe ?

– On ne le voit plus.

– Il y a une semaine qu'il n'est pas sorti de chez lui.

– À cause de ce qui est arrivé à Kenny ?

– Mais non. À cause des deux sept, mec.

– Tu crois à ces conneries ?

– Je crois ce que je vois.

– Et qu'est-ce que tu vois, Kenny ?

– Un million de petites apocalypses et des tas de putains de comptes qui se règlent.

Je ris.

– Procure-toi un drapeau, Keith. C'est le Jubilé.

– Je vous emmerde.

Je dis :

– Tu es un vrai patriote.

Puis je ferme la porte sur les merdeux et leur petit univers merdique.

Une clé tourne dans la serrure, puis c'est la poignée.

Et elle est là, épuisée et repue : épuisée parce qu'elle a baisé, repue parce qu'elle a baisé.

– Qu'est-ce que tu fais ici ?

– Je t'ai dit que je la quittais.

– Pas maintenant, Bob. Pas maintenant.

Et elle gagne la salle de bains, claque la porte.

Je la suis.

Elle est assise sur les toilettes, couvercle baissé, et pleure.

– Qu'est-ce qu'il y a ?

– Laisse tomber, Bob.

– Raconte.

Elle avale sa salive, tente de contenir les sanglots.

157

Je suis sur le dallage des toilettes, lui tiens le menton, demande :

– Qu'est-ce qui s'est passé ?

À l'arrière de voitures de luxe, des gants de cuir serrant sa nuque, des queues dans son cul, des bouteilles dans sa chatte...

– Raconte.

Elle tremble.

Je la serre, embrasse ses larmes.

– S'il te plaît...

Elle se lève, me repousse, va vers la glace, essuie ses larmes.

– Pas la peine.

– Janice, il faut que je sache...

Elle pivote, les mains sur les hanches.

– D'accord. Ils m'ont coffrée...

– Qui ?

– Qui, à ton avis, hein ?

– Les Mœurs ?

– Ouais, les Mœurs.

– Qui ?

– Qu'est-ce que j'en sais, bordel ?

– Tu as vu leurs cartes ?

– Oh, Bob, merde.

– Tu leur as dit de téléphoner à Eric ?

– Ouais.

– Et ?

– Et Eric leur a dit de te téléphoner.

Il y a des cordes autour de ma poitrine, des cordes épaisses et lourdes, de plus en plus serrées à chaque seconde qui passe, à chaque phrase.

– Qu'est-ce qu'ils ont dit ?

– Ils ont ri et ils ont appelé le poste de police. Ils ont appelé chez toi.

– Chez moi ?

– Ouais, chez toi.

– Et après ?

158

– Ils n'ont pas pu te joindre, Bob. Tu n'y étais pas.

– Alors qu'est-ce...

– Tu n'y étais pas, Bob ?

Les cordes brûlent ma poitrine, cassent mes os.

– Janice...

– Tu veux savoir ce qui s'est passé après ? Tu veux savoir ce qu'ils ont fait ensuite ?

– Janice...

– Ils m'ont sautée.

De la bile dans ma bouche, mes yeux fermés.

Elle hurle :

– Regarde-moi !

Je me retourne et elle est là :

Nue et couverte de morsures, des traînées rouges sur les seins, sur le cul.

– Qui ?

– Qui quoi ?

– Qui c'était ?

Elle se laisse glisser contre le mur de la salle de bains, sur le carrelage, sanglote.

– Qui ?

– Je n'en sais rien. Ils étaient quatre.

– En uniforme ?

– Non.

– Où ?

– Dans une camionnette.

– Où ?

– À Manningham.

– Qu'est-ce que tu foutais à Bradford ?

– Tu as dit que c'était dangereux ici.

Je la prends dans mes bras, la serre, la berce, l'embrasse.

– Tu veux voir un médecin ?

Elle fait signe que non, puis lève la tête.

– Ils ont pris des photos.

Cet enfoiré de Craven.

– L'un d'entre eux avait une barbe ? Boitait ?

– Non.

– Tu en es sûre ?

Elle tourne la tête, avale sa salive.

Le soleil brille à la fenêtre, avance sur le tapis de bain, se rapproche.

– Ils sont morts, je crache. Tous.

Et, soudain, des portières de voiture claquent, dehors, des pas dans l'escalier et on frappe aux portes, on frappe à notre porte.

Je suis dans la chambre.

– Qui est-ce ?

– Fraser ?

J'ouvre et Rudkin est là, Ellis derrière lui.

Rudkin :

– Qu'est-ce que tu fous ici ? On te cherche partout.

Visions de Bobby, œufs cassés et sang rouge sur joues blanches de bébé, voiture qui freine trop tard.

Trop tard.

– Qu'est-ce qu'il y a ? Qu'est-ce qui se passe ?

Mais Rudkin fixe la salle de bains, derrière moi, Janice sur le dallage.

Nue, couverte de morsures, des traînées rouges sur les seins, sur le cul.

Ellis a la bouche ouverte, la langue pendante.

– Qu'est-ce qu'il y a ?

– Il y en a une autre.

Je me retourne, leur ferme la porte au nez.

Dans la salle de bains, je dis :

– Il faut que je m'en aille.

Elle garde le silence.

– Janice ?

Silence.

– Chérie, il faut que je m'en aille.

Silence.

Je prends la couverture du lit, l'emporte dans la salle de bains, la pose sur elle.

Je me penche et l'embrasse sur le front.

Puis je regagne la porte et quand je l'ouvre ils sont toujours là, regardant derrière moi.

Je ferme la porte, passe entre eux, descends l'escalier et monte dans la voiture.

Je suis à l'arrière, chalumeau du soleil sur mon visage.

Rudkin conduit.

Ellis se retourne sans cesse, sourit, presque incapable de s'empêcher de parler, mais c'est la voiture de Rudkin, il occupe le siège du conducteur et il ne desserre pas les dents.

Alors je regarde Chapeltown, les arbres et le ciel, les boutiques et les gens, et je me sens las.

Si c'est lui, ça ne fait pas le même effet.

Vide, mon esprit est vide :

Les arbres sont verts, pas noirs.

Le ciel bleu, pas couleur de sang.

Les boutiques ouvertes, pas pillées.

Les gens dans les rues vivants, pas morts.

Midi dans un autre monde.

Puis je pense à Janice :

Arbres noirs.

Ciel couleur de sang.

Boutiques disparues.

Gens morts.

Millgarth, Leeds.

Samedi 4 juin 1977.

Midi.

Toute la bande est là :

Oldman, Noble, Alderman, Prentice, Gaskins, Evans et leurs brigades.

Et Craven.

Je croise son regard.

Il sourit, puis m'adresse un clin d'œil.

161

Je pourrais le tuer maintenant, ici, dans la salle de conférences, avant le déjeuner.

Il se penche vers Alderman et murmure quelque chose, touche sa poche de poitrine, et ils rient.

Trois secondes plus tard, Alderman me regarde.

Je lui rends son regard.

Il tourne la tête, un vague sourire aux lèvres.

Merde.

Ils parlent tous à voix basse, je perds les pédales.

Terrain vague, longue robe de velours noir sur un terrain vague.

Oldman commence :

– À sept heures moins le quart, ce matin, un livreur de journaux a entendu des appels à l'aide provenant du terrain vague proche du temple sikh de Bowling Back Lane, dans le quartier de Bowling, à Bradford. Il a découvert Linda Clark, trente-six ans, grièvement blessée : fracture du crâne ainsi que plaies à l'abdomen et dans le dos. Selon un examen préliminaire, les blessures au crâne ont été infligées à l'aide d'un marteau. On l'a transportée d'urgence à l'hôpital et elle se trouve à présent à Pinderfields Hospital, à Wakefield, surveillée vingt-quatre heures sur vingt-quatre. Malgré la gravité de ses blessures, madame Clark a pu fournir quelques informations. Pete.

Elle est à plat ventre dans le terrain vague, son soutien-gorge remonté, sa culotte baissée, son pantalon à lui, aussi.

Noble se lève :

– Madame Clark a passé la soirée de vendredi au Mecca, dans le centre de Bradford. Après avoir quitté le Mecca, madame Clark est allée faire la queue à la station de taxis, afin de rentrer chez elle, à Bierley. Comme la file d'attente était trop longue, madame Clark a décidé de marcher et de prendre un taxi en chemin. Un peu plus tard, un automobiliste s'est arrêté et a proposé à madame Clark de la raccompagner, ce qu'elle a accepté.

Noble s'interrompt, relents de George.

Il décharge dans sa main, puis il la frappe.

– Messieurs, nous recherchons une berline Ford Cortina Mark II blanche ou jaune, à toit noir.

Un triangle de peau, de chair.

– Le chauffeur est un homme d'approximativement trente-cinq ans, robuste, d'environ un mètre quatre-vingts, aux cheveux châtain clair tombant jusqu'aux épaules, aux sourcils épais, aux joues rondes. De très grosses mains.

Pour plus tard.

Toute la salle s'enflamme :

ON LE TIENT, PUTAIN ON LE TIENT.

Je regarde Rudkin, légèrement à l'écart, impassible, à des kilomètres, des années de là.

Mais ce n'est pas le même.

– L'Identité est en train d'étudier les empreintes de pneus, Bradford interroge les riverains.

Coup frappé à une porte, mille coups frappés à mille portes, mille épouses adressant un regard oblique à des maris blancs comme des linges, mille linges.

Noble à nouveau :

– Les résultats de l'examen nous seront communiqués dans une heure mais, d'après Farley, c'est notre homme. Notre *Éventreur*, dit-il, crachant le dernier mot.

Sans fin.

Oldman se lève à nouveau, reste immobile devant ses troupes, sa petite armée à lui.

– Il est foutu, les gars. Coffrons ce salaud.

On est tous debout, surexcités.

Noble crie, par-dessus l'électricité ambiante :

– Au travail ! Alderman et Prentice à Bradford, Rudkin à l'étage, les Mœurs et l'Administration ici.

163

Je me retourne et vois le superintendant Jobson sur le seuil, *la Chouette*, épuisé et vieux, yeux rouges derrière les verres épais.

Je lui adresse un signe de tête et il remonte le courant de la foule qui se dirige vers la porte.

– Comment va Bill ? me demande-t-il par-dessus le bruit.

– Pas bien.

On se place à l'écart.

Maurice Jobson pose une main sur mon coude.

– Louise et le petit ?

– Aussi bien que possible.

– J'avais l'intention de passer, mais avec tout ça...

Il regarde la salle, les brigades qui sortent, les Mœurs et l'Administration qui restent, Craven qui nous observe.

– Je sais, je sais.

Il se tourne à nouveau vers moi.

– Ça doit être dur pour toi.

– C'est pire pour Louise, avec Bobby tous les jours et la nécessité d'aller à l'hôpital.

– Au moins, elle appartient à une famille de policiers. Elle sait ce que c'est.

– Ouais.

– Dis-leur que je pense à eux, hein ? Et que j'essaierai de passer voir Bill pendant le week-end. Si je peux, ajoute-t-il.

– Merci.

Il me regarde à nouveau et dit :

– Si tu as besoin de quelque chose, viens me voir, hein ?

– Merci.

Et on s'en va, lui rejoignant George, moi gravissant l'escalier, pensant :

Maurice, la Chouette, mon ange gardien.

Rudkin et Ellis sont assis dans le bureau de Noble, ils attendent en silence.

Ellis commence à l'instant où j'entre.

– Tu crois qu'il va falloir qu'on retourne à Preston ?

– Aucune putain d'idée, je réponds en m'asseyant.

Il continue :

– Qu'est-ce que vous en pensez, patron ?

Rudkin hausse les épaules et bâille.

Ellis :

– Je crois qu'on va le choper demain.

On garde le silence, Rudkin et moi.

Ellis continue de parler pour lui-même :

– On va peut-être nous envoyer au Mecca. Ça serait bien, boire un verre et baratiner une nana...

La porte s'ouvre et Noble entre avec un dossier.

Il s'assied derrière son bureau et ouvre le dossier :

– Bien. Donny Fairclough, blanc, trente-six ans, habite Pudsey avec sa mère. Chauffeur de taxi. Propriétaire d'une Ford Cortina au toit noir.

– Putain, fait Ellis.

Noble hoche la tête :

– Exactement. On a déjà parlé de lui l'année dernière, après le meurtre de Joan Richards.

– Il aime mordre, j'ajoute, pensant : *nue et couverte de morsures, des traînées rouges sur les seins, sur le cul.*

– Ouais, bon, fait Noble, l'air satisfait. On l'a coffré deux ou trois fois...

Rudkin lève la tête.

– Groupe sanguin ?

– B.

On s'arrête dans Montreal Avenue, à cent mètres de la file.

Quelqu'un frappe contre notre vitre.

Rudkin la baisse.

Un gars des Mœurs se penche à l'intérieur, large sourire.

Je le vois sauter Janice sur le plancher de la camionnette, prendre des photos, sucer ses seins...

– Il vient d'arriver.

Je me dirige vers eux, par-derrière, le prends par les cheveux, l'égorge avec une bouteille cassée...

– C'est tout ? demande Rudkin.

– Ouais.

Je le traîne hors de la camionnette, le pantalon autour des chevilles, et je sors mon appareil photo...

Ellis dit :

– On devrait coffrer ce salaud. Le tabasser jusqu'à ce qu'il avoue.

– Tu es avec nous ? dit Rudkin, tourné vers moi.

Le gars des Mœurs m'adresse un bref regard, puis lance les clés sur la banquette arrière.

– C'est une Datsun marron sur Calgary.

– Au moins, il ne risque pas de nous repérer, blague Ellis.

– Alors vas-y, ricane Rudkin.

– Moi ? fait Ellis.

– Donne-lui les clés, me dit Rudkin.

Je les tends, le gars des Mœurs les yeux toujours rivés sur moi.

– Je te plais ou quoi ?

Il sourit.

– Tu es Bob Fraser, hein ?

J'ai la main sur la poignée.

– Ouais, pourquoi ?

Rudkin dit :

– Laisse tomber, Bob.

Le connard des Mœurs s'éloigne de la voiture et dit, comme ils disent toujours :

– Quel est le problème ?

Rudkin est descendu, parle avec lui, jette des coups d'œil derrière lui.

Ellis se retourne et soupire :

– Merde.

166

Puis il descend.

Je reste assis à l'arrière de la Rover, les regarde.

Le flic des Mœurs s'éloigne en compagnie d'Ellis.

Rudkin remonte en voiture.

– Comment il s'appelle ? je demande.

Rudkin me regarde dans le rétroviseur.

– Dis-moi seulement comment il s'appelle.

– Demande à Craven, dit-il.

Puis :

– Merde, monte devant. Il est parti.

Et je suis devant, la voiture démarre et on repart.

Je prends la radio, appelle Ellis.

Rien.

– Ce con est encore en train de jacasser, crache Rudkin.

– Tu aurais dû me laisser y aller en solo, je dis.

– Connerie, réplique-t-il, m'adressant un bref coup d'œil. Des trucs en solo, tu en as fait assez comme ça.

Nous sommes au carrefour de Harehills.

La Cortina blanche à toit noir de Fairclough tourne à gauche, entre dans Leeds.

Je tente à nouveau de joindre Ellis.

Il répond.

– Magne-toi le cul, je crie. Il entre dans Leeds.

Je coupe la communication sans lui laisser le temps de foutre Rudkin en rogne.

Fairclough tourne à droite, prend Roundhay Road.

J'écris :

4/6/77, 16 h 18, Harehills Lane, Roundhay Road à droite.

On fonce, j'écris :

Bayswater Crescent.

Bayswater Terrace.

Bayswater Row.

Bayswater Grove.

Bayswater Mount.
Bayswater Place.
Bayswater Avenue.
Bayswater Road.

Puis il arrive à Barrack Road et on continue.

– À droite vers Barrack Road, me crie Rudkin, je crie la même chose par radio à Ellis.

J'ai Ellis dans le rétroviseur, clignotant à droite.

– Il est derrière lui, je dis.

Tonnerre de la voix d'Ellis dans la voiture :

– Il s'arrête devant la clinique.

On prend à droite et on stoppe juste après le carrefour de Chapeltown Road.

– Il dépose une grosse pute pakistanaise avec une tonne de courses, dit Ellis. Il se dirige vers vous.

On regarde la Cortina passer, puis reprendre Roundhay Road.

– On continue, je dis dans le micro et Rudkin démarre.

– Dis à Ellis de lui recoller au train au prochain feu, dit Rudkin.

J'obéis.

Et Rudkin s'arrête.

On est à l'entrée de Spencer Place, de chez Janice.

Je le regarde.

– Tu as des choses à régler, dit-il en se penchant, ouvrant ma portière.

Je le dévisage.

– Qu'est-ce que tu vas dire ?

– Rien. Sois ici à sept heures.

– Et Fairclough ?

– On se débrouillera.

– Merci, patron, je dis, puis je descends.

Il ferme la portière et je le regarde s'éloigner dans Roundhay Road, le micro à la main.

Coup d'œil sur ma montre.

Seize heures trente.
Deux heures et demie.

Je frappe à la porte et j'attends.
Rien.
Je tourne la poignée.
Elle pivote.
J'entre.
Fenêtre ouverte, tiroirs ouverts, lit nu, radio allumée :
Hot Chocolate : *So You Win Again*...
Placards vides.
Je prends la lettre posée sur la commode.
Pour Bob.
Je la lis.
Elle est partie.

L'auditeur : Et le problème c'est que plus de la moitié des Union Jacks sont à l'envers.

John Shark : Écœurant.

L'auditeur : Peut-être que ça vous fait rire, John, mais imaginez s'il y avait partout des tas de croix suspendues à l'envers.

John Shark : Un Union Jack à l'envers et une croix à l'envers, ce n'est pas tout à fait la même chose.

L'auditeur : Mais si, dugland. Il n'y a pas une croix sur le drapeau, peut-être ?

The John Shark Show
Radio Leeds
Dimanche 5 juin 1977

8

– Il y en a une autre, avait dit Hadden.

J'étais resté allongé, j'avais attendu, regardé les Écossais minuscules qui, à genoux, arrachaient des touffes d'herbe à main nue, le téléphone glissant dans ma main, pensant : *Carol, Carol, est-ce que ça sera toujours comme ça, toujours et à jamais, oh Carol ?*

– Conférence de presse demain.

– Dimanche ?

– Lundi est férié.

– Ça va foutre ta couverture du Jubilé en l'air.

– Elle n'est pas morte.

– Ah bon ?

– Elle a eu de la chance.

– Tu crois ?

– D'après Oldman, il a été dérangé.

– Chapeau, George.

– Oldman dit que tu dois l'avertir dès que tu recevras quelque chose.

– Donc il a pris quelque chose à la femme ?

– Oldman ne dévoile rien. Et tu devrais prendre exemple sur lui.

Oh, Carol, pas de miracles pour les morts ?

Jubilum...

Il y eut une autre voix dans un appartement de Bradford, dans le noir, derrière les lourds rideaux.

Ka Su Peng leva la tête, lèvres mobiles, mots en retard :

– En octobre, l'année dernière, je me prostituais.

Elle avait fait des milliers de kilomètres pour se retrouver ici, assise de l'autre côté d'une barricade de meubles tachés, délabrés, peau grise, cheveux bleus, dix mille kilomètres pour baiser les hommes du Yorkshire en échange de billets de cinq livres sales, pressés dans des paumes humides.

Dix mille kilomètres pour finir comme ça :

– Je ne connais pas beaucoup d'autres femmes, donc je suis généralement seule. Je fais le début de soirée dans Lumb Lane, avant la fermeture des pubs. Il m'a abordée devant le Perseverance. On l'appelle le Percy. C'était une voiture foncée, propre. Il était sympathique. Silencieux, mais sympathique. Il a dit qu'il était fatigué, qu'il n'avait pas beaucoup dormi. J'ai dit que moi non plus. Les yeux fatigués, il avait des yeux très fatigués. Il est allé jusqu'au terrain de jeu qui se trouve près de White Abbey et il m'a demandé combien et j'ai dit cinq livres, et il a dit qu'il me les donnerait après, mais j'ai dit que je les voulais avant, parce qu'il risquait de ne pas me payer, que c'était déjà arrivé. Il a dit d'accord, mais il a voulu que j'aille à l'arrière de la voiture. Donc je suis descendue, et lui aussi, et c'est à ce moment-là qu'il m'a donné un coup de marteau sur la tête. Trois coups, et je suis tombée sur l'herbe et il a essayé de me frapper encore une fois, mais j'ai levé la main et c'est elle qu'il a touchée, et puis il a cessé, je l'entendais respirer tout près de mon oreille, puis le bruit de respiration s'est arrêté et il a disparu et je suis restée allongée là, tout était noir et blanc, les voitures passaient et, ensuite, je me suis relevée, je suis allée jusqu'à une cabine télé-

phonique, j'ai appelé la police, et les policiers sont
arrivés, ils m'ont transportée à l'hôpital.

Elle portait un chemisier crème et un pantalon
assorti, ses orteils nus se touchaient.

– Comment était-il ? Vous vous en souvenez ?

Ka Su Peng ferma les yeux, mordilla sa lèvre inférieure.

– Je m'excuse, dis-je.

– Il n'y a pas de raison. Je n'ai pas envie de m'en
souvenir, j'ai envie d'oublier, mais je ne peux pas
oublier, seulement me souvenir. Je ne fais que me
souvenir.

– Si vous ne voulez pas en parler...

– Si. C'était un Blanc, environ un mètre soixante-
quinze...

Je sentis sa main sur mon genou et à nouveau il
fut là, comme par magie, *souriant dans l'obscurité,
de la chair entre les dents.*

– Costaud...

Il se tapota la bedaine, rota.

– Des cheveux noirs et ondulés, une moustache à
la Jason King.

*Il passa la main dans ses cheveux, caressa sa mous-
tache, ce sourire ironique.*

– Avait-il l'accent de la région ?

– Non, celui de Liverpool, peut-être.

Il leva un sourcil.

– Il a dit qu'il s'appelait Dave ou Don, je ne m'en
souviens plus très bien.

Il fronça les sourcils et secoua la tête.

– Il portait une chemise jaune et un blue-jean.

– Autre chose ?

Elle soupira.

– Je ne me souviens de rien d'autre.

Il m'adressa un clin d'œil et disparut à nouveau,
comme par magie.

Elle dit :

– Est-ce que ça suffit ?

– C'est trop, soufflai-je.

Après l'horreur, le lendemain et le surlendemain.
Soudain, elle demanda :

– Vous croyez qu'il reviendra ?

– Est-ce qu'il est parti ?

– Il y a des fois, des fois où j'entends son souffle, sur l'oreiller, près de moi, dit-elle, visage triste sculpté dans la violence par des objets contondants, feuilles noires et bleues de cheveux pleurant sur les ravages.

Je tendis la main dans l'obscurité.

– Je peux ?

Elle se pencha, écarta ses cheveux.

Dans la pièce qui donnait sur l'arrière, elle tira les rideaux.

Je posai un billet de dix livres sous le réveil de la table de nuit, puis on s'assit dos à dos de part et d'autre du lit à une place, et on déboutonna nos vêtements un dimanche matin, à Bradford.

Je me levai, baissai mon pantalon.

Quand je me retournai, elle était sur le lit, nue.

Je m'allongeai sur elle, le pénis mou.

Elle glissa les mains entre mes jambes, puis les éloigna, me retourna sur le dos, se pencha vers la table de nuit et y prit une capote.

Elle la glissa sur ma queue puis m'enfourcha, moi en elle.

Elle se mit à bouger de haut en bas et de bas en haut, ses seins de simples mamelons, de haut en bas et de bas en haut, son corps osseux à la peau cireuse, yeux fermés, de haut en bas et de bas en haut, bouche ouverte, de haut en bas et de bas en haut, de haut en bas et de bas en haut, en haut, en bas.

Je fermai les yeux.

En bas.

On s'habilla en silence.

Sur le pas de la porte, je dis :

– On pourra recommencer ?

– Tout de suite ? demanda-t-elle, et nous eûmes l'un et l'autre un rire étonné.

George Oldman, le directeur adjoint, avec un sourire grave :

– Messieurs, comme vous le savez, aux environs de trois heures du matin, samedi 4, madame Linda Clark, trente-six ans, domiciliée à Bierley, a été agressée dans le terrain vague situé derrière le temple sikh de Bowling Back Lane, à Bradford. Madame Clark souffre d'une fracture du crâne et de plaies au dos ainsi qu'à l'abdomen. Samedi matin, madame Clark a été opérée et devra subir une nouvelle intervention dans le courant de la semaine. Cependant, malgré la gravité de ses blessures, madame Clark a pu nous fournir un compte rendu précis des heures précédant son agression.

Il s'interrompit, but une gorgée d'eau, reprit :

– Madame Clark a passé la soirée de vendredi au Mecca, un dancing de Bradford. Elle portait une longue robe en velours noir et une veste en coton vert. Aux environs de deux heures du matin, madame Clark a quitté le Mecca et s'est rendue à Cheapside, où elle a attendu un taxi. Une quinzaine de minutes plus tard, elle a décidé de reprendre à pied le chemin de Bierley. Approximativement une demi-heure plus tard, madame Clark a accepté la proposition du chauffeur d'une Ford Cortina Mark II blanche ou jaune, à toit noir d'aspect satiné, qui s'est arrêté près d'elle dans Wakefield Road et lui a offert de la raccompagner. Madame Clark a ensuite été conduite à Bowling Back Lane, où l'agression a eu lieu. Madame Clark a pu donner un signalement précis de l'agresseur.

175

Il s'interrompit une nouvelle fois.

– L'homme qui nous aimerions interroger, reprit-il, est blanc, a environ trente-cinq ans et fait approximativement un mètre quatre-vingts. Il est de forte stature. Il aurait des cheveux châtain clair jusqu'aux épaules, des sourcils épais et les joues rondes. Nous demandons à toute personne connaissant un homme correspondant à ce signalement et possédant une Ford Cortina Mark II blanche ou jaune à toit noir, ou pouvant se procurer un tel véhicule, de bien vouloir contacter de toute urgence le siège de la police de Bradford ou le poste de police le plus proche.

Nouvelle gorgée d'eau, nouvelle pause.

– Je tiens à ajouter que les indices recueillis sur les lieux me conduisent à conclure que l'agresseur de madame Clark est également le meurtrier de Theresa Campbell, Clare Strachan, Joan Richards et Marie Watts, et que c'est également lui qui a agressé Joyce Jobson à Halifax en 1974, Anita Bird à Cleckheaton, également en 1974, et mademoiselle Ka Su Peng à Bradford en octobre dernier.

Pause.

Toute la salle :

L'Éventreur du Yorkshire.

J'écrivis :

Clare Strachan ?

J'entourai le nom.

Oldman demanda s'il y avait des questions.

– Roger ?

– Monsieur le directeur adjoint, pourriez-vous préciser quels indices vous permettent de conclure que cette agression est l'œuvre de... l'œuvre de l'Éventreur du Yorkshire ?

– Pas pour le moment.

Il se défile...

– Jack ?

– Le signalement fourni par madame Clark semble être en contradiction avec les signalements donnés précédemment. Anita Bird et Ka Su Peng, notamment, ont dit que leur agresseur avait les cheveux foncés et ondulés, ainsi qu'une barbe ou une moustache...

George, le poignard à la main :

– Oui, Jack, mais la victime de Bradford, mademoiselle Peng, a affirmé que son agresseur avait l'accent de Liverpool, ce qui va à l'encontre des affirmations d'Anita Bird, et le signalement donné par mademoiselle Bird repose sur le fait non établi que l'homme qu'elle a croisé dans la rue est celui qui l'a agressée.

– Un fait non établi que vous teniez pour acquis.

– À ce moment-là, Jack. À ce moment-là.

*

En rentrant, je passai par le marché désert de Kirkgate, dans les rues silencieuses du dimanche, parmi les drapeaux tout rouge, blanc, bleu sous le soleil de trois heures.

Je pris une ruelle pavée, à l'abri de la chaleur, en quête d'un mur et d'un mot en rouge.

Mais le mot avait disparu, ou ce n'était pas la bonne ruelle et les seuls mots étaient *haine* et *Leeds*.

Donc je remontai Briggate jusqu'à Headrow, jusqu'à la cathédrale, où j'entrai.

Je m'assis au fond, dans l'obscurité froide et silencieuse, en sueur à cause de la marche, haletant comme un chien.

Au premier rang, une vieille femme avec une canne tentait de se lever, un enfant lisait un livre de prières. Autel dans la pénombre, statues et portraits dardant leurs yeux sur moi.

Je levai la tête, sueur sèche, souffle lent.

Puis je fus devant Lui, devant la croix, pensant à baiser et à des meurtres à coups de marteau, voyant les clous fichés dans Ses mains, pensant à baiser et à des meurtres à coups de tournevis, voyant les clous fichés dans Ses pieds, les larmes dans leurs yeux, les larmes dans les Siens, les larmes dans les miens.

Puis l'enfant prit la vieille femme par la main et la guida dans l'allée et, quand ils arrivèrent près de mon prie-dieu, ils s'arrêtèrent sous les statues et les portraits, les ombres qui environnaient l'autel, et l'enfant me tendit son livre de prières ouvert; je le pris, les regardai s'éloigner.

Je baissai la tête et lus les mots à haute voix :

Psaume 88

Car mon âme est rassasiée de maux,
Et ma vie s'approche du séjour des morts.
Je suis mis au rang de ceux qui descendent dans la
    fosse ;
Je suis comme un homme qui n'a plus de forces ;
Je suis étendu parmi les morts,
Semblable à ceux qui sont tués et couchés dans le
    sépulcre,
À ceux dont tu n'as plus le souvenir,
Et qui sont séparés de ta main.
Tu m'as jeté dans une fosse profonde,
Dans les ténèbres, dans les abîmes.
Ta fureur s'appesantit sur moi,
Et tu m'accables de tous tes flots.

Tu as éloigné de moi mes amis,
Tu m'as rendu pour eux un objet d'horreur ;
Je suis enfermé et je ne puis sortir.
Mes yeux se consument dans la souffrance ;
Je t'invoque tous les jours, ô Éternel !

J'étends vers toi les mains.
Est-ce pour les morts que tu fais des miracles ?
Les morts se lèvent-ils pour te louer ?
Parle-t-on de ta bonté dans le sépulcre,
De ta fidélité dans l'abîme ?
Tes prodiges sont-ils connus dans les ténèbres
Et ta justice dans la terre de l'oubli ?

Ô Éternel ! J'implore ton secours,
Et le matin ma prière s'élève vers toi.
Pourquoi, Éternel, repousses-tu mon âme ?
Pourquoi me caches-tu ta face ?
Je suis malheureux et moribond dès ma jeunesse,
Je suis chargé de terreur, je suis troublé.
Tes fureurs passent sur moi,
Tes terreurs m'anéantissent ;
Elles m'environnent tout le jour comme des eaux,
Elles m'enveloppent toutes à la fois.
Tu as éloigné de moi amis et compagnons ;
Mes intimes ont disparu.

Baiser et meurtres à coups de marteau, les clous
fichés dans Ses mains, baiser et meurtres à coups de
tournevis, les clous fichés dans Ses pieds, baiser et
meurtres, les larmes dans leurs yeux, baiser, les
larmes dans les Siens, meurtres, les larmes dans les
miens.

*On peut monter à l'étage tout de suite, et ce sera
fini.*

Et je quittai la cathédrale en courant, franchis le
portail à double battant, fuyant le marteau, dans les
rues noires et torrides, fuyant sous les drapeaux
rouges, le blanc et le bleu évanouis, fuyant tout et
tous, en ce jour du 5 juin 1977, à toutes jambes.

Oh, Carol.

Et, finalement, je me retrouvai devant le Griffin,
vêtements en feu, mains et yeux tournés vers le ciel,
criant :

Carol, Carol, il y a forcément un autre moyen.

La rédaction était un tombeau.
Je m'assis à mon bureau et je tapai :

L'ÉTRANGLEUR FAIT UNE NOUVELLE VICTIME

Hier, la police a intensifié ses recherches en vue d'identifier celui qu'on surnomme désormais l'Éventreur du Yorkshire – un homme qui, selon les policiers, est coupable du meurtre de quatre prostituées et de trois agressions de femmes –, à la suite d'une quatrième attaque qui a eu lieu samedi.

Mme Linda Clark, trente-six ans, domiciliée à Bierley, Bradford, a été agressée dans le terrain vague proche de Bowling Back Lane, à Bradford, après avoir passé la soirée au Mecca, un dancing de la ville.

Mme Clark, qui souffre d'une fracture du crâne ainsi que de plaies au dos et à l'abdomen, avait été prise en auto-stop dans Wakefield Road. Mme Clark devra subir une deuxième intervention chirurgicale dans la semaine.

La police nous communique le signalement du véhicule et de l'automobiliste, qu'elle souhaiterait interroger dans le cadre de l'enquête sur l'agression dont Mme Clark a été victime.

L'homme est blanc, âgé d'environ trente-cinq ans, mesure environ un mètre quatre-vingts et a une forte constitution. Il a des cheveux châtain clair jusqu'aux épaules et des sourcils épais. Il conduisait une Ford Cortina Mark II blanche ou de couleur claire, au toit noir. La police demande à toutes les personnes détenant des informations d'appeler de toute urgence la brigade criminelle de Bradford au 476532 ou au 476533 ou bien le poste de police le plus proche.

Je cessai de taper et ouvris les yeux.

Je montai à l'étage supérieur et déposai la feuille dans la corbeille de Bill.

Je tournai les talons, puis revins sur mes pas, sortis mon stylo et, en rouge, écrivis en haut de la page :

Ce n'est pas lui.

*

Je descendis l'escalier, sortis du noir, y entrai à nouveau.

Le Cercle de la presse, affluence du dimanche soir.

George Greaves, la tête sur la table, les lacets de ses chaussures attachés l'un à l'autre, Tom et Bernard tentant d'allumer leur clope d'une main tremblante.

— Une journée chargée ? dit Bet.

— Ouais.

— Il ne te laisse pas le temps de souffler, ton Éventreur.

J'acquiesçai, fis couler le scotch dans ma gorge.

Steph me prit le coude.

— Un autre ?

— Seulement pour être sociable.

— Ça ne te ressemble pas, Jack, blagua-t-elle.

Bet remplit à nouveau le verre.

— Encore que : quelqu'un a demandé à le voir, tout à l'heure.

— Moi ?

— Un jeune type. Skinhead.

— Ouais ?

— Ouais. Je le connais de vue, mais impossible de me souvenir de son nom.

— Il a dit ce qu'il voulait ?

— Non. Un autre ?

— Seulement pour être sociable, j'imagine.

181

– C'est ça l'idée.

– Aucun doute, dis-je en vidant le suivant.

Je m'arrêtai dans l'escalier, puis j'ouvris la porte.

La pièce était vide, fenêtres ouvertes, rideaux sales gonflés comme les voiles grises d'un bon vieux navire d'autrefois en route pour le Nouveau Monde, l'air chaud de la nuit passant ses doigts à travers moi.

Je m'assis et me servis une nouvelle rasade d'Écosse, je la bus et pris mon livre, mais somnolai.

Et c'est à ce moment qu'elle vint à moi, là, parmi les collines qui me semblaient si foutrement hautes, comme si j'avait fait beaucoup, beaucoup de chemin.

Elle posa les mains sur mes yeux, des mains aussi froides que deux pierres mortes.

– Je t'ai manqué ?

Je tentai de me retourner, mais j'étais trop faible.

– Je t'ai manqué, mon petit Jackie ?

J'acquiesçai.

– Bien.

Et elle posa sa bouche sur la mienne.

Je sentis sa langue, sa longue langue dure.

Elle s'immobilisa, une main sur ma queue.

– Saute-moi, Jack. Saute-moi comme tu as sauté cette putain.

La rue se compose de six garages exigus, tous couverts de graffitis blancs, des restes de peinture verte sur les portes. Ils sont perpendiculaires à Church Street, forment un passage aboutissant au parking à plusieurs étages qui se dresse à l'extrémité opposée. Les six garages appartiennent à M. Thomas Morrison, qui est mort sans héritier, si bien qu'ils ne sont plus entretenus ni utilisés. Le numéro 6 est devenu plus ou moins le domicile des sans-logis, des indi-

gents, des alcooliques, des drogués et des prostituées
des environs.

Il est petit, environ quinze mètres carrés, et on y
accède par l'un ou l'autre des deux battants de la
porte. Des caisses tiennent lieu de tables et il y a des
piles de bois, toutes sortes d'ordures. On a fait un feu
d'enfer dans une cheminée bricolée et il y a des lam-
beaux de vêtements parmi les cendres. Sur le mur qui
fait face à la porte, on a écrit La veuve du pêcheur *à*
la peinture rouge dégoulinante. Partout ailleurs, il y a
des bouteilles, des bouteilles de sherry, des bouteilles
d'alcool, des bouteilles de bière, des bouteilles de
produits chimiques. Un manteau d'homme tient lieu
de rideau devant la fenêtre, la seule, qui ne donne sur
rien.

Je me réveillai, souffle encore chaud et rance sur
mon oreiller.

Elles avaient pris mes livres sur mes étagères, les
avaient répandus dans la pièce, tous mes petits livres
sur Jack l'Éventreur, tous autant qu'ils étaient, et
mes cassettes, aussi, elles les avaient sorties du tiroir
du bas, toutes mes cassettes dans leurs petites
boîtes, la date et le lieu bien proprement indiqués,
et elles les avaient toutes répandues dans la pièce,
mes coupures de journaux aussi.

Elle traversa la pièce, un morceau de papier entre
les dents :

Preston, novembre 1975.

Je fus debout sur le lit, puis à genoux sur le plancher :

Je partage tes terreurs ; je suis
le dos au mur.

Un journal intime.

Je partage tes terreurs ; je suis
le dos au mur.

Il y avait un journal intime.

183

Je mis la pièce sens dessus dessous tandis que, toutes six, elles tournoyaient et gémissaient dans une cacophonie assassine, livres en l'air, cassettes par terre, coupures au vent, doigts dans mes oreilles, leurs mains sur mes yeux, leurs mensonges, mes livres, ses mensonges à lui, mes cassettes, ses mensonges à elle, mes coupures de journaux, son putain de journal intime.

Je partage tes terreurs; je suis
Le dos au mur.
Le téléphone sonnait.

John Shark : Sir Robert Mark a dit, je cite [il lit] *:
« Le cancer de la corruption qui rongeait la Brigade
de lutte contre les publications obscènes a été rendu
public et exorcisé. »*

*L'auditeur : Tout ça, c'est des conneries, John,
point.*

John Shark : Ça ne vous fait ni chaud ni froid ?

*L'auditeur : Évidemment. Il a aussi dit qu'on
aurait rien su de tout ça si y aurait pas eu cette foutue
presse. On peut pas franchement dire que ça nous
rassure des masses, hein ? Être obligé de compter sur
vous, les journalistes.*

*John Shark : Il me semble que Sir Robert a dit que
le pays tout entier nous était redevable.*

L'auditeur : Pas moi, en tout cas. Pas moi.

The John Shark Show
Radio Leeds
Lundi 6 juin 1977

9

J'emmerde Oldman.
J'emmerde Noble.
J'emmerde Rudkin.
J'emmerde Ellis.
J'emmerde Donny Fairclough.
J'emmerde ce con d'Éventreur.
J'emmerde Louise.
Je les emmerde tous.
Elle est partie :
Je suis parti.

Pour un enfer.

Frapper à des portes, frapper sur des gens, bousiller des portes, bousiller des gens, en la cherchant, en me cherchant.

Un enfer de feux d'artifice.

Je sors de sa chambre, traverse le couloir, ouvre la porte, Keith pas là, Karen, sur le lit, qui lève la tête, m'adresse un regard signifiant : « Encore, bordel... » et je la tire hors du lit, sur le plancher, juste une culotte rose, les nichons à l'air, je lui hurle au visage :

– Elle est partie, elle a pris ses affaires, où elle est allée ?

Et elle est sous moi, les mains sur le visage, et je la gifle de toutes mes forces parce que si quelqu'un sait où est Janice, c'est Karen Burns, blanche, vingt-trois ans, prostituée déjà condamnée, droguée, mère de deux enfants, et je la gifle à nouveau puis je regarde ses lèvres et son nez ensanglantés, traînées de sang sur son menton et son cou, ses nichons et ses bras, et je lui retire sa culotte rose, je la traîne à nouveau jusqu'au lit, ouvre mon pantalon et la lui mets, et elle ne se débat même pas, se contente de changer de position sur le lit, alors je sors et elle me regarde, maintenant, et je la gifle à nouveau, je la retourne, et elle se débat, dit qu'on n'est pas obligés de faire ça comme ça, mais je lui presse le visage sur le drap sale, lève ma queue et la lui fourre dans le cul, et elle hurle, et ça me fait mal, mais je continue jusqu'au moment où je décharge et me laisse tomber sur le plancher, elle gisant sur le lit, du sperme et du sang coulant sur ses cuisses, le cul devant mon visage, et je me relève et je recommence et, cette fois, ça ne fait pas mal, elle reste silencieuse, je décharge et je m'en vais.

Dans un enfer de feux d'artifice, elle est partie.

Je suis par terre dans une cabine téléphonique, il fait noir dehors, à part les feux de joie et les lampa daires, les feux d'artifice et les phares ; les grands arbres de Chapeltown se penchent sur moi, et dans les arbres, des chouettes avec leurs grands, très grands putains d'yeux ronds, et je maudis ce con de Maurice Jobson, la Chouette, mon ange gardien, et ses conneries : *Au moins, elle appartient à une famille de policiers, elle sait ce que c'est*, et son : *Si tu as besoin de quelque chose, préviens-moi*. Viens

187

donc ici, dans cette putain de cabine, et rends-moi à moi-même, viens, crétin, avant que je coupe ces ailes, ces putains d'ailes noires, les sales putains d'ailes noires de la mort, allez, ramène-la-moi, ici, dans ma petite cabine rouge, ici, dans mon âge des ténèbres, dans mon âge de la pierre, dans mon âge de la mort, le combiné contre l'oreille, ramène-la-moi, qu'elle me voie gémir, qu'elle me voie pleurer, qu'elle me voie sangloter, en boule sur le plancher d'une cabine téléphonique, mes cheveux dans les mains, mes cheveux ensanglantés dans les mains, des mèches de cheveux ensanglantés dans les mains.

Dans un enfer de feux d'artifices, elle est partie et je suis seul.

– Bordel...
J'ai pris ce con de Joe Rose à la gorge, fumée épaisse dans la pièce, matelas contre la fenêtre, deux sept peints sur toutes les surfaces, ce putain de babouin débile qui fait dans son froc.
– Je vais te tuer.
– Je sais, je sais.
– Alors raconte...
Il tremble, boules blanches des yeux au ciel, bredouille :
– Janice ?
– Raconte.
– Je ne sais pas où elle est, mec. Je te le jure.
J'ai les doigts dans son nez, mes clés tout près de ses gros yeux marron.
– Je t'en prie, mec, je te jure.
– Je vais te tuer.
– Je sais, mec, je sais.
– Alors raconte.
– Raconter quoi ? Je sais pas où elle est.
– Tu sais qu'elle est partie ?

– Tout le monde sait ça.

– Alors dis-moi quelque chose que tout le monde ne sait pas.

– Quoi, par exemple ?

– Par exemple qui était son mac.

– Qui était son mac ? Tu blagues, hein ?

– J'ai l'air de blaguer, bordel de Dieu ?

– Eric, mec.

– Eric Hall ?

– Tu le savais pas ?

– C'était son indic ?

– Ça on s'en branle. C'était son mac.

– Tu mens, Joe.

– Tu le savais pas ?

Je le prends à la gorge.

– Je jure, mec. Eric Hall était son mac. Demande à n'importe qui.

Je fixe ses grands yeux marron, ses grands yeux marron aveugles, et je m'interroge.

– Écoute, elle reviendra, dit-il. Comme un boomerang, comme toutes ces filles.

Je le lâche et il tombe sur le plancher.

Je gagne ce qui reste de la porte, bois fracassé, sept éclatés.

– Sauf celles qui tombent sur ton capitaine Jack, dit-il. Sauf celles qui rencontrent ce pirate.

– Téléphone-moi, Joe. Téléphone-moi dès que tu sauras quelque chose.

Il acquiesce, se frotte le cou.

– Sinon je reviendrai et, putain, je te tuerai.

Dans un enfer de feux d'artifice, elle est partie et je suis seul dans la rue.

Je refais le numéro, pas de Louise.

J'appelle l'hôpital, mais on ne veut pas me la passer.

J'appelle York et, dix minutes plus tard, l'infirmière m'annonce que monsieur Ronald Prendergast est mort ce matin à la suite d'une hémorragie consécutive aux blessures reçues pendant l'attaque à main armée.

Je lève la tête et je vois le ciel à travers les arbres.
Je vois encore de la pluie.
Je fais une nouvelle fois le numéro, pas de Louise.
Je fais encore et encore le numéro, pas de Louise.
J'appelle l'hôpital, mais on raccroche.

J'emmerde Karen Burns.
J'emmerde Joe Rose.
J'emmerde Ronald Prendergast.
J'emmerde le putain d'Éventreur.
J'emmerde Maurice.
J'emmerde Bill.
J'emmerde Louise.
Je les emmerde tous.
Elle est partie :
Je suis parti.

Pour un enfer.

Frapper à des portes, frapper sur des gens, bousiller des portes, bousiller des gens, en la cherchant, en me cherchant.

En enfer dans une voiture volée.

*

Eric Hall, l'inspecteur Eric Hall, du Q.G. de Bradford, à Jacob's Well, et c'est là que je suis, à Jacob's Well, où j'attends dans une voiture volée, sa voiture, la voiture d'Eric, celle que j'ai prise devant son garage, à Denholme.

Personne chez lui, le taxi parti et mon argent avec.

L'arrière du petit château d'Eric, derrière les vitres couvertes de gouttes de pluie, les voilages et les espaces entre les rideaux ; un coup de pied dans la porte de derrière, dans la puanteur des animaux familiers, parmi les photos de famille, dans son bureau aux vastes fenêtres donnant sur le parcours de golf, je fouille dans ses boîtes de médailles et de vieilles pièces, cherchant n'importe quoi, un morceau de Janice, n'importe quel petit morceau de Janice, ne trouvant rien, prenant l'argent des courses et les clés de sa Granada 2000, bleu Miami, bordel.

Le con.

Halifax Road, puis Thornton Road, Alberton, Bradford, tout droit jusqu'à Jacob's Well.

Radio :

M. Clive Peterson, responsable du bureau de poste de Heywood Road, à Rochdale, a été découvert sans connaissance, en début de matinée. Il avait tenté de s'opposer aux auteurs d'une agression. Des deux côtés de la Chaîne Pénine, la police envisage l'éventualité d'un lien entre une série de crimes similaires commis dans la région du Yorkshire.

M. Ronald Prendergast, de New Park Road, est décédé ce matin sans avoir repris connaissance après s'être opposé à l'attaque de son bureau de poste le 4 juin. M. Prendergast est le deuxième responsable de bureau de poste tué en deux mois. Un porte-parole des postes a déclaré...

Les cons.

Pied au plancher.

Tout droit jusqu'à lui, jusqu'à Eric Hall, l'inspecteur Eric Hall.

Le con.

Dans un parking désert de jour férié, je tente de réfléchir correctement, d'apaiser le tumulte de mon

191

cerveau, la pluie tambourinant sur le toit, la radio ronronnant :

D'après le Royal Automobile Club, il y a des années que la situation n'a pas été aussi difficile...

Vents forts et pluies prévus.

Le temps est le seul adversaire de la plus grande fête de ces vingt-cinq dernières années...

Envie d'une fête à moi, descendant de la voiture d'Eric et cherchant une cabine.

En enfer dans une voiture volée, tous les feux au rouge.

Assis sur le capot de sa Granada 2000 bleu Miami toute neuve, je l'attends.

Il traverse le parking désert, manteau en mouton retourné en plein été, la pluie aplatissant ses cheveux clairsemés, et il me voit, repère la voiture, *sa* voiture, et se met à courir, sur le point de perdre la boule, comme je l'avais prévu, et je comprends tout d'un coup où j'en suis, alors qu'il n'est pas plus de cinq heures de l'après-midi, le lundi 6 juin 1977, mais je comprends aussi qu'il est impossible de revenir en arrière.

J'en suis là :

– Espèce de con ! hurle-t-il. C'est ma putain de voiture. Comment, qu'est-ce que...

Et il m'envoie valdinguer par terre, il me saute dessus, on roule dans les flaques et je me prends un coup de poing sur la tempe.

Mais ça s'arrête là.

Je frappe à mon tour, une fois, deux, et il tombe, le côté du visage sur le goudron.

– Où est-elle, Eric ?

Il se débat mais, quand il parle, ses lèvres saignent.

Je tire sur les minces filaments de merde qui lui tiennent lieu de cheveux.

192

– Où elle est, bordel?

– Comment je le saurais, pauvre connard? C'est ta putain de gonzesse...

Je lui frappe le crâne sur le sol, je le redresse et ses yeux se révulsent et je pense arrête, arrête, arrête, tu ne peux pas remmettre ça, tu ne peux pas, tu ne peux pas, sinon tu vas le tuer, tu vas le tuer, tu vas le tuer, son cuir chevelu saigne et je suis dans la merde et je serre son visage entre mes mains jusqu'au moment où ses yeux voient de nouveau, et je dis :

– Eric, m'oblige pas à recommencer.

Et il hoche la tête, mais je ne comprends pas ce qu'il veut dire.

– Eric, je sais que tu étais son mac.

Et il hoche toujours la tête mais, putain, ça pourrait vouloir dire n'importe quoi.

– Eric, bordel de merde!

Et je gifle ses joues grasses et roses, des fragments de goudron collés entre les vaisseaux éclatés et le pouls qui fout le camp.

– Eric...

Il revient à lui, hoche la tête plus lentement.

– Eric, je sais ce que tu faisais. Dis-moi simplement où elle est.

Il me regarde, le blanc de ses yeux veiné de rouge par la nicotine, le noir débordant sur le bleu et il crache :

– J'ai été son mac. Elle m'a demandé...

Je serre les poings, il se tasse sur lui-même, mais je me calme.

– Eric, la vérité.

Des larmes coulent sur ses joues.

– C'est la vérité.

Je le relève, on titube comme deux ivrognes dans un dancing.

Je l'appuie sur le capot de sa Granada 2000 bleu Miami.

– Alors, où elle est ?

– J'en sais rien. Il y a plus de six mois que je ne l'ai pas vue.

J'époussette son manteau, fais tomber les gravillons et les lambeaux de papier.

– Tu mens, Eric. Et pas bien.

Il respire avec bruit, sue comme un porc sous son manteau en mouton retourné.

Je dis :

– Elle s'est fait coffrer vendredi soir.

Il avale sa salive, tremble.

– Ici. À Manningham.

– Je sais.

– Je sais que tu le sais, connard. Parce qu'elle t'a téléphoné, hein, Eric ? Elle voulait te voir.

Il secoue la tête.

– Qu'est-ce qu'elle voulait, Eric ?

Je lui ôte une saloperie de son col et j'attends.

Il ferme les yeux, hoche la tête.

– De l'argent. Elle voulait de l'argent.

– Et ?

– Elle a dit qu'elle avait des trucs. Des informations.

– Sur quoi ?

– Elle ne l'a pas dit.

– Eric...

– Des attaques à main armée, elle n'a rien dit d'autre. C'était au téléphone.

Je lui caresse la joue.

– Et tu lui as fixé rendez-vous, hein ?

Il secoue la tête.

– Mais tu as envoyé le panier à salade, hein ?

Il secoue la tête, plus vite.

– Et ils l'ont coffrée, hein ?

Plus vite.

– Tu t'es dit que ça lui servirait de leçon, hein ?

De gauche à droite et de droite à gauche, plus vite.

– Alors ils t'ont téléphoné, hein ?

Encore plus vite.

– Tu aurais pu les en empêcher, hein ?

Il tremble.

– Tu aurais pu, hein ?

Et je saisis ce putain de visage et je hurle, à un centimètre de lui :

– Alors pourquoi tu l'as pas fait, foutre de putain de tas de merde !

Ses yeux, ses yeux battus et larmoyants, se figent.

– Elle t'appartient, tu l'as prise.

Je le tiens maintenant, entre mes mains, je le tiens et je pourrais le tuer, lui fracasser le crâne sur le goudron, le fourrer dans le coffre de sa Granada 2000 bleu Miami toute neuve et l'emmener dans les Moors, ou dans une carrière, ou dans un lac, ou au bord d'une falaise et le jeter dans la mer.

Mais je ne le fais pas.

J'éloigne ce putain de gros con du capot de sa voiture, et je monte dedans.

Et il reste là, debout, devant sa Granada 2000 bleu Miami, me regarde, au volant derrière le pare-brise, au volant de sa voiture.

Je démarre, lance le moteur, pense : *bouge, sinon je vais t'écraser avec ta propre bagnole.*

Il s'écarte, sa bouche remue, un trou noir proférant au ralenti menaces et promesses, menaces et injures.

Pied au plancher.

Et je suis parti.

En enfer dans une voiture volée, tous les feux au rouge, loin du monde.

Bradford derrière, l'A 650, Wakefield Road jusqu'à Tong Street, King Street, sous la M 62, sous la M 1, puis Wakefield, jusqu'à Doncaster Road, et jusqu'au seul endroit qui reste, le dernier endroit qui reste :

Le Redbeck Cafe & Motel.

Je reste là, une fois de plus dans un parking désert, Heath Common devant moi, trois feux de joie noirs, pas encore allumés, en ombres chinoises sur le ciel nocturne qui se dégage, attendant leurs sorcières.

Je fouille dans ma poche, sors mes clés.

Et voilà, chambre 27.

En enfer dans une voiture volée, tous les feux au rouge, loin du monde, loin de nous.

Dans mon rêve, j'étais assis sur un canapé dans une pièce. Un joli canapé, trois places. Une jolie pièce, rose.

Mais je ne dors pas, je suis éveillé.

En enfer.

John Shark : Vous avez vu ça, Bob ? [il lit] *:
« Parmi les réjouissances, il y a une note d'hostilité de
la part de groupes d'extrême gauche, qui impriment
de grandes quantités de tracts antimonarchistes et
publient des articles où le Jubilé est présenté comme
un affront scandaleux à la population laborieuse de
1977. »*

*L'auditeur : Vraiment n'importe quoi, John, c'est
clair. La population laborieuse ? Ces types, c'est pas
la population laborieuse. C'est rien qu'une bande
d'étudiants. La population laborieuse est complètement pour le Jubilé.*

John Shark : Vous croyez ?

*L'auditeur : Évidemment, c'est deux jours sans
bosser et une bonne raison de se saouler la gueule,
non ?*

The John Shark Show
Radio Leeds
Mardi 7 juin 1977

10

Il pleuvait comme vache qui pisse.

De vrais putains de rideaux sur les six voies d'autoroute, désertes à cause du Jubilé.

Sur les Moors, d'un bout à l'autre des Moors, sous les Moors.

Je te baise et tu t'endors.

Je t'embrasse et tu te réveilles.

Personne ; pas de voitures, pas de camions, rien.

Des espaces déserts, ces étendues.

Le monde disparu dans l'éclair d'une bombe.

Mais s'il n'y a personne, s'il ne reste personne, comment se fait-il que je sois si meurtri quand je me réveille ?

J'éteignis *Le Jubilé en vingt-cinq ans de chanson* et accélérai, seules les cassettes que j'avais dans la tête passaient à fond :

UN JOURNAL INTIME POURRAIT DÉSIGNER LE MEURTRIER.

Un journal intime, dont on soupçonne la présence dans son sac à main, qui a disparu, pourrait recéler un indice permettant l'arrestation du meurtrier d'une des femmes.

On a vu Mlle Strachan pour la dernière fois mardi à 10 h 25, alors qu'elle sortait de chez une amie.

198

Une femme a découvert son corps en passant devant les portes ouvertes d'un garage de French-wood Street, à Preston.

Lors d'une conférence de presse, le superintendant Alfred Hill a déclaré que le vol était le mobile probable du meurtre. Selon lui, un journal intime, dont on soupçonnait la présence dans son sac à main, qui n'a pas été retrouvé, pourrait recéler un indice capital.

Il a indiqué : « Je suis très désireux d'obtenir des informations sur toutes les personnes qui ont quitté Preston depuis jeudi. »

Le superintendant Hill, directeur adjoint du CID du Lancashire, dirige une équipe de quatre-vingts enquêteurs chargée de traquer le meurtrier.

Mlle Strachan, originaire d'Écosse, habitait Avenham, un quartier de Preston, et se faisait également appeler Morrison.

Article banal sur un fait divers sanglant, du mauvais côté des montagnes, pendant la mauvaise année :

1975 :

Eddie plus là, Carol morte, l'enfer à tous les coins de rue, chaque matin.

Des milliers d'ormes morts.

Récolté dans le journal, arraché à la bande magnétique.

Deux ans, ou bientôt deux cents.

L'Homme de L'Histoire

Bye Bye Baby.

Partir à l'arrivée.

Commencer par la fin :

Je ralentis dans Church Street, montai la rue au pas, cherchai Frenchwood Street, cherchai les garages, son garage.

Je m'arrêtai près d'un parking à plusieurs étages.

La voiture empestait : mon haleine rance à cause du manque de sommeil, pas de petit déjeuner, seulement une ventrée de cauchemars.

La pendule du tableau de bord indiquait neuf heures.

La pluie, à seaux, dégoulinant sur les vitres.

Je tirai la veste de mon costume sur ma tête, descendis, traversai la rue en courant, gagnai une porte ouverte qui battait sous la flotte.

Mais je m'arrêtai net devant elle, veste baissée, pluie sur le visage, aplatissant mes cheveux, écœuré par la puanteur de la terreur et des ténèbres.

J'entrai, à l'abri de la pluie, exposé à la souffrance.

Sous mes pieds, sous mes pieds je sentis de vieux vêtements, un tapis de haillons, de bouts de papier, de bouteilles marron et vertes, un océan de verre parsemé d'îles en bois, caisses et boîtes, un établi dont il s'était sûrement servi pour accomplir sa tâche, son travail.

Je restai immobile, la porte battant, tout était là devant moi, derrière, au-dessous, au-dessus, j'écoutai les rats et les souris, le vent et la pluie, une horrible musique de l'âme, mais je ne vis rien, aveugle :

Vos jeunes hommes verront des visions et vos vieillards rêveront des rêves.

J'étais un vieillard.

Un vieillard égaré dans une chambre.

*

– Vous avez l'air d'un chien mouillé. Combien de temps êtes-vous resté sous la pluie ?

– Pas longtemps, mentis-je, et je suivis la barmaid dans la salle du St Mary, à l'abri.

– Qu'est-ce que je vous sers ? demanda-t-elle en allumant les lampes.

– Une pinte et un whisky.

Elle passa derrière le bar, tira ma pinte.

Je pris un tabouret au bar juste ouvert, encore glacial.

– Voilà. Soixante-cinq, s'il vous plaît.

Je lui donnai un billet d'une livre.

– Dôle de nom pour un pub.

– C'est ce que tout le monde dit mais, de toute façon, on dirait presque une église. Je veux dire : regardez autour de vous.

– C'est le même nom que cet endroit, un peu plus loin, non ?

– Le foyer ? Ouais, pas la peine de me le rappeler.

– C'est vos clients, hein ?

– Pratiquement les seuls clients, dit-elle en me rendant la monnaie. Et vous, vous faites quoi ?

– Je travaille au *Yorkshire Post*.

– J'en étais sûre. Vous venez à cause de cette femme qui s'est fait buter il y a deux ans ? Comment elle s'appelait, déjà ?

– Clare Strachan.

Elle plisse le front.

– Vous en êtes sûr ?

– Ouais. Vous la connaissiez, hein ?

– Oh, oui. Ils croient, maintenant, que ça pourrait être cet éventreur du Yorkshire, hein ? Imaginez que ce soit lui, enfin, merde, il est probablement venu ici.

– Elle venait souvent, Clare ?

– Ouais, ouais. Ça fout les jetons, hein ? Vous reprenez la même chose ?

– Allez-y. Comment était-elle ?

– Grande gueule et bourrée. Comme toutes les autres.

– Elle faisait le trottoir ?

Elle entreprit d'essuyer le dessus du bar.

– Ouais. Enfin, comme toutes celles qui vivent dans cet endroit.

– St Mary's ?

– Ouais. Elle perdait complètement les pédales, faisait sans doute ça pour rien.

– La police vous a interrogée ?

– Ouais. Elle a interrogé tout le monde.

– Qu'est-ce que vous lui avez dit ?

– Ce que je viens de vous raconter, qu'elle venait souvent, se bourrait la gueule, n'avait pas beaucoup de fric et que celui qu'elle avait, elle le gagnait sûrement sur le trottoir.

– Qu'est-ce qu'elle a dit ?

– La police ? Rien. Qu'est-ce qu'elle aurait pu dire ?

– Je ne sais pas. Parfois les flics font des confidences sur ce qu'ils pensent.

Elle cessa d'essuyer.

– Dites, vous n'allez pas mettre ça dans le journal, hein ?

– Non, pourquoi ?

– Il ne faudrait pas que ce foutu Éventreur lise mon nom, hein ? Qu'il croie que j'en sais plus long que ce que je sais vraiment, qu'il croie qu'il faut qu'il me fasse taire ou quelque chose comme ça.

– Ne vous inquiétez pas, je ne dirai rien.

– Je parie que vous promettez toujours ça, vous, les journalistes, hein ?

– Dieu m'est témoin.

– Ouais, bon. La même chose ?

– Excusez-moi, je voudrais voir un certain Roger Kennedy.

Un jeune homme dans un couloir obscur, lunettes à monture noire, tremblant, reniflant, faisant dans son froc.

Je demandai une nouvelle fois :

– Roger Kennedy.

– Il ne travaille plus ici.

– Savez-vous où je peux le trouver ?

– Non. Il faudra que vous reveniez quand le patron sera là.

– Qui est-ce ?

– Monsieur Hollis. Le directeur.

– À quelle heure reviendra-t-il ?

– Il ne reviendra pas.

– Bien.

– Il est en vacances. À Blackpool.

– Parfait. Quand rentrera-t-il ?

– Lundi prochain, je crois.

– Bien. Excusez-moi, je m'appelle Jack White-head.

– Vous n'êtes pas flic, hein ?

– Non, pourquoi ?

– Ils sont venus, il y a deux ou trois jours. Vous faites quoi ?

– Je suis journaliste. Au *Yorkshire Post*.

Cela ne parut pas le rassurer.

– C'est à propos de Clare Strachan ? La femme qui habitait ici ?

– Ouais. C'est pour ça que les policiers sont venus ?

– Oui.

– Vous avez répondu à leurs questions, hein ?

– Oui. Je regrette que monsieur Hollis ne soit pas là.

– Qu'est-ce qu'ils ont dit ?

– Je crois qu'il vaudrait mieux que vous reveniez quand monsieur Hollis sera là.

– En fait, vous pourriez parfaitement le rempla-cer. Je ne veux poser que deux ou trois questions. Rien pour le journal.

– Quelles questions ?

– Des questions d'ordre général. Est-ce qu'on peut s'asseoir quelque part ? Il n'y en a que pour deux minutes.

203

Il remonta ses lunettes sur son nez et montra la lumière blanche, au bout du couloir.

– Je m'excuse, je n'ai pas saisi votre nom, dis-je en le suivant dans un salon lugubre, flaques de pluie sous de vieilles fenêtres en piteux état.

– Colin Minton.

Je lui serrai la main et dis une nouvelle fois :

– Jack Whitehead.

– Colin Minton, répéta-t-il.

– Un Polo ? proposai-je avant de m'asseoir.

– Non, merci.

– Alors, Colin, vous travaillez ici depuis longtemps ?

– À peu près six mois.

– Donc vous n'étiez pas là quand c'est arrivé ?

– Non.

– Est-ce qu'il y a quelqu'un, ici, qui était là ? Ce monsieur Hollis ?

– Non. Seulement Walter.

– Walter ?

– Walter Kendall, l'aveugle. Il vit ici.

– Il était ici il y a deux ans ?

– Ouais. C'était un de ses amis.

– Serait-il possible de le voir ?

– S'il est là.

Je me levai.

– Il sort beaucoup, hein ?

– Non.

Je quittai le salon derrière Colin, le suivis dans un escalier obscur jusqu'au deuxième étage, puis dans un couloir étroit, au plancher couvert de linoléum, jusqu'à la porte qui se trouvait tout au bout.

Colin Minton frappa.

– Walter, c'est Colin. Il y a quelqu'un qui veut vous voir.

– Fais entrer, répondit une voix.

Dans la pièce minuscule, un homme était assis à une table, devant une fenêtre dégoulinante de pluie, nous tournant le dos.

Le visage de Colin avait rougi.

– Je m'excuse, j'ai oublié votre nom. Jack ?

– Jack Whitehead, dis-je à la nuque de l'homme. Du *Yorkshire Post*.

– Je sais, dit l'homme.

– Vous êtes Walter Kendall ?

– Oui.

Colin dansait d'un pied sur l'autre, essayait de sourire.

– Ça va, Colin, dit Walter. Tu peux nous laisser.

– Vous en êtes sûr ?

– Oui.

– Merci, dis-je tandis que Colin Minton se retirait, fermant la porte derrière lui.

Je m'assis sur le lit étroit, Walter Kendall toujours tourné vers la fenêtre.

Un train passa, fit vibrer les vitres.

– Il doit être deux heures, dit Walter.

Je regardai ma montre.

– Sauf s'il est en retard.

– Comme vous, dit Walter, qui se retourna.

Et pendant un instant ce visage, le visage de Walter Kendall, ce fut le visage de Martin Laws, de Michael Williams, le visage du vivant, le visage du mort.

– Quoi ?

– Vous êtes en retard, monsieur Whitehead.

Ce visage, ces yeux :

Ce visage gris et mal rasé, ces yeux blancs qui ne voyaient pas.

– Je ne comprends pas ce que vous voulez dire.

– Il y a presque deux ans qu'elle est morte.

Cette langue, cette haleine.

Cette langue blanche, cette haleine noire.

205

– Je suis venu à la suite d'une remarque du directeur adjoint de la police du West Yorkshire, qui a récemment suggéré que Clare Strachan avait peut-être été tuée par l'homme qui assassine des prostituées dans le West Yorkshire.

Monsieur Kendall garda le silence, attendit la suite.

Je poursuivis :

– Donc je suis venu voir s'il y avait effectivement des liens et toutes les informations que vous pourrez me donner me seront très utiles.

Nouveau train, nouvelles vibrations.

Puis il dit :

– En août, on est allés à Blackpool, Clare et moi. Elle avait appris que ses gamines y allaient avec sa Tatie ou quelqu'un d'autre. C'était la semaine de l'exposition écossaise. Donc on a pris le premier car et Clare, elle ne tenait pas en place. Elle a dit qu'elle allait faire pipi dans sa culotte, tellement elle était surexcitée. Et c'était une belle journée, grand ciel bleu, dès le matin, propre comme un sou neuf. Et on a retrouvé ses filles et sa Tatie sous la Tour ; elles étaient si mignonnes, tout en cheveux roux et dents neuves. Quatre ans et deux ans, à peu près, d'après moi. Et il y a eu plein de larmes, parce que ça faisait un an ou plus et Clare, elle avait leurs cadeaux de Noël de l'année d'avant, et leurs sourires, Clare a dit qu'ils la payaient presque de l'attente. Et on est allés sur le sable et il faisait toujours beau, marée basse, la plage était toute striée et ridée, et elle les a emmenées jusqu'à l'écume, jusqu'au ressac, et elles ont quitté leurs chaussures et leurs socquettes, et elles ont marché toutes les trois dans les petites vagues, et moi et la Tatie, on s'est assis sur le mur et on les a regardées, et la Tatie pleurait et moi aussi. Après, tous les cinq, on est allés manger une glace dans un endroit que Clare connaissait dans la ville, et c'était bon, italien, et Clare a pris un cappuccino avec des petites paillettes de chocolat dessus et, comme ça me plaisait beaucoup, elle m'en a offert un aussi, en plus de ma glace, puis on est allés sous des arcades et on a fait monter les petites sur des ânes, même si Clare trouvait que c'était cruel de traiter les ânes comme ça, mais c'était très marrant, parce qu'un des ânes n'en faisait qu'à sa tête et qu'il est parti avec l'aînée sur le dos, il est parti d'un bon pas, et elle adore ça, la petite fille, elle rit à gorge déployée, mais le propriétaire des ânes, et nous tous, on les poursuit sur la plage, et on a fini par les rattraper, mais pas sans mal, et je ne crois pas que le propriétaire des ânes ait trouvé ça tellement drôle, mais nous, on riait comme des fous, vraiment. Ensuite, on a déjeuné au Lobster Pot, où ils ont des poissons énormes, des Moby Dick, Clare les appelait. Et du bon thé, aussi fort que du scotch, d'après eux. Ensuite on est allés en tram à la fête foraine de la plage, et il aurait fallu que vous les voyiez, monsieur Whitehead, tourner dans des tasses à thé géantes, chevaucher des fleurs, des chapeaux excentriques sur la tête et suçant des sucres d'orge géants, mais j'ai retrouvé Clare devant la mine d'or, elle avait des grosses larmes sur les joues parce qu'il fallait qu'elles prennent le train de cinq heures et quelque, et la Tatie disait qu'elles reviendraient peut-être pour les Illuminations, qu'elles prendraient un car spécial, mais Clare secouait la tête, les petites dans les bras, parce qu'elle savait et, à la gare, je n'ai pas pu regarder, c'était trop, pendant qu'elles se disaient au revoir, la petite ne comprenant pas ce qui se passait, mais l'autre les lèvres serrées, comme sa mère, et refusant de lâcher sa main, c'était terrible, le cœur n'est pas fait pour supporter ça et après, après, on est allés au Yates et elle s'est bourré la gueule, foutrement bourré la gueule, mais qui peut le lui reprocher, monsieur Whitehead, un jour comme ça, avec la vie qu'elle menait, avec ce qu'elle faisait et, huit jours plus tard, on l'encule, on lui écrase la poitrine à coups de bottes, elle ne reverra jamais ses petites filles, leurs beaux cheveux roux, leurs dents toutes neuves, est-ce qu'on peut le lui reprocher ?

– Non.

– Mais c'est ce qu'on fait, hein ?

Je regardai, au-delà de lui, la pluie sur la fenêtre, caverne sous-marine, chambre des larmes.

– Vous allez publier ça ?

Je le dévisageai, larmes sur ses joues, prisonnier de cette caverne sous-marine, de cette chambre des larmes.

J'avalai ma salive, repris enfin mon souffle et dis :

– Le soir de sa mort, qui savait qui elle devait voir ?

– Tout le monde le savait.

– Qui ?

– Monsieur Whitehead, je crois que vous savez qui c'était.

– Dites-le-moi.

Walter Kendall tendit les doigts vers la pluie.

– Quand on en cherche un, il y en a deux, deux trois, trois quatre. Quand on en cherche quatre, il y en a trois, trois deux, deux un et ainsi de suite. Mais vous le savez bien.

J'étais debout, criais face à cet aveugle aux yeux blancs et au visage gris, criais à un centimètre de ces yeux et de ce visage.

– Dites-le-moi !

Il parla rapidement, un doigt levé :

– Clare a quitté le pub, le St Mary, à dix heures et demie. On lui a dit de ne pas y aller, qu'il ne fallait pas, mais elle était lasse, monsieur Whitehead, si foutrement lasse de fuir. Ils ont dit ton taxi est là, mais elle a simplement remonté la rue, jusqu'à French, sous la pluie, une pluie pire que celle d'aujourd'hui, jusqu'à une voiture qui était garée dans le noir, en haut, et on l'a regardée partir, c'est tout.

– Partir retrouver qui ?

– Un policier.

– Un policier ? Qui ?

Siège de la police du Lancashire, Preston.

Un gros flic moustachu en civil m'accompagna au deuxième étage, où se trouvait le bureau du superintendant Alfred Hill.

Le gros type frappa à la porte et je mis un nouveau Polo dans ma bouche.

– Vous pouvez y aller, dit le flic en civil.

– Jack Whitehead, j'annonçai, la main tendue.

Le petit homme qui se tenait derrière le bureau rangea son mouchoir et me serra la main.

– Asseyez-vous, monsieur Whitehead. Asseyez-vous.

– Jack, dis-je.

– Eh bien, Jack, puis-je vous offrir quelque chose : thé, café, quelque chose de plus fort. Boire à la santé de la Reine.

– Non, merci. J'ai beaucoup de route à faire.

– Parfait. Alors, qu'est-ce qui vous amène chez nous ?

– Comme je l'ai dit au téléphone, le meurtre de Clare Strachan et ce que George Oldman a dit, il y a quelques jours, à propos de l'éventualité d'un lien...

– Avec l'Éventreur ?

– Oui.

– George m'a dit que la trouvaille était de vous.

– Malheureusement.

– Malheureusement ?

– Eh bien...

209

– Je ne suis pas d'accord, vous devriez en être fier. Un aussi bel exemple de licence journalistique, vous devriez être fier.

– Merci.

– George croit que la publicité va lui être utile. Vous lui avez rendu service.

– Vous n'êtes pas de cet avis ?

– Je ne dirais pas ça, pas du tout. Dans une affaire comme celle-ci, on ne peut rien faire sans l'aide de la population.

– Vous en avez eu pas mal avec Clare Strachan, au début.

Il avait ressorti son mouchoir, en examinait le contenu, sur le point d'y ajouter quelque chose.

– Avez-vous retrouvé le journal intime ?

– Le journal intime ?

– Apparemment, vous croyiez qu'il y avait un journal intime dans son sac à main, qui a disparu.

Il toussa, fort, une main sur la poitrine.

– Est-ce que vous l'avez retrouvé ?

Visage rouge vif, haletant dans le mouchoir, soufflant :

– Non.

– Qu'est-ce qui vous avait amené à croire qu'il y avait un journal intime ?

Le superintendant Hill avait levé la main :

– Monsieur Whitehead...

– Jack, s'il vous plaît.

– Jack, je me demande un peu ce que nous sommes en train de faire. Est-ce une interview, est-ce que c'est ce que nous sommes en train de faire ?

– Non.

– Donc vous n'allez pas publier ceci ?

– Non.

– Donc, pourquoi en parlons-nous ? Enfin, si vous n'allez rien publier ?

– Le contexte. Au cas où il s'agirait effectivement du même homme.

Il but une gorgée d'eau, déçu.

Je dis :

– Je ne veux pas vous faire perdre votre temps.

– Ce n'est pas ce que je voulais dire, Jack. Pas du tout ce que je voulais dire.

– Puis-je vous demander dans ce cas, monsieur, si, d'après vous, ce meurtre a été commis par le même homme ?

– En confidence ?

– En confidence.

– Non.

– Et officiellement ?

– Il y a assurément des similitudes, dit-il, montrant la fenêtre de la tête, des similitudes, comme a dit mon estimé collègue, de l'autre côté de ces montagnes.

– Donc, en confidence, qu'est-ce qui vous amène à croire que ce n'est pas le même homme ?

– Nous avions mobilisé plus de cinquante policiers sur cette affaire, vous savez.

– Je croyais que c'était quatre-vingts ?

Il sourit.

– Je veux simplement dire que nous avons fait une enquête complète, très complète. On a raconté que, à cause de la personnalité de cette fille, de son passé, de ce qu'elle faisait, nous n'avons pas considéré l'affaire comme prioritaire, mais je peux vous affirmer que nous avons travaillé d'arrache-pied tant que nous pouvions. Dire que nous ne prenons pas au sérieux le genre de chose qui lui est arrivé est un mensonge, un pur mensonge. Évidemment, quelque chose comme le meurtre d'un gamin, ça fait les gros titres, ça attire l'attention et ça la retient, mais je suis arrivé parmi les premiers dans ce garage, et j'en ai vu, croyez-moi, des choses horribles, mais ce qu'ils lui avaient fait, prostituée ou pas, personne ne mérite ça. Personne.

Il était loin, très loin, dans ce garage, se repassait ses cassettes à lui.

Et nous restâmes immobiles, chacun dans son silence, jusqu'au moment où je dis :

– Mais ce n'était pas lui.

– Non. Sur la base de ce que George nous a montré, de ce que nous ont dit les gars qu'il a envoyés ici, non.

– Pouvez-vous être plus précis ?

– Écoutez, George tient à ce qu'il y ait un lien, je ne me mêlerai pas de ça.

– O.K. Comment George a-t-il pu lier les affaires ?

– En confidence ?

– En confidence.

– Le groupe sanguin, le mode de vie de la victime, les coups à la tête et la position du corps, une mise en scène que nous ne dévoilons pas.

– Le groupe sanguin ?

– Le même.

– Lequel ?

– B.

– B. C'est rare.

– Pas tant que ça. Neuf pour cent de la population.

– Pour moi, c'est rare.

– Pour moi, ce n'est pas concluant.

– Qu'est-ce qui vous amène à croire, de façon concluante, que ce n'est pas lui ?

– Clare Strachan a été pénétrée, sodomisée deux fois, dont une après sa mort, frappée à la tête avec un objet contondant, mais pas mortellement, étranglée, mais pas mortellement, et, ensuite, elle a finalement été tuée, tuée parce qu'elle a eu un poumon perforé, du fait que quelqu'un a sauté à pieds joints, à plusieurs reprises, sur sa poitrine, si bien qu'une côte a cassé, s'est enfoncée dans le poumon, qui s'est rempli de sang et qu'elle a donc étouffé, s'est noyée.

Nous restâmes une nouvelle fois immobiles, chacun dans son silence, nos petits silences désespérés, ongles glissant sur une vitre, visages tournés vers la fenêtre, envie de sortir, sortir, sortir.

– Puis-je vous poser encore une question?

Il replia son mouchoir et acquiesça.

– Vous avez interrogé les occupants du foyer?

– Le St Mary? Oui. On les a tous convoqués.

Je demeurai un instant silencieux, lèvres sèches, vision horrible sur fond de montagnes, derrière la fenêtre, au-dessus de la pièce, visions de l'ivrogne et du fou, l'ivrogne et le fou hurlant à une lune qu'on aperçoit entre les barreaux d'une cellule, des barreaux tout en haut du mur noir d'une cellule.

Finalement, je dis :

– Et qu'est-ce qu'ils vous ont raconté? Qu'est-ce qu'ils vous ont dit?

– Rien.

– Rien?

– Rien.

– Avez-vous interrogé Walter Kendall?

Il leva les yeux au ciel.

– L'aveugle? À plusieurs reprises.

– Et qu'est-ce qu'il a dit?

Alfred Hill, le superintendant Alfred Hill, me regarda dans les yeux pour la première fois et dit :

– Monsieur Whitehead, vous jouissez d'une excellente réputation au sein de la police du West Yorkshire, la réputation d'un journaliste appliqué, qui apporte son aide aux enquêtes et, de ce fait, je suis prêt à vous accorder beaucoup de latitude, mais je dois dire que je n'accepte pas l'insinuation.

– Quelle insinuation?

213

– Je sais parfaitement ce que monsieur Kendall a dit, dit et répété, et je m'étonne qu'un journaliste, qu'un homme de votre réputation, je m'étonne qu'il fasse à ces propos ridicules l'honneur d'une question.

Je souris.

– J'en déduis que ce n'est pas un domaine dans lequel vous poursuivrez l'enquête.

Alfred Hill garda le silence.

– Une dernière question ?

Il soupira.

– Vous avez dit que Clare Strachan se prostituait ?

Il acquiesça.

– A-t-elle été condamnée ?

Il était fatigué, voulait que je m'en aille et dit :

– Voyez vous-même.

Il poussa un dossier ouvert dans ma direction.

Je me penchai.

Sur une feuille tapée à la machine, deux dates :

23/08/74.

22/12/74.

Près de chaque date, des lettres et des chiffres :

Voir WKFD/MORRISON-C/CTNSOL1A.

Voir WKFD/MORRISON-C/MGRD-P/WSMT27C.

– À quoi tout cela correspond-il ?

– Le premier est un procès-verbal pour racolage, le deuxième un témoignage.

– WKFD ?

– Wakefield.

Dans la voiture, dans les Moors, des larmes, sur mes joues.

Riant :

D'énormes putains d'éclats de rire, pied au plancher, à nouveau sous la pisse de la vache du Jubilé.

Riant :

Pensant : *crétin, crétin, crétin.*

Regardant dans le rétroviseur et me demandant :

– Est-ce que j'ai une tête d'outil ?

Riant :

Par les dents de l'enfer, il était idiot, jamais je n'aurais osé rêver qu'il soit aussi idiot.

Riant :

Parce qu'il était idiot et que je le tenais.

Riant :

Pied au plancher, vitre ouverte, tête sous la pluie, criant :

– Sers-toi de moi, putain.

Riant :

– Vas-y, connard, sers-toi de moi !

Je m'arrêtai juste après une cabine rouge, tirai ma veste sur mes oreilles et courus.

Je composai le numéro.

– J'ai envie de venir.

– J'attendrai avec impatience, dit-elle en riant à moitié.

La pluie avait cessé et la nuit tombait, juste pour qu'ils puissent avoir leurs fêtes de rues, juste pour qu'ils puissent allumer leurs feux de joie ridicules.

Ka Su Peng m'attendait au carrefour de Manningham et de Queens, courts cheveux noirs et peau sale, robe noire et collant, sac à main et veste sur le bras.

Je m'arrêtai et elle monta.

– Merci, dis-je.

– Comment ça va ?

– Ça va.

– Tu ne veux pas aller dans l'appartement ?

– Non, si ça ne t'ennuie pas.

– C'est toi qui paies, dit-elle, et je regrettai qu'elle ait dit ça, regrettai vraiment.

Je pris à gauche, et encore à gauche, et on descendit Whetley Hill et elle dit :

– Où on va ?

– Je veux le faire ici, je dis, entrant sur le terrain de jeu proche de White Abbey Road.

– Mais c'est...

Je sentis son cœur cogner dans la voiture, sentis sa peur, mais je dis :

– Je sais, et je veux que tu me montres où.

– Non.

Elle s'agitait sur son siège.

– Tu te sentiras mieux après, beaucoup mieux.

– Qu'est-ce que tu en sais ?

– Ce sera fini, terminé.

Elle sortit l'argent de son sac, dit :

– Laisse-moi descendre, laisse-moi descendre immédiatement.

Je m'arrêtai sur l'herbe, devant un rideau d'arbres, et coupai le moteur.

Elle se jeta sur la portière.

Je lui pris le bras.

– Ka Su Peng, s'il te plaît. Je ne veux pas te faire de mal.

– Alors laisse-moi partir. Tu me fais peur.

– Je t'en prie, je peux t'aider.

Elle avait ouvert la portière, un pied dans l'herbe.

– Je t'en prie.

Elle se retourna et me dévisagea, yeux noirs dans un visage de fantôme, masque de mort fait de chair, et dit :

– Alors ?

– Monte derrière.

On descendit et on resta immobiles dans la nuit, se regardant par-dessus le toit de la voiture, deux fantômes blancs, made in mort, yeux noirs dans des visages pâles, et elle voulut ouvrir la portière de derrière, mais elle était verrouillée.

216

– Attends, dis-je.

Et je contournai l'arrière de la voiture, une main dans la poche, son visage sur le mien, le mien sur le sien, la lune dans les arbres, les arbres dans le ciel, le ciel dans cet enfer noir, tout là-haut, dominant le bas, le terrain de jeu tout en bas, cet endroit où les enfants jouaient, où leurs pères assassinaient leurs mères.

Et je m'immobilisai derrière elle, ouvris la portière.

– Monte.

Elle s'assit au bord de la banquette arrière.

– Allonge-toi.

Et elle s'allongea sur le cuir noir.

Debout près de la portière, je défis la boucle de ma ceinture.

Les yeux fixés sur moi, elle leva son cul, ôta son collant noir et sa culotte blanche.

Je posai un genou au bord du siège, la portière toujours ouverte.

Elle remonta la robe noire, tendit les mains vers moi.

Puis je la sautai sur la banquette arrière, déchargeai sur son ventre, essuyai le foutre déposé sur l'intérieur de sa robe avec ma manche et la serrai, la serrai dans mes bras tandis qu'elle pleurait, là, sur la banquette arrière de ma voiture, son collant et sa culotte suspendus à une cheville, là, sur le terrain de jeu, sous la lune du Jubilé, alors que les feux d'artifice et les feux de joie éclairaient le ciel brun et, tandis qu'un autre feu d'artifice silencieux tombait en tournoyant jusqu'à la Terre, elle demanda :

– Qu'est-ce que ça veut dire, Jubilé ?

– C'est juif. Tous les cinquante ans, il y avait une année de réhabilitation, une période d'absolution et de pardon des péchés, la fin de la pénitence, donc c'était une période de fête.

– De jubilation ?
– Ouais.

Je la raccompagnai chez elle et on se gara devant,
dans le noir, et je demandai :
– Je suis pardonné ?
– Oui, dit-elle, et elle descendit.
Elle avait laissé les dix livres sur le tableau de
bord.
Je regagnai Leeds l'estomac chaud, l'estomac
comme le jour où j'avais déposé ma fiancée chez
elle puis étais parti, elle faisait des signes, ses
parents aussi, comme cette fois, il y avait vingt-cinq
ans, l'estomac chaud.
Une douce chaleur.

Je pris mon temps dans l'escalier ; je les redoutais.
Je fis tourner la clé dans la serrure et j'écoutai,
certain que je ne pourrais jamais l'amener ici.
Le téléphone sonnait, de l'autre côté.
J'ouvris la porte et décrochai.
– Jack ?
– Oui.
– C'est Martin.
– Qu'est-ce que tu veux ?
– Je me faisais du souci pour toi.
– Pas la peine.

Je me réveillai dans la moitié la plus noire d'une
nuit silencieuse, feux d'artifice tirés, noyé dans la
sueur.
Je t'embrasse et tu te réveilles.
Je me réveillai et sentis la douceur de son baiser
sur mon front, la vis assise au bord de mon lit,
jambes écartées, entendis sa berceuse.
Je te baise et tu t'endors.
Réveillé pour replonger dans le sommeil.

Rues noires et haletantes, arrière morbide de la cité ouvrière, encerclé par les pierres silencieuses, enterré sous les briques noires, dans les cours et les ruelles où ne pousse pas un arbre, et l'herbe non plus, pied sur brique, brique sur tête, ce sont les maisons construites par Jack.

Un terrain de jeu sauvage.

Ronde de roses, petits bouquets plein les poches.

Mary-Ann, Annie, Liz, Catherine et Mary, faisant la ronde autour du mûrier, chantant :

Quand on en cherche un, il y en a deux, deux trois, trois quatre.

Un endroit révoltant, un enchevêtrement malsain de taudis qui cache les créatures humaines rampantes, où hommes et femmes vivent de gin à quatre sous, où les cols et les chemises propres sont des savoir-vivre inconnus, où tous les citoyens ont un œil au beurre noir, où pas un ne se peigne.

Un terrain de jeu sauvage.

Theresa, Joan et Marie, faisant la ronde autour du mûrier, chantant :

Quand on en cherche quatre, il y en a trois, trois deux, deux un et ainsi de suite.

Non loin du cœur, une cour étroite, un passage silencieux, avec deux grandes barrières, l'une d'entre elles comportant un petit portillon qu'on utilise lorsque les barrières sont fermées, même si, à toute heure, ces barrières sont ouvertes, en réalité, selon le témoignage des habitants du quartier, l'entrée de la cour est rarement fermée.

Un terrain de jeu sauvage.

Ronde de roses, petits bouquets plein les poches.

Joyce, Anita et Ka Su Peng, faisant la ronde sous le mûrier, me soufflant à l'oreille :

Mais tu le sais bien.

Sur cinq ou six mètres, en partant de la rue, il y a un mur aveugle de chaque côté de la cour, si bien que l'espace qui s'étend entre eux est complètement dans le noir après le crépuscule. Plus loin, la cour est faiblement éclairée par la fenêtre du Club des Ouvriers, qui occupe toute la longueur de la partie droite, et par plusieurs maisons mitoyennes, qui sont toutes dans le noir à cette heure.

Un terrain de jeu sauvage.

Ronde de roses, petits bouquets plein les poches.

La main sur le métal froid de la barrière, je regarde droit devant, dans le noir, Carol me fait signe d'entrer.

Un terrain de jeu sauvage.

Droit devant.

Violemment tiré de cet enfer pour tomber là :

Cris : IL ARRIVE, IL ARRIVE, IL ARRIVE.

Hurlements : *Je te baise et tu t'endors.*

Cris : IL ARRIVE, IL ARRIVE, IL ARRIVE.

Hurlements : *Je t'embrasse et tu te réveilles.*

Cris : IL ARRIVE, IL ARRIVE, IL ARRIVE.

Violemment tiré de là pour retomber en enfer, ici, là-bas et retour ici :

L'aube, le claquement du volet, la lettre sur le paillasson.

IL EST VENU.

Revenu.

TROISIÈME PARTIE

God Save the Queen

John Shark : L'auditeur suivant ?

L'auditeur : Je voulais seulement dire que c'est une bonne reine, qu'elle incarne la Grande-Bretagne.

John Shark . C'est tout ?

L'auditeur : Oui.

The John Shark Show
Radio Leeds
Mercredi 8 juin 1977

11

Leeds.
Mercredi 8 juin 1977.
Ça recommence :
Quand les deux sept s'entrechoquent...
Projeté dans une nouvelle aube torride sur une nouvelle scène antique parsemée de morts, de Soldier's Field jusqu'ici, ça recommence.
Mercredi matin, portes grandes ouvertes, *le matin d'après la nuit d'avant*, drapeaux en lambeaux, Union Jacks en berne.
Phalanges blanches et crispées dans la prière sur le volant, pied au plancher.
Les voix, dans ma tête, grouillantes de mort :
Mercredi matin – un imperméable sur elle, ses chaussures posées sur ses cuisses, une culotte blanche laissée autour d'une jambe, un soutien-gorge rose remonté, le ventre et les seins évidés au tournevis, le crâne défoncé à coups de marteau.
Voitures et camionnettes arrivent à toute vitesse de toutes les directions, hurlant :
Nous nous dirigeons vers Chapeltown.
Je me gare, je prie, je passe mon marché :
Seigneur, je vous en prie, ô Seigneur, faites qu'elle soit saine et sauve, je vous en prie faites que ce soit quelqu'un d'autre et, si elle est saine et sauve et que

c'est quelqu'un d'autre, je la laisserai tranquille, je retournerai auprès de Louise et j'essaierai une nouvelle fois. Amen.

Moi, abandonnant la Granada d'Eric dans un coin, suivant les sirènes jusqu'à Chapeltown.

Chapeltown – notre ville pendant un an ; la rue verdoyante avec ses vieilles villas élégantes, le petit appartement miteux que nous emplissions de sexe, cachés au reste du monde, au reste de mon monde.

Et je prends Reginald Street. Au carrefour, gyrophares bleus tournant en silence, morts vivants sur tous les pas de porte, la bouche ouverte, avec leurs bouteilles de lait, et je passe devant le Community Center, devant les agents en uniforme, sous le ruban en plastique et entre les barrières, je pénètre dans le terrain de jeu sauvage, cette scène antique où les marionnettistes animent nos membres en bois, nous font gratter nos têtes en bois de nos mains en bois, et Ellis lève la tête, dit :

– Nom de Dieu, putain...

Et ils sont tous là :

Oldman, Noble, Prentice, Alderman et Farley ; Rudkin traversant le terrain de jeu au pas de course pour se diriger vers moi.

Et je fixe le corps gisant sur le sol, sous l'imperméable, je maudis Dieu et tous ses putains d'anges, goût de sang et de fin du monde dans la bouche.

Je vois des cheveux noirs sur la terre.

Rudkin me prend par le bras, me fait pivoter et dit :

– Où tu étais bordel, où tu étais bordel, où tu étais bordel ?

Inlassablement, interminablement.

Et je fixe le corps gisant sur le sol, je maudis toujours Dieu et ses putains d'anges, et je pense :

Il n'y a pas d'autre enfer que celui-ci.

Maudissant tous ces faux enfers bourrés de simulateurs : ces généraux et leurs sorcières.

Je vois des cheveux noirs.

Et Rudkin me regarde dans les yeux, mes yeux regardent au-delà de lui, et je me dégage et je pars, m'éloigne, traverse le terrain de jeu, pousse Prentice et Alderman qui s'affalent, je tombe à genoux, la veste entre mes mains, le visage entre mes doigts, cheveux ensanglantés, pas noirs, prières entendues, marché conclu, et ils m'écartent, crient :

– Emmenez-le, nom de Dieu !

Et Rudkin me fait lever, il m'entraîne vers un homme en robe de chambre et pyjama, une bouteille de lait à la main, qui vient vers nous, le mot *p-è-r-e* tatoué sur son visage, les yeux fermés devant l'horreur et la mort, il nous dévisage en passant, et on le regarde avancer, jusqu'au moment où il lâche sa bouteille de lait et tombe sur le sol qui a tué sa fille, il se met à creuser la terre sèche et dure, cherche une issue qu'il trouvera dans un an, mort dans ce même pyjama, son cœur brisé jamais guéri, jamais réparé, jusqu'à la fin des temps.

Mon marché, ma prière ; son enfer.

Rudkin me fait baisser la tête et me pousse dans la voiture, Ellis se retourne et me dit quelque chose, mais je ne l'entends pas.

Et ils m'emmènent.

Ils me mettent dans une cellule, me balancent des vêtements propres, m'apportent le petit déjeuner.

– Réunion dans dix minutes, dit Rudkin, qui s'assied en face de moi. Ils veulent que tu y assistes.

– Pourquoi ?

– Ils ne savent rien. On t'a couvert.

– Rien ne vous y obligeait.

– Je sais, c'est ce que disait et répétait Mike.

– Et maintenant ?

Rudkin se penche sur la table, mains jointes.

– Elle n'est plus là, retourne auprès de ta famille. Ils ont besoin de toi, pas elle.

– Je suis entré chez Eric Hall, j'ai volé sa voiture, je l'ai tabassé.

– Je sais.

– Tu ne peux pas couvrir ça.

– Il paraît qu'ils chargent Peter Hunter de monter un bateau aux Mœurs de Preston.

– Tu blagues.

– Non.

– Qu'est-ce qui va arriver à Eric ?

– On lui a dit de rester quelque temps chez lui.

– Merde.

– Craven chie dans son froc. Il se dit que ça sera le tour de Leeds, après.

J'esquisse un sourire.

– Ne crois pas qu'Eric oubliera.

J'acquiesce.

Rudkin se lève.

Je dis :

– Merci, John.

– Tu ne me remercieras pas quand tu verras ce qu'il a fait cette nuit.

– Mais merci de m'aider.

– Elle n'est plus là, Bob. Retourne auprès de ta famille et tout s'arrangera.

J'acquiesce.

– Je n'ai pas entendu, dit-il.

– O.K., je dis.

Oldman se lève, nous regarde, comme s'il ne voyait jamais autre chose.

Jamais de vacances.

On attend, mais ce n'est pas comme avant.

La partie est terminée.

– Aux environs de 5 h 45, ce matin, le corps de Rachel Louise Johnson, seize ans, vendeuse, domiciliée 66 St Mary's Road, Leeds 7, a été découvert sur le terrain de jeu situé entre Reginald

Terrace et Reginald Street, à Chapeltown, Leeds. On l'a vue pour la dernière fois à 22 h 30, le mardi 7 juin 1977, au Hofbrauhaus du Merrion Center, Leeds.

« Son signalement est le suivant : un mètre soixante et stature en proportion, cheveux blonds jusqu'aux épaules, vêtue d'une robe en coton à carreaux jaunes et bleus, d'une veste bleue, d'un collant bleu foncé, de chaussures à semelle compensée et talons hauts, noires et crème, à boucle en cuivre.

« L'autopsie est pratiquée par le médecin légiste, le professeur Farley. Dans la mesure où on peut l'affirmer, la victime a été violemment frappée à la tête avec un objet contondant et n'a pas été agressée sexuellement.

« Le corps a été traîné à quinze ou vingt mètres de l'endroit où l'agression s'est déroulée. Les vêtements de l'assaillant seront abondamment tachés de sang, notamment le devant de sa veste, de sa chemise et de son pantalon.

« Rien n'indique que Rachel Louise Johnson se prostituait.

Le directeur adjoint, George Oldman, s'assied, la tête entre les mains, et nous gardons le silence.

Le silence.

Le silence jusqu'au moment où le superintendant Noble se lève devant le tableau, le tableau sur lequel est écrit, en grosses lettres d'imprimerie :

Theresa Campbell.
Clare Strachan.
Joan Richards.
Marie Watts.

Jusqu'au moment où, debout, il dit :

– Vous pouvez disposer.

Noble lève la tête, dit :

– Et Fairclough ?

– On l'a perdu, répond Rudkin.

– Vous l'avez perdu ?

Le regard incandescent d'Ellis transperce le côté de mon visage.

– Oui.

– C'est ma faute, monsieur, je dis.

Noble a levé la main.

– Peu importe. Où est-il ?

Ellis dit :

– Chez lui. Il dort.

– Dans ce cas, il faut que vous alliez le réveiller, hein ?

Il est à genoux sur le sol, dans le coin, mains levées, nez en sang.

Mon corps n'en peut plus.

– Alors, crie Rudkin, tu étais où, nom de Dieu ?

Moi, je frappais à des portes, je frappais des gens, je bousillais des portes, je bousillais des gens.

– Je travaillais ! hurle-t-il.

Ellis, les poings contre le mur.

– Tu mens !

Je violais des putains, les enculais.

– C'est vrai.

– Putain de meurtrier. Avoue !

J'entrais dans des maisons, je volais des voitures, je tabassais des cons comme Eric Hall.

– Je travaillais.

– La vérité, bordel.

Je cherchais une putain.

– Je travaillais, nom de Dieu, je travaillais !

Rudkin l'oblige à se lever, redresse la chaise, l'assied dessus, désigne la porte de la tête.

– Reste assis ici, bordel de merde, essaie de te souvenir de l'endroit où tu étais à deux heures du matin et de ce que tu faisais.

Moi, j'étais sur le plancher du Redbeck, en larmes.

On est devant le Ventre, Noble regarde à l'intérieur de la cellule par le judas.

– Qu'est-ce qu'il fait, ce con ? demande Ellis.

– Pas grand-chose, répond Noble.

Rudkin, qui fixe l'extrémité de sa cigarette, demande :

– Et maintenant ?

Noble s'éloigne du judas, nous formons un cercle tous les quatre, comme pour prier. Il lève la tête vers le plafond bas, yeux dilatés, comme s'il s'efforçait de ne pas pleurer, et dit :

– Pour le moment, on n'a pas mieux que Fairclough. Bob Craven cherche des témoins. Alderman interroge les voisins, Prentice est à la société de taxis. Ne le lâchez pas, c'est tout.

Rudkin hoche la tête et écrase sa cigarette.

– Bon. Au boulot.

On est assis face à Donny Fairclough, Rudkin et moi, Ellis est appuyé contre la porte.

Je me penche, les coudes sur la table :

– O.K., Don. On a tous envie de rentrer chez nous, d'accord ?

Rien, tête baissée.

– Tu as envie de rentrer chez toi, hein ?

Hochement de tête.

– Comme ça, on est quatre. Alors aide-nous, d'accord ?

Tête toujours baissée.

– À quelle heure tu as commencé le boulot hier ?

Il lève la tête, renifle, dit :

– Après déjeuner. Vers une heure.

– Et à quelle heure tu as fini ?

– Comme je l'ai dit, vers une heure du matin.

– Qu'est-ce que tu as fait ensuite ?

– Je suis allé à une fête.

– Où ? Chez qui ?

– À Chapeltown, chez quelqu'un. Je ne sais pas qui c'était.

– Tu te souviens où c'était ?

– Près de Leopold Street.

– Et il était ?

– À peu près une heure et demie.

– Et tu es resté jusqu'à quelle heure ?

– Deux heures et demie, trois heures.

– Tu as vu des gens que tu connaissais ?

– Ouais.

– Qui ?

– Je ne sais pas comment ils s'appellent.

Rudkin lève la tête.

– C'est dommage, Donald.

Je dis :

– Tu les reconnaîtrais si tu les voyais ?

– Ouais.

– Des hommes ou des femmes ?

– Quelques Noirs, quelques-unes des filles.

– Les filles ?

– Vous savez.

– Non, je ne sais pas. Sois plus précis.

– Des prostituées.

– Des putains, quoi, dit Rudkin.

Il acquiesce.

Je demande :

– Tu fréquentes les putains, hein, Donny ?

– Non.

– Alors comment tu sais que ce sont des prostituées ?

– Je les transporte. On parle.

– Elles te proposent des rabais, hein ? Pour que tu fasses payer la course moins cher ?

– Non.

– Bon, donc tu vas à cette fête. Qu'est-ce que tu as fait ?

– J'ai bu un verre.

– Tu vas toujours à une fête, après le travail ?

– Non, mais c'est le Jubilé, pas vrai ?

Rudkin sourit.

– Tu es un peu patriote, hein, Don ?

– Ouais, en fait oui.

– Dans ce cas, pourquoi tu bois avec des métèques et des putains ?

– Je vous l'ai expliqué, j'avais juste envie d'un verre.

Je dis :

– Donc tu as simplement siroté une demi-pinte dans ton coin, c'est ça ?

– Ouais, plus ou moins.

– Même pas une danse et un petit câlin ?

– Non.

– Tu n'as pas fumé de l'herbe de nègre ?

– Non.

– Bon, ensuite tu es simplement rentré chez toi.

– Ouais.

– Et il était quelle heure ?

– Il devait être à peu près trois heures.

– Et où tu habites ?

– À Pudsey.

– Joli coin, Pudsey.

– Ça va.

– Tu vis seul, hein, Donny ?

– Non, avec ma mère.

– C'est bien.

– Ça va.

– Elle a le sommeil léger, hein, ta mère ?

– Qu'est-ce que vous voulez dire ?

– Est-ce qu'elle t'a entendu rentrer ?

– Ça m'étonnerait.

Rudkin, large sourire sarcastique.

– Donc tu ne partages pas son lit, ce genre de conneries ?

– Je vous emmerde.

– Ben voyons, crache Rudkin, regard dur rivé sur Fairclough. Dans le merdier où tu es, tu vas regretter de ne pas sauter ta mère. Pigé ?

Fairclough baisse les yeux, ongles dans la bouche.

– Donc, pour résumer : tu as quitté ton boulot vers une heure, tu es allé à une fête dans Leopold Street, tu as bu un ou deux verres, tu es rentré chez toi, à Pudsey, vers trois heures. Exact ?

– Exact.

Il hoche la tête, répète :

– Exact.

– Qui affirme ça ?

– Moi.

– Et ?

– Tous ceux qui assistaient à cette fête.

– Des gens dont tu ne connais pas les noms ?

– Interrogez ceux qui y étaient. Ils me reconnaîtront, je le jure.

– Espérons. Dans ton putain d'intérêt.

À l'étage, hors du Ventre.

Pas de sommeil.

Seulement du café.

Pas de rêves.

Juste ceci :

Manches de chemise et fumée, peaux grises et grands cercles noirs crayonnés sur nos visages.

Oldman, Noble, Prentice, Alderman, Rudkin et moi.

Sur tous les murs, des noms :

Jobson.

Bird.

Campbell.

Strachan.
Richards.
Peng.
Watts.
Clark.
Johnson.
Sur tous les murs, des mots :
Tournevis.
Abdomen.
Chaussures.
Poitrine.
Marteau.
Crâne.
Bouteille.
Rectum.
Poignard.
Sur tous les murs, des nombres :
3,25 cm.
1974.
32.
1975.
239 + 584.
1976.
X3.
1977.
3,5.
Et Noble dit :

– On a un témoin, un dénommé Mark Lancaster, qui affirme qu'il a vu une Ford Cortina blanche à toit noir dans Reginald Street aux environs de deux heures du matin. La voiture de Fairclough, pas de problème.

On écoute, on attend.

– Bon, d'après Farley, c'est sans aucun doute le même homme. Pas de problème. Et les gars de Bob Craven ont trouvé un autre témoin qui affirme avoir vu ce type, ce *Dave*, le soir où Joan Richards a été tuée. Le signalement est celui de Fairclough. Pas de problème.

On écoute, on attend.

– On colle ce con parmi d'autres types et on voit si le témoin le reconnaît.

On attend.

– Pas d'alibi, voiture aperçue à l'heure de la mort, un témoin l'a vu quand Joan Richards a été tuée, même groupe sanguin, qu'est-ce que vous en pensez ?

Oldman :

– Son compte est bon.

Les sept mercenaires.

On est là, côte à côte, dans la salle où se tiennent les conférences de presse, chaises pliées dans le fond, Ellis et moi de part et d'autre de Fairclough, deux types des Mœurs et deux civils qui font de la figuration contre un billet de cinq livres.

Les flics, on se ressemble tous.

Les civils ont tous les deux plus de quarante ans.

Personne ne ressemble à Donny.

Et on est là, côte à côte, les numéros trois, quatre et cinq. Le numéro quatre tremble, empeste, pue LA PEUR, LA HAINE et LES MAUVAISES PENSÉES.

– Ce n'est pas juste, gémit-il. Je devrais avoir un avocat.

– Mais tu n'as rien fait, Donny, dit Ellis. En tout cas c'est ce que tu affirmes.

– Mais je n'ai vraiment rien fait.

– On verra, je dis. On verra qui n'a rien fait.

Rudkin passe la tête à l'intérieur.

– Silence, maintenant, mesdames. Regardez droit devant vous.

Il ouvre la porte ; Oldman, Noble et Craven font entrer Karen Burns.

Cette conne de Karen Burns.

Merde.

Elle nous regarde, se tourne vers Craven, qui hoche la tête, et avance.

Noble pose une main sur son bras, afin de l'en empêcher.

Il se tourne vers Rudkin.

– Où sont ces putains de numéros ?

– Merde.

Noble lève les yeux au ciel, se tourne vers Karen Burns et dit à voix basse :

– Quand vous verrez l'homme que vous avez rencontré dans la soirée du 6 février, veuillez vous immobiliser devant lui et toucher son épaule droite.

Elle acquiesce, avale sa salive et se dirige vers le premier homme.

Elle ne le regarde même pas.

Passe devant le deuxième, se dirige droit sur nous.

Elle s'arrête devant Ellis et je me demande s'il l'a sautée, s'il y a un homme, dans cette salle, qui ne l'a pas fait.

Ellis sourit presque.

Elle jette un coup d'œil sur moi.

Je fixe le mur, devant moi, les taches blanches aux endroits où des photos étaient accrochées.

Elle continue.

Fairclough tousse.

Elle est debout devant lui.

Il la regarde fixement.

– Regardez droit devant vous, crache Rudkin.

Elle lui rend son regard.

Il sourit.

Elle bouge la main.

Toute la rangée regarde.

Elle remonte la bandoulière de son sac à main et se tourne vers moi.

Je vois les dents du sourire de Fairclough du coin de l'œil, à mon nez et à ma barbe.

Il rit.

J'avale ma salive.

Elle est devant moi, souriante.

Je la traîne sur le plancher.

Yeux droit devant.

Seulement une culotte rose, seins à l'air.

Me regardant des pieds à la tête.

Et elle est sous moi, les mains sur le visage parce que je la gifle de toutes mes forces.

Je m'aperçois que je me balance, la bouche pleine de sable.

Je la gifle à nouveau, puis je regarde ses lèvres et son nez ensanglantés.

Elle ne cesse pas de me fixer.

Traînées de sang sur son menton et son cou, ses nichons et ses bras.

La sueur coule sur mon visage, sur mon cou, sur mon dos, sur mes jambes, fleuves de sel.

Et j'arrache sa culotte rose, je la traîne à nouveau sur le lit, j'ouvre mon pantalon et je la lui mets.

Elle ne bouge pas.

Et je la gifle à nouveau, puis la retourne.

Rudkin près d'elle, Ellis, la tête tournée, regarde.

Et elle se débat, dit qu'on n'a pas besoin de faire ça comme ça.

Elle bouge un bras, sa main se lève.

Mais je presse son visage sur les draps sales et lève ma queue.

Je recule.

Et je la lui fourre dans le cul et elle hurle.

Elle renifle, s'essuie le nez, puis elle sourit.

Et elle reste allongée sur le lit, du sang et du sperme coulant sur ses cuisses.

Je baisse la tête.

Et je durcis et recommence et, cette fois, ça ne fait pas mal.

– Il n'est pas ici, déclare-t-elle, sans même regarder les numéros six et sept.

Je lève la tête.

– Vous ne voulez pas les regarder encore une fois ? Juste pour en être bien sûre, dit Noble.

– Il n'est pas ici.

– Je crois que vous devriez regarder encore...

– Il n'est pas ici. Je veux rentrer chez moi.

Noble engueule Craven.

– Qu'est-ce que c'est que ce bordel ? Tu as dit que tu la tenais...

– Demande à ce con de Fraser.

– Va te faire foutre, dit Rudkin. Ça n'a rien à voir avec nous.

Craven écume, de la salive sur la barbe, on est tous entassés dans le bureau de Noble, Oldman coincé derrière la table de travail, noir d'encre dehors, pareil dedans.

– Elle te donne des tuyaux, hein ?

– Et alors ? dit Ellis, et je comprends alors qu'il l'a sautée.

Et Craven aussi.

– Tu la baises, Mike ? Tu marches sur ses plates-bandes ! crie-t-il, en me désignant.

Moi, faiblement :

– Je t'emmerde.

Noble secoue la tête, nous regarde :

– Un vrai putain de merdier.

– O.K. Et maintenant ? demande Rudkin, qui regarde successivement Noble et Oldman.

– Un putain de bordel complet.

– On ne peut pas relâcher ce type comme ça. C'est lui, je le sais, dit Ellis.

– Il est bon et il n'y a pas à y revenir, dit Noble.

– J'en suis sûr, putain, dit Ellis.

Rudkin se tourne vers George.

– Alors ?

Oldman :

– Employez la manière forte.

Il est nu, à genoux, sur le sol, dans le coin, mains sur les couilles, corps ensanglanté.

Mes bras n'en peuvent plus.

– Allez ! hurle Rudkin, inlassablement, interminablement, de toutes ses forces. Où tu étais, bordel ?

Je cherchais une putain.

Il pleure.

Les poings d'Ellis sur le visage de Fairclough.

– Parle !

Je cherchais une putain.

– Espèce de fumier d'assassin. Ce n'était pas une pute. C'était une gentille fille. Seize ans, putain. D'une bonne famille chrétienne. Elle n'avait jamais baisé, nom de Dieu ! Une enfant, bordel, une enfant.

Je cherchais une putain.

Il continue de pleurer, c'est tout, le visage comme celui de Bobby, rien que des larmes, la bouche ouverte, pleurant comme un enfant, comme un bébé.

– La vérité. Dis-nous la vérité, nom de Dieu !

Je cherchais une putain.

Il pleure, c'est tout.

Rudkin le fait lever, redresse la chaise, le ligote dessus avec nos ceintures, sort son briquet.

– Tu restes assis ici, bordel de Dieu, et tu te rappelles où tu étais, hier, à deux heures du matin, et ce que tu faisais.

J'étais sur le plancher du Redbeck, en larmes.

Il pleure.

Rudkin allume le briquet et Ellis et moi, on prend chacun une jambe, on maintient ses genoux écartés pendant que Rudkin place la flamme de telle façon qu'elle lèche les couilles minuscules de Donny.

240

J'étais sur le plancher du Redbeck, en larmes.
Hurlements.
La porte s'ouvre à la volée.
Oldman et Noble.
Noble :
– Relâchez-le.
Nous :
– Quoi ?
Oldman :
– Ce n'est pas lui. Relâchez-le.

L'auditeur : Vous avez vu cette petite fille de quatre ans, cette gamine ? Enlevée pendant que ses parents fêtaient le Jubilé, buvaient à la santé de la Reine, violée et tuée dans un cimetière.

John Shark : Les malheureux. Un Jubilé tragique.

L'auditeur : Et il y a cette femme qu'on a poussée du haut d'une falaise, à Botany Bay, également après une fête organisée pour le Jubilé.

John Shark : Sans compter ce fichu Éventreur.

L'auditeur : Ça c'est sûr, John, un Jubilé sanglant.

The John Shark Show
Radio Leeds
Jeudi 9 juin 1977

12

Silence.
Silence torride, sale, aux yeux rouges.
Vingt-quatre heures et nous quatre.
Oldman fixait la lettre qu'il tenait entre les mains, le morceau de tissu à fleurs dans une autre pochette en plastique posée sur le bureau, Noble évitant mon regard, Bill Hadden mordillant un ongle et sa barbe.
Silence.
Jeudi 9 juin 1977.
Les gros titres du matin nous narguaient sur le bureau :
POURQUOI L'ÉVENTREUR A-T-IL TUÉ RACHEL, SEIZE ANS ?
Les nouvelles de la veille.
Oldman posa la lettre à plat sur le bureau et la lut une nouvelle fois à haute voix :

Les enfers

Monsieur Whitehead,
Monsieur, voilà un petit quelque chose pour votre collection, sans le chien ça aurait été un morceau de ce qu'il y avait dessous. De la chance, cette conne.

Quatre, maintenant, ils disent trois, mais souvenez-vous de Preston, 1975 et, celle-là, j'ai déchargé dedans. Sale conne.

De toute façon, dites aux putains de pas traîner dans les rues, parce que je sens que ça me reprend.

Peut-être que j'en ferai une pour la Reine. J'aime notre reine.

Dieu la garde.

Lewis.

J'ai prévenu, donc ce sera votre faute et la leur.

Silence.
Puis Oldman :
– Pourquoi vous, Jack ?
– Comment ça ?
– Pourquoi vous écrit-il ?
– Je n'en sais rien.
– Il a votre adresse, dit Noble.
Moi :
– Elle est dans l'annuaire.
– Dans le sien en tout cas.
Oldman prit l'enveloppe :
– Sunderland. Lundi.
– Elle a pris son temps, dit Noble.
Moi :
– Jour férié. Le Jubilé.
– La précédente venait de Preston, exact ? dit Hadden.
Noble soupira.
– Il se déplace.
Hadden demanda :
– Chauffeur routier ?
Je dis :
– Chauffeur de taxi ?
Oldman et Noble restèrent immobiles, bouche fermée.

– La dernière fois, dit Hadden, ce qu'il a envoyé, il l'avait pris sur Marie Watts?

– Non, dit Noble qui me regardait fixement.

Hadden, les yeux dilatés :

– Qu'est-ce que c'était, alors?

– Du bœuf, répondit Noble en souriant.

– De la vache, dis-je.

– Ouals, fit Noble qui ne souriait plus.

Je demandai à Oldman :

– Mais cela correspond sûrement à ce que portait Linda Clark?

– En apparence, insista Noble.

Je répétai :

– En apparence?

– Messieurs, dit Oldman, les mains levées, nous regardant Hadden et moi, je vais être franc avec vous, mais il faut absolument que ceci reste entre nous.

– Compris, dit Hadden.

Noble me regardait.

J'acquiesçai.

– Hier a sûrement été la journée la plus difficile de ma carrière de policier. Et ceci, dit Oldman, qui leva la pochette en plastique contenant la lettre, ceci n'a rien arrangé. Comme dit Pete, le jury n'avait pas fini de délibérer en ce qui concerne la lettre précédente mais, sur celle-ci, les analyses sont plus concluantes.

Je ne pus me retenir :

Concluantes?

– Oui, concluantes. Premièrement, c'est le même type que précédemment. Deuxièmement, les contenus sont authentiques. Troisièmement, les premières analyses de la salive correspondent au groupe sanguin qui nous intéresse.

– B? dit Hadden.

– Oui. Les analyses effectuées sur la première lettre n'étaient pas fiables. Quatrièmement, il y a, sur les deux lettres, des traces d'une huile minérale qui était présente sur les lieux de tous les crimes.

Je réagis immédiatement.

– Quel type d'huile ?

– Un lubrifiant utilisé en mécanique, dit Noble, faisant clairement comprendre qu'il n'en révélerait pas davantage.

– Enfin, dit Oldman, il y a le contenu : la menace de tuer seulement quelques jours avant Rachel Johnson, la Reine, le Jubilé, l'allusion à Preston et le fait qu'il a *déchargé*.

Hadden demanda :

– Ce n'était pas dans les journaux ?

– Non, dit Noble. Et c'est ce qui distingue ce crime des autres.

Je ne laissai pas à Oldman le temps de respirer.

– Donc vous croyez que c'est lui ?

– Oui.

– Alf Hill est sceptique.

– Plus maintenant, dit Oldman, qui montra la lettre d'un signe de tête.

WKFD.

Wakefield.

– Pourrais-je jeter un coup d'œil sur le dossier de Preston ?

– Voyez Pete plus tard, répondit Oldman, qui haussa les épaules.

Bill Hadden, au bord de son fauteuil, les yeux sur la lettre :

– Allez-vous rendre tout cela public ?

– Non, pas à ce stade.

– Donc nous ne devons rien publier ?

– Non.

– Allez-vous communiquer des informations aux autres rédacteurs en chef, à Bradford, à Manchester ?

– Non, sauf s'ils reçoivent des lettres d'admirateurs comme celle-ci.

Je dis :

– Ça risque de faire des jaloux, si ça se sait.

– Dans ce cas, veillons à ce que ça ne se sache pas.

Le directeur adjoint George Oldman prit son verre d'eau et regarda fixement la meute.

Millgarth, 10 h 30.

Nouvelle conférence de presse.

Tom, de Bradford :

– À ce stade, vous représentez-vous l'homme que vous recherchez ?

Oldman :

– Oui, nous nous représentons désormais très clairement l'homme que nous recherchons et, de toute évidence, aucune femme ne sera en sécurité tant que nous ne l'aurons pas identifié. Nous recherchons un tueur psychopathe qui voue une haine pathologique aux femmes, qu'il considère comme des prostituées. Nous estimons qu'il est probablement protégé par quelqu'un car il est vraisemblablement rentré chez lui à plusieurs reprises avec des vêtements tachés de sang. Cette personne a besoin d'aide de toute urgence et tous ceux qui nous permettront de l'identifier lui rendront service.

Gilman, de Manchester :

– Monsieur le directeur adjoint, vous serait-il possible de décrire le type d'arme qui devrait attirer l'attention de la population ?

– Je crois savoir quelles armes ont été employées, mais il me semble préférable de ne pas donner de précisions, à ceci près qu'il s'agit d'un objet contondant.

– A-t-on retrouvé des armes ?

– Non.

– Des témoins oculaires se sont-ils fait connaître dans le cadre du meurtre de Rachel Johnson ?

– Non. Jusqu'ici, nous n'avons pas obtenu de signalement précis de cet homme.

– Suspectez-vous une ou plusieurs personnes ?

– Non.

– De quels indices disposez-vous ?

De retour à la rédaction, soleil sur les baies vitrées du septième étage, papier brûlant sous le verre.

Leeds en feu.

Je pris mon violon :

SELON LA POLICE, L'ÉVENTREUR EST UNE MENACE
POUR TOUTES LES FEMMES.

Les policiers qui recherchent Jack l'Éventreur du West Yorkshire ont enfin établi hier soir que cet homme a sauvagement assassiné cinq femmes dans le nord de l'Angleterre.

Les spécialistes du laboratoire de la police scientifique de Wetherby sont parvenus, hier, à lier les agressions sadiques visant quatre prostituées au meurtre de Rachel Johnson, une vendeuse de seize ans.

Son cadavre mutilé a été découvert mercredi matin sur un terrain de jeu proche du Community Center de Chapeltown.

Hier soir, l'officier de police chargé de la plus importante enquête sur des meurtres multiples depuis l'explosion d'une bombe dans un autocar sur la M 62 a décrit l'homme qu'il tente d'identifier :

« Nous recherchons un tueur psychopathe qui voue une haine pathologique aux femmes, qu'il considère comme des prostituées. Il est absolument nécessaire d'identifier rapidement cet homme », a dit M. George Oldman, directeur adjoint de la police du West Yorkshire.

Hier, tandis que des similitudes frappantes entre les meurtres apparaissaient, M. Oldman et d'autres responsables de l'enquête ont évoqué la psychologie du meurtrier en compagnie de psychiatres.

« Nous nous représentons désormais très clairement l'homme que nous recherchons et, de toute évidence, aucune femme ne sera en sécurité tant que nous ne l'aurons pas identifié.

« Nous estimons qu'il est probablement protégé par quelqu'un, car il est vraisemblablement rentré chez lui à plusieurs reprises avec des vêtements tachés de sang. Cette personne a besoin d'aide de toute urgence et tous ceux qui nous permettront de l'identifier lui rendront service », a ajouté M. Oldman.

Selon la police, l'homme est originaire du West Yorkshire, connaît bien Leeds et Bradford, souffre probablement de troubles psychiques liés aux prostituées, soit parce qu'il a été victime de l'une d'entre elles, soit parce que sa mère en était une.

Selon M. Oldman, outre les indices fournis par la police scientifique, qu'il a jugé préférable de ne pas évoquer plus précisément, il existe d'autres similitudes :

Toutes *les victimes étaient des femmes légères, hormis Rachel Johnson, qui a peut-être été agressée par erreur, tandis qu'elle rentrait chez elle, mardi en fin de soirée.*

Aucun indice *d'agression sexuelle ou de vol, sauf dans un cas.*

Toutes les victimes *présentent d'horribles blessures à la tête, ainsi que d'autres plaies, qui évoquent des coups de poignard.*

Hier soir, à Chapeltown, les voisins de Rachel Johnson faisaient circuler une pétition où ils demandent au ministre de l'Intérieur, M. Merlyn Rees, de rétablir la peine de mort pour les meurtriers.

Une des responsables de cette action, Mme Rosemary Hamilton, a déclaré : « Nous frapperons à

*toutes les portes de Leeds, si nécessaire. Cette gamine
n'a jamais fait de mal à personne et, quand on arrê-
tera son meurtrier, il n'aura pas ce qu'il mérite. »*

Le Cercle de la presse.

Mort, hormis George, Bet et moi.

– D'après ce qu'on raconte, il leur fait de ces
choses ! disait Bet.

George hochant la tête, sur la même longueur
d'ondes :

– Il leur coupe les seins, c'est ça ?

– Il leur retire l'utérus, d'après un flic.

– Et il mange des morceaux et tout.

– Un autre ?

– Et garde la bouteille près de toi, dis-je, écœuré.

D'un pas incertain, je tournai au coin de ma rue,
et il était là, sous un lampadaire.

Un homme de haute taille en imperméable noir,
chapeau et serviette fatiguée.

Il était immobile, regardait mon appartement,
figé.

– Martin, dis-je, m'arrêtant derrière lui.

Il se retourna.

– Jack, je m'inquiétais.

– Je te l'ai dit, ça va.

– Tu as bu ?

– Je bois depuis quarante ans.

– Il faut renouveler ton stock de blagues, Jack.

– Tu en as à me proposer ?

– Jack, tu ne peux pas continuer de fuir.

– Tu vas exorciser mes démons, c'est ça ? Mettre
un terme à mes putains de souffrances ?

– Je voulais aller chez toi. Parler.

– Une autre fois.

– Jack, il n'y aura peut-être pas d'autre fois. Le
temps fuit.

– Bien.

– Jack, je t'en prie.

– Bonne nuit.

Le téléphone sonnait, de l'autre côté.

J'ouvris la porte et décrochai.

– Allô ?

– Jack Whitehead ?

– Lui-même.

– J'ai des informations concernant les meurtres de l'Éventreur.

Une voix d'homme, jeune, de la région.

– Continuez.

– Pas au téléphone.

– Où êtes-vous ?

– Sans importance, mais on peut se voir samedi soir.

– Quelles informations ?

– Passez au Variety Club samedi.

– À Batley ?

– Ouais. Entre dix et onze.

– O.K., mais j'ai besoin d'un nom.

– Pas de noms.

– Vous voulez de l'argent, je suppose ?

– Pas d'argent.

– Dans ce cas, qu'est-ce que vous voulez ?

– Venez, c'est tout.

À la fenêtre, le révérend Laws toujours sous le lampadaire, Juif de l'East End lynché, avec son chapeau et son manteau noirs.

Je m'assis et je tentai de lire, mais je pensais à elle, pensais à elle, pensais à Elle, suppliais Carol de rester là où elle était, pensais à ses cheveux, pensais à ses oreilles, pensais à ses yeux, suppliais Carol de rester là où elle était, pensais à ses lèvres, pensais à ses dents, pensais à sa langue, suppliais Carol de res-

251

ter là où elle était, pensais à son cou, pensais à ses clavicules, pensais à ses épaules, suppliais Carol de rester là où elle était, pensais à ses seins, pensais à sa peau, pensais à ses mamelons, suppliais Carol de rester là où elle était, pensais à son estomac, pensais à son ventre, pensais à son vagin, suppliais Carol de rester là où elle était, pensais à ses cuisses, pensais à la peau, pensais aux poils, suppliais Carol de rester là où elle était, pensais à sa pisse, pensais à sa merde, pensais à ses parties cachées, suppliais Carol de rester là où elle était, pensais à elle, pensais à elle, pensais à elle, et suppliais.

Je me levai et me mis au lit, pour être sous les draps, pour penser à elle, pour me toucher.

Je me levai, me retournai, et elle était là.

Ka Su Peng partie.

Carol revenue.

– Je t'ai manqué ?

John Shark : Voilà quelque chose qui me plaît [il lit] *: Selon M. James Anderson, directeur général de la police de la région de Manchester, l'accroissement de la violence a placé la police le dos au mur, et cette situation risque de s'aggraver avant de s'améliorer. »*

L'auditeur : Je crois qu'il a raison.

John Shark : Pas moi. Je rends la police responsable de l'accroissement de la violence. La peur, l'indécision permanente ? C'est de leur faute.

L'auditeur : Vous racontez des conneries, John, de vraies conneries. Si votre villa de luxe était cambriolée, qui vous appelleriez ?

The John Shark Show
Radio Leeds
Vendredi 10 juin 1977

13

Dans mon rêve, j'étais assis sur un canapé dans une pièce rose. Un canapé crasseux à trois coussins pourris, qui sentait de plus en plus mauvais, mais je ne pouvais pas me lever.

Puis, dans le rêve, j'étais assis sur un canapé dans un terrain de jeu. Un canapé horrible, à trois ressorts rouillés, qui m'entaillaient le cul et les cuisses, mais je ne pouvais pas me lever, ne pouvais même pas me redresser.

Quelqu'un touche mon visage.

J'ouvre les yeux.

C'est Bobby.

Il sourit, yeux pétillants, dents minuscules et blanches.

Il pose un livre sur ma poitrine.

Je ferme les yeux.

Il touche à nouveau mon visage.

J'ouvre les yeux.

C'est Bobby, vêtu de son pyjama bleu.

Je suis sur le canapé du salon, radio allumée quelque part, odeur de petit déjeuner dans la maison.

Je m'assieds, prends Bobby vêtu de son pyjama bleu, le pose sur mes genoux, ouvre son livre.

Il était une fois un lapin, un lapin magique qui habitait sur la Lune.

Et Bobby lève les mains, fait comme si c'étaient des oreilles de lapin.

Le lapin avait un télescope géant, un télescope magique qui regardait la Terre.

Et Bobby fait un télescope avec ses mains, se tourne et me regarde, ses mains devant un œil.

Un jour, le lapin magique pointa son télescope magique sur la Terre et dit : « Télescope magique, télescope magique, s'il te plaît, montre-moi la Grande-Bretagne. »

Et le lapin magique posa l'œil sur le télescope magique et vit la Grande-Bretagne.

Et, soudain, Bobby saute par terre, court jusqu'à la porte du salon, battant des bras dans son pyjama bleu, et crie :

– Maman, maman, lapin magique, lapin magique !

Et Louise est là, debout derrière nous, elle nous regarde et dit :

– Le petit déjeuner est prêt.

Je m'assieds à table, nappe propre, trois couverts, Bobby entre nous, et je regarde le jardin.

Il est sept heures et le soleil est de l'autre côté de la maison.

Louise verse du lait sur le Weetabix de Bobby, visage reposé, la pièce un peu fraîche dans l'ombre.

– Comment va ton père ? je demande.

– Pas bien, répond-elle, écrasant les céréales de Bobby.

– Je suis en congé, aujourd'hui. On peut y aller ensemble, si tu veux.

– Ah bon ? Je croyais que tous les congés étaient annulés.

– C'est vrai, mais Maurice m'a apparemment donné une journée.

– Il est venu à l'hôpital mardi.

– Ouais ? Il a dit qu'il allait essayer d'y aller.

– John Rudkin et tout.

– Ah ouais ?

– Il est gentil, n'est-ce pas ? Qu'est-ce que ton oncle John t'a offert ? demande-t-elle à Bobby.

– Voiture, voiture.

Et il tente de quitter la table.

– Plus tard, mon chéri, je dis. Mange d'abord ton Weetabix.

– Voiture d'pice. Voiture d'pice.

Je regarde Louise.

– Une voiture d'épices ?

– Une voiture de police, sourit-elle.

– Quel est le métier de papa ? je demande.

– 'Picier, répond-il, souriant, la bouche pleine de lait et de céréales.

Et on rit.

Bobby est entre nous, une main pour maman, une main pour papa.

Il va faire vraiment très chaud, tous les jardins de la rue sentent l'herbe coupée et la tisane d'orge, le ciel entièrement bleu.

On entre dans le parc et Bobby nous échappe.

– Tu as oublié le pain, je crie, mais il continue simplement de courir vers le bassin.

– C'est le toboggan qu'il préfère, dit Louise.

– Il grandit, hein ?

– Ouais.

Et on s'assied sur les balançoires, dans la nature silencieuse et douce, parmi les canards et les papillons, les immeubles en pierre et les collines noires nous regardant par-dessus les arbres, et on attend.

Je tends le bras, lui prends la main, la serre brièvement.

– On aurait dû aller au Flamingo Land, ou ailleurs. Scarborough ou Whitby.

– C'est difficile, dit-elle.

– Désolé, je dis, me souvenant.

– Non, tu as raison. On devrait le faire.

Et Bobby dévale le toboggan sur le ventre, chemise toute remontée, estomac à l'air.

– Il prend du ventre, comme son papa, je dis.

Mais elle est à des kilomètres.

Louise prépare le déjeuner pendant qu'on joue, Bobby et moi, avec sa voiture et ses cubes, son Action Man et son Tonka Toy, ses Lego et ses nounours ; à la télévision, la Flottille royale descend la Tamise.

On mange du poisson pané, copieusement arrosé de sauce au persil et de ketchup, avec des frites et des petits pois du jardin, de la *jelly* en guise de dessert, Bobby fier de bien se tenir à table.

Ensuite, je lave la vaisselle, Louise l'essuie, la télé éteinte avant les informations.

Puis on boit une tasse de thé et on regarde Bobby faire l'intéressant, danser sur le canapé au son d'un disque des thèmes de *James Bond*.

Sur la route de Leeds, Louise et Bobby sont assis à l'arrière et Bobby s'endort, la tête sur les genoux de Louise, soleil cuisant la voiture, vitres ouvertes, au son de Wings et Abba, Boney M. et Manhattan Transfer.

On se gare sur l'arrière et je prends Bobby dans mes bras ; on gagne la façade de l'hôpital, les arbres du parc presque noirs sous le soleil, la tête de Bobby posée sur mon épaule.

Dans le service, on s'assied sur des chaises minuscules et dures, Bobby toujours endormi, au pied du lit de son grand-père, tandis que Louise fait manger des mandarines en boîte à son père avec une cuiller en plastique, le jus coulant sur son menton et son cou barbus, sur son pyjama rayé de Marks & Spencer, tandis que je fais plusieurs allers-retours désabusés aux distributeurs et aux toilettes, feuillette des revues féminines et mange deux Mars.

Et quand Bobby se réveille, vers trois heures, on va dans le parc, laissant Louise avec son père, et on court sur l'herbe souple, jouant à chat, criant tous les deux « Chat », et on rit, puis on va d'une fleur à l'autre, on les sent, on remarque toutes les couleurs différentes, et, ensuite, on trouve une boule de pissenlit et, tour à tour, on souffle sur le temps.

Mais quand on remonte, fatigués et couverts de taches d'herbe, elle pleure près du lit, lui endormi la bouche ouverte, avec sa langue sèche, craquelée, qui pend sur son visage ratatiné et chauve, et je la prends par les épaules, et Bobby pose la tête sur ses genoux et elle nous serre très fort.

Sur le chemin du retour, on chante des berceuses avec Bobby et on regrette d'avoir mangé du poisson à midi, parce qu'on aurait pu s'arrêter au Harry Ramsden pour manger du poisson ou des fruits de mer.

On fait prendre son bain à Bobby, qui barbote parmi les bulles, qui boit l'eau, qui pleure quand on l'en sort, et je le sèche, puis l'emporte dans notre chambre et lui lis une histoire, trois fois la même histoire.

Il était une fois un lapin magique, un lapin magique qui habitait sur la Lune.

Et, une demi-heure plus tard, je dis :

– *Télescope magique, télescope magique, s'il te plaît, montre-moi le Yorkshire...*

Et, cette fois, il ne fait pas un télescope avec ses mains, cette fois, il se contente de claquer des lèvres et je lui dis bonne nuit, l'embrasse et descends.

Assise sur le canapé, Louise regarde la fin de *Crossroads*.
Je m'assieds près d'elle et je demande :
– Il y a quelque chose d'intéressant ?
Elle hausse les épaules.
– *Get Some In*, *XYY Man*, ce truc que tu aimes bien.
– Est-ce qu'il y a un film ?
– Plus tard, je crois.
Et elle me donne le journal.
– *I Start Counting* ?
– Trop tard pour moi.
– Ouais, il faudrait qu'on se couche tôt.
– Tu commences à quelle heure, demain ?
– John devait téléphoner.
Louise jette un coup d'œil sur sa montre.
– Tu vas l'appeler ?
– Non, j'irai pour sept heures.
On regarde Max Bygraves, les jouets de Bobby entre nous.
Et plus tard, pendant qu'on regarde la bande annonce de *World In Action*, je dis :
– Tu crois qu'on va surmonter ça ?
– Je ne sais pas, chéri, répond-elle sans quitter la télé des yeux. Je ne sais pas.
Et je dis :
– Merci pour cette journée.
Dans mon rêve, j'étais assis sur un canapé dans une pièce rose. Un canapé crasseux à trois coussins pourris, qui sentait de plus en plus mauvais, mais je ne pouvais pas me lever.
Puis, dans le rêve, j'étais assis sur un canapé dans un terrain de jeu. Un canapé horrible, à trois ressorts rouillés, qui m'entaillaient le cul et les cuisses,

mais je ne pouvais pas me lever, ne pouvais même pas me redresser.

Puis, dans le rêve, j'étais assis sur un canapé dans un terrain vague. Un canapé horrible, imbibé de sang qui tachait mes paumes, s'insinuait sous mes ongles, mais je ne pouvais toujours pas me lever, ne pouvais toujours pas me redresser, ne pouvais toujours pas m'en aller.

L'auditeur : La petite fille de Luton, la gamine de quatre ans qui a été tuée et violée ? Vous avez vu qu'ils ont arrêté un garçon de douze ans ? Bon sang, douze ans !

John Shark : Incroyable.

L'auditeur : Et les journaux ne parlent que de cette fichue Flottille royale et de l'Éventreur du Yorkshire.

John Shark : C'est sans fin, n'est-ce pas ?

L'auditeur : Si, ça en a une. C'est la fin du monde, voilà ce que c'est. La fin de ce foutu monde.

The John Shark Show
Radio Leeds
Samedi 11 juin 1977

14

Je posai les pieds par terre et enfilai mon pantalon.

C'était l'aube, grise et pluvieuse, du samedi 11 juin 1977.

Le rêve flottait comme un fantôme de l'autre côté de la chambre obscure, sa chambre à elle, qui donnait sur l'arrière, un rêve de meubles tachés de sang et de flics blonds, crime et châtiment, trous et têtes.

Une nouvelle fois meurtri par le sommeil.

La pluie crépitait contre les vitres, mon estomac aussi.

J'étais un vieillard assis sur le lit d'une prostituée.

Une main toucha ma hanche.

– Tu n'es pas obligé de partir, dit-elle.

Je me retournai face à un visage jaunâtre sur un oreiller, et je me penchai puis l'embrassai, ôtai mon pantalon.

Elle tira le drap sur nous et écarta les jambes.

Je mis ma cuisse entre elles, son humidité sur la peau et les poils de ma jambe, tandis que je passais la main dans ses cheveux, cherchant à nouveau la marque qu'il avait laissée.

Je regagnai Leeds dans la circulation du matin et les averses, la radio maintenant le souvenir de la femme à distance :

De nombreuses crues sont à prévoir, John Tyndall – président du National Front – a été victime d'une agression, 3287 policiers sans retraite ni pécule de fin de carrière, durcissement de la grève des journalistes.

Une fois arrivé sous les arcades noires, je coupai le moteur et restai dans la voiture, pensai à toutes les choses que j'avais envie de lui faire, une cigarette se consumant jusqu'à la peau, juste sous mon ongle.

Des choses malsaines auxquelles je n'avais jamais pensé.

J'écrasai la cigarette.

Rédaction déserte.

Par désœuvrement, je pris le journal du jour et relus mon article publié en pages intérieures :

VICTIMES D'UNE HAINE INEXTINGUIBLE ?
Par Jack Whitehead

C'est une scène devenue beaucoup trop familière aux malheureux habitants de Chapeltown, ce quartier réputé « chaud » de Leeds.

Un poste de commandement mobile de la police, une haute antenne radio, un générateur bruyant, des rues barrées, des policiers armés de blocs-notes frappant aux portes, des enfants regardant derrière les rideaux, des gyrophares bleus qui tournent inlassablement.

La cinquième femme sauvagement assassinée en pleine nuit au cours de ces deux dernières années, la quatrième dans un rayon de trois kilomètres, a été immédiatement considérée comme la dernière victime d'un meurtrier qu'on a surnommé le « Jack l'Éventreur » du Yorkshire.

Comme les autres, Rachel Johnson, seize ans, a été sauvagement agressée. Comme dans le cas de deux des victimes précédentes, son corps a été retrouvé sur une aire de jeu, un endroit destiné à la distraction et à la détente, et Rachel se trouvait en outre à quelques centaines de mètres de chez elle.

La principale différence entre Rachel, qui avait quitté l'école à Pâques, et les victimes précédentes est que les autres étaient des prostituées avérées, qui opéraient dans le quartier de Chapeltown.

Mais peut-être Rachel a-t-elle commis la même erreur fatale que les autres : accepter de monter dans la voiture d'un inconnu au terme d'une soirée – ce que la police déconseille fermement depuis le premier meurtre, en 1975.

La première prostituée victime d'un homme que la police considère comme un psychopathe animé d'une haine inextinguible des femmes a été Theresa Campbell, de Scott Hall Avenue, Chapeltown, qui était âgée de vingt-six ans et mère de trois enfants.

Un laitier a découvert, au cours de sa tournée matinale, le corps ensanglanté et partiellement dévêtu de Mme Campbell dans le Prince Philip Playing Field, à cent cinquante mètres de chez elle, où ses trois jeunes enfants attendaient avec impatience que leur maman rentre du « travail ».

Elle avait été sauvagement poignardée.

Cinq mois plus tard, de l'autre côté de la Chaîne Pénine, Clare Strachan, vingt-six ans et mère de deux enfants, a été violemment battue à mort à Preston, crime que la police considère désormais comme l'œuvre du même psychopathe.

Quatre mois plus tard, en février 1976, Mme Joan Richards, quarante-cinq ans et mère de quatre enfants, a également connu une mort cruellement brutale, cette fois dans une ruelle peu fréquentée de Chapeltown.

Mme Richards, qui habitait New Farnley, a été violemment frappée à la tête et poignardée.

Enfin, il y a moins de deux semaines, on a retrouvé Marie Watts, trente-deux ans, de Francis Street, Cha-

peltown, la gorge tranchée et poignardée à plusieurs reprises au ventre, à Soldier's Field, dans Roundhay Park. Elle était déprimée et fuyait son compagnon.

Mme Campbell a été vue pour la dernière fois alors qu'elle faisait de l'auto-stop dans Meanwood Road, à Leeds, juste après une heure du matin, le jour de sa mort. On sait qu'elle était précédemment passée au Room at the Top, une boîte de nuit de Sheepscar Street.

Dans la soirée au cours de laquelle elle a été assassinée, Mme Richards s'était rendue au Gaiety Public House, dans Roundhay Road, en compagnie de son mari. Elle l'y a laissé en début de soirée et il ne l'a pas revue.

Le Gaiety est également l'un des derniers endroits où on a vu Marie Watts en vie.

Hier, la police a une nouvelle fois demandé à toutes les personnes détenant des informations de se manifester.

Les numéros de téléphone de la brigade chargée de l'enquête, au poste de police de Millgarth, sont le 461212 et le 161213 à Leeds.

– Satisfait ?

Je me retournai : Bill Hadden, en veste de sport, comme tous les samedis, regardait par-dessus mon épaule.

– Massacré. Et il n'y avait pas autant de *sauvagement* et de *violemment*, hein ?

– Encore plus.

Je lui donnai une feuille de papier pliée que je sortis de ma poche.

– Tu vas lui faire subir le même sort ?

Millgarth, vers dix heures trente.

Le sergent Wilson à la réception.

– Voilà les ennuis.

Je le saluai d'un signe de tête.

– Samuel.

– Qu'est-ce que je peux faire pour toi, en cette journée de juin aussi belle que désagréable ?

– Peter Noble est là ?

Il jeta un coup d'œil sur le registre posé sur le comptoir.

– Non. Il vient de partir.

– Merde. Maurice ?

– Ne vient pratiquement plus. Qu'est-ce qu'il y a ?

– George Oldman m'a dit que je pouvais consulter des dossiers. Clare Strachan ?

Wilson jeta un nouveau coup d'œil sur le registre.

– Tu pourrais essayer John Rudkin ou le sergent Fraser ?

– Ils sont là ?

– Une minute, dit-il en décrochant le téléphone.

Il descendit l'escalier et vint à ma rencontre, jeune, blond et déjà vu.

Il s'immobilisa.

– Jack Whitehead, dis-je.

Il me serra la main.

– Bob Fraser. On se connaît.

– Barry Gannon.

– Vous vous souvenez ?

– Difficile à oublier.

– Exact.

Il hocha la tête.

Le sergent Fraser semblait manquer de sommeil, incapable de trouver ses mots, vieux avant l'âge mais, surtout, hébété.

– Vous vous êtes bien débrouillé, dis-je.

Il parut étonné, plissa le front.

– Comment ça ?

– Brigade criminelle.

– Apparemment, dit-il, jetant un coup d'œil sur sa montre.

– Je voudrais parler de Clare Strachan avec vous, si vous en avez le temps.

Fraser jeta un nouveau coup d'œil sur sa montre et répéta :

– Clare Strachan ?

– J'ai vu George Oldman, il y a quelques jours, et il a dit qu'il demanderait au superintendant Noble de me montrer les dossiers, mais...

– Ils sont tous partis à Bradford.

– Très bien. Donc ils ont dit que si ça ne vous ennuyait pas, John Rudkin ou vous...

– Ouais, O.K. Il vaudrait mieux que vous montiez.

Je le suivis dans l'escalier.

– C'est un peu la pagaille, dit-il en tenant ouverte la porte d'une pièce remplie de classeurs métalliques.

– J'imagine.

– Si vous voulez bien attendre une minute ici...

Il montra deux chaises derrière un bureau et ajouta :

– Je vais chercher les dossiers.

– Merci.

Je m'assis face aux classeurs, aux lettres et aux chiffres, et je me demandai sur combien d'affaires répertoriées ici j'avais écrit, combien d'entre elles j'avais classées dans mon tiroir, à combien d'entre elles j'avais rêvé.

Fraser revint, ouvrant la porte d'un coup de pied, un carton dans les bras.

Il le posa sur la table.

Preston, novembre 1975.

– Tout est là ? je demandai.

– Ce qu'on a. Le Lancashire a le reste.

– J'ai vu Alfred Hill. Il semble sceptique.

– Sur le lien ? Ouais, je crois qu'on l'était tous.

– Était ?

– Ouais, était, fit-il, sachant qu'on était tous les deux au courant des lettres.

– Maintenant vous êtes convaincu ?

– Ouais.

– Je vois.

Il montra le carton d'un signe de tête :

– Vous n'avez pas besoin de moi pour regarder tout ça, hein ?

– Non, mais j'espérais que vous sauriez ce que ceci signifie.

Je lui tendis les deux références des dossiers de Preston :

23/08/74 – WKFD/MORRISON–C/CTNSOL1A

22/12/74 – WKFD/MORRISON–C/MGRD–P/WS-MT27C

Il fixa les lettres et les chiffres, pâle, et dit :

– Où avez-vous trouvé ça ?

– Dans le dossier de Clare Strachan, à Preston.

– Vraiment ?

– Oui. Vraiment.

– Je n'ai jamais vu ces références.

– Mais vous savez à quoi elles se rapportent ?

– Non, pas précisément. Seulement qu'elles renvoient à des dossiers de Wakefield concernant un certain C. Morrison.

– Donc vous ne connaissez pas de C. Morrison ?

– Non, ça ne me dit rien. Ça devrait ?

– Clare Strachan se faisait parfois appeler Morrison.

Il resta immobile, me regardant fixement, yeux bleus noyés dans l'humiliation.

– Je suis désolé, ajoutai-je, voyant les murs s'élever et les clés tourner dans les serrures. Je n'avais pas l'intention de...

– Laissez tomber, marmonna-t-il, comme si lui-même n'y parviendrait jamais.

– Je sais que j'exagère, mais pourriez-vous obtenir des précisions ?

Il tira l'autre chaise de sous la table, s'assit et décrocha le téléphone noir.

– Sam, ici Bob Fraser. Tu peux me passer Wood Street ?

Il raccrocha et nous attendîmes en silence.

Le téléphone sonna et Fraser décrocha.

– Merci. Ici le sergent Fraser, de Millgarth, je voudrais que vous sortiez deux dossiers, s'il vous plaît.

Silence, puis :

– Oui, sergent Fraser, de Millgarth. Le nom est Morrison, C. Le premier date du 23-8-74, procès verbal pour racolage, 1A.

Nouveau silence.

– Oui. Et le deuxième concerne également Morrison C. Le 22-12-74, meurtre de GRD-P, témoignage 27C.

Silence.

– Merci.

Puis il raccrocha.

Je levai la tête, les yeux bleus me rendirent mon regard.

Il dit :

– Ils rappelleront dans dix minutes.

– Merci.

Tripotant le morceau de papier, il demanda :

– Vous vous êtes procuré ça à Preston ?

– Ouais, Alf Hill m'a montré un dossier. Il a dit qu'elle se prostituait, je lui ai demandé si elle avait été condamnée et il m'a montré un document tapé à la machine. Il n'y avait que ça dessus. Vous êtes allé là-bas ?

– La semaine dernière. Et il vous a dit qu'elle se faisait appeler Morrison ?

– Non, je l'ai appris grâce au *Manchester Evening News*, qui écrivait qu'elle était originaire d'Écosse et se faisait également appeler Morrison.

– Le *Manchester Evening News* ?

– Ouais.

Et je sortis l'article de ma poche, le lui donnai.

Le téléphone sonna et nous fit sursauter.

Fraser posa l'article sur le bureau et lut tout en décrochant.

– Merci.

Silence.

– Lui-même.

Nouveau silence, plus long.

– Les deux ? Qui ?

Silence.

– Ouais, ouais. Le bordel habituel. Merci.

Il raccrocha, les yeux toujours fixés sur l'article.

– Rien ? demandai-je.

– Ils sont ici, dit-il, et il retourna le carton, répandant les dossiers sur le bureau.

Je dis :

– Vous voulez que je m'en aille ?

– Non, restez, dit-il, ajoutant : À un moment ou un autre, tout ça sera dans l'ordinateur du fichier national de la police, vous savez ?

– Vous croyez que ça changera quelque chose ?

– Je l'espère, bon sang.

Il rit, ôta sa veste et on chercha jusqu'au moment où, dix minutes plus tard, tout était de retour dans le carton et le bureau nu.

– Merde.

Puis :

– Désolé.

– Ne vous en faites pas, dis-je.

– Je vous téléphonerai si je trouve quelque chose, dit-il.

Puis il se leva.

– Ce n'était que pour avoir une meilleure vue d'ensemble.

On reprit l'escalier et, en bas, il répéta :

– Je vous téléphonerai.

Sur le pas de la porte, on se serra la main, je souris et, soudain, je dis :

– Vous connaissiez Eddie, hein ?

Et il lâcha ma main, baissa la tête :

– Non, pas vraiment.

Retour de l'autre côté de la ville hantée, fantômes à tous les carrefours, buvant dans des bouis-bouis ouvriers, matinée finie, journée me glissant entre les doigts.

Devant le Griffin, je regardai sa façade d'échafaud, les fenêtres noires des étages gris, me demandai lequel de ces trous noirs était le sien.

J'entrai dans la salle obscure avec ses chaises à haut dossier inoccupées, gagnai la réception, sonnai et attendis, le cœur battant fort et vite.

Dans le miroir, au-dessus du comptoir, je vis un petit garçon aider une vieille femme, qui marchait avec une canne, à traverser la salle.

Je les avais déjà vus.

Ils s'assirent sur les deux chaises que nous avions occupées, Laws et moi, sept jours auparavant.

Je les rejoignis et pris une troisième chaise.

Ils ne prononcèrent pas un mot, mais se levèrent dans le même mouvement et s'installèrent à la table voisine.

Je restai seul avec mon silence, puis je me levai, regagnai la réception et sonnai une nouvelle fois.

Dans le miroir, je vis l'enfant parler à l'oreille de la vieille femme, je les vis me regarder fixement.

– Vous désirez ?

Je me tournai vers la réception et un homme en costume sombre.

– Monsieur Laws, Martin Laws, est-il ici ?

L'homme jeta un coup d'œil sur les casiers en bois qui se trouvaient derrière lui, sur les clés qui y étaient suspendues, et répondit :

– Le révérend Laws est sorti. Voulez-vous laisser un message ?

– Non, je repasserai.

– Très bien, monsieur.

– Je le connais.

– Quand l'as-tu rencontré ? demanda Hadden.

– C'est un de ceux qui se sont occupés de Barry.

– Exact, soupira Hadden, à nouveau en plein dedans. Quelle période horrible.

– Pas comme celle-ci, dis-je, et nous gardâmes le silence jusqu'au moment où il me donna une feuille de papier.

– Tu verras que j'ai laissé le couteau au vestiaire, dit-il avec un sourire.

Je m'assis en face de lui, de l'autre côté du bureau, et je lus :

Cher Éventreur,
Vous avez tué cinq fois. En moins de deux ans, vous avez massacré quatre femmes à Leeds et une à Preston. Votre mobile est, croit-on, une haine irrépressible des prostituées, une haine qui vous pousse à frapper et taillader vos victimes. Mais, inévitablement, cette passion perverse a horriblement dérapé mardi soir. Une innocente de seize ans, une jeune employée heureuse, respectable, issue d'une famille honnête de Leeds, a croisé votre chemin. Qu'avez-vous éprouvé lorsque vous avez appris que votre croisade sanglante avait terriblement mal tourné ? Que votre poignard vengeur avait atteint une cible aussi innocente ? Même si votre esprit est malade, ce qu'il est indubitablement, sans doute avez-vous éprouvé quelques lueurs de remords tandis que vous laviez les taches du sang de Rachel.

Ne commettez pas une nouvelle fois cette erreur, ne plongez pas une autre famille innocente dans cet enfer.

Mettez immédiatement un terme à tout cela.

Constituez-vous immédiatement prisonnier, assuré que seuls des soins et un traitement vous attendent, pas la corde ou la chaise électrique.

Je vous en prie, en mémoire de Rachel, constituez-vous prisonnier et cessez de commettre ces crimes horribles.

La population de Leeds.

– Qu'est-ce que tu en penses ?

– George l'a vu ?

– On en a parlé au téléphone.

– Et ?

– Il a dit que ça valait le coup d'essayer.

– Il n'a pas changé d'avis sur la publication de l'autre moitié de la correspondance ?

Hadden haussa les épaules.

– Qu'est-ce que tu en penses ?

– J'y ai beaucoup réfléchi, en fait, et je crois qu'il commet une erreur. Une erreur qui finira par le hanter. Et nous aussi.

– Comment ça ?

– La dernière contenait un avertissement, exact ?

– Oui.

– Quand il tuera à nouveau et quand on s'apercevra qu'on avait une lettre, une putain de lettre d'avertissement, je ne crois pas que la population britannique verra d'un très bon œil qu'on n'ait pas jugé bon de lui faire partager cette information.

– Il a ses raisons.

– Qui ? George ? Bon sang, j'espère qu'elles sont bonnes.

Bill Hadden me dévisageait, tirait sur sa barbe.

– Qu'est-ce qu'il y a, Jack ?

273

– Comment ça ?

– Qu'est-ce qu'il y a ?

– Sa putain d'arrogance, voilà ce qu'il y a.

– Non, ce n'est pas ça. Je te connais trop bien. Il y a autre chose.

– Toute cette affaire, c'est tout. L'Éventreur, c'est tout. Les lettres...

– Voir le sergent Fraser n'a rien arrangé, forcément ?

– En fait, c'était plutôt bien.

– Mais ça fait tout revenir en mémoire.

– Ça n'en était jamais sorti, Bill. Jamais.

Il faisait nuit quand je quittai la rédaction et regagnai la voiture, une nuit d'été noire et humide.

Je franchis le Tingley Roundabout, traversai Sawcross et Hanging Heaton pour aller au Batley Variety Club.

C'était samedi soir et ils n'avaient pu obtenir que les New Zombies, incapables de concurrencer les spectacles des quais.

Je me garai, regrettai de ne pas être saoul, traversai le parking en direction de l'auvent de l'entrée.

Je payai et pénétrai à l'intérieur.

L'endroit était à moitié vide et je m'installai au bar avec un double scotch, regardai les robes longues et les smokings bon marché, regardai l'heure.

Près de la scène, une femme maigre, en robe rose décolletée qui traînait sur le plancher, était déjà ivre et se disputait avec un gros moustachu, elle se penchait pour qu'il voie ses nichons.

L'homme lui donna une claque sur le cul et elle lui balança le contenu d'un verre, puis celui d'une assiette.

Il était dix heures et demie.

– Vous observez la nature, monsieur Whitehead ?

Un jeune homme en costume noir, le crâne rasé, se tenait près de moi, un sac en plastique dans la main gauche.

– Vous avez un coup d'avance sur moi.

Je l'avais rencontré, mais impossible de me souvenir où.

– Désolé, pas de noms.

– Mais on s'est rencontrés, je crois.

– Non. Vous vous en souviendriez.

– O.K., comme vous voulez. On s'assoit ?

– Pourquoi pas ?

Je commandai une tournée et nous allâmes dans un box du fond.

Il alluma une cigarette, inclina la tête en arrière, souffla la fumée en direction des dalles du plafond.

Je restai immobile, regardai la foule, puis demandai :

– Pourquoi ici ?

– Les yeux de la police ne peuvent pas me voir.

– Ils regardent ?

– Toujours.

Je bus une longue lampée de scotch et attendis, le regardai tripoter ses bijoux, faire des ronds de fumée, le sac en plastique sur les genoux.

Il se pencha, un sourire mouillé sur ses lèvres minces, et cracha :

– On peut passer la nuit comme ça. Je ne suis pas pressé.

– Pourquoi la police regarde t-elle ?

– À cause de ce qu'il y a là-dedans, dit-il en tapotant le sac en plastique. Ce qu'il y a là-dedans, c'est des sacrées putains de nouvelles.

– Jetons un coup d'œil...

Il posa la paume de sa main sur son front.

– Non. Et me pressez pas, nom de Dieu.

Je m'appuyai contre le dossier de ma chaise.

– O.K. Je vous écoute.

– J'espère, parce que ça va faire sauter le putain de couvercle de cet endroit, quand ça se saura.

– Ça vous ennuie si je prends des notes ?

– Putain oui. Ça m'ennuie. Contentez-vous d'écouter.

– O.K.

Il écrasa sa cigarette, secoua la tête :

– J'ai déjà traité avec des gens comme vous et, croyez-moi, j'ai beaucoup hésité à vous rencontrer, à vous donner ce truc. J'hésite encore.

– Vous voulez qu'on commence par parler d'argent ?

– Je ne veux pas de votre putain de fric. Ce n'est pas pour ça que je suis venu.

– O.K., dis-je, convaincu qu'il mentait, pensant : *argent, vanité, vengeance.* Vous voulez me dire pourquoi vous êtes venu ici ?

Il regardait les gens qui entraient et dit :

– Quand vous aurez écouté ce que je vais vous raconter, quand vous aurez vu ce qu'il y a là-dedans, vous comprendrez.

Vanité.

Je montrai les verres vides.

– Vous en voulez un autre ?

– Pourquoi pas ?

Il hocha la tête et je fis signe à la barmaid.

On resta immobiles, silencieux, on attendit.

La barmaid apporta les consommations.

La lumière baissa.

Il se pencha, jeta un coup d'œil sur sa montre.

Je me penchai également, comme si on allait s'embrasser.

Il parla vite mais distinctement :

– Clare Strachan, la femme qui aurait été assassinée à Preston, par l'Éventreur, je la connaissais. Elle habitait ici, se faisait appeler Morrison. Elle fréquentait des gens, des gens pas bien du tout, des gens qui me font peur, des gens que je ne veux pas revoir. Pigé ?

J'acquiesçai, gardai le silence, acquiesçai, réfléchis :

Vengeance.

La lumière, sur la scène, passait du bleu au rouge, puis du rouge au bleu et ainsi de suite.

Ses yeux balayèrent la salle, revinrent sur moi.

– J'ai fait beaucoup d'erreurs, je me suis enfoncé dans la merde jusqu'au cou, et je crois qu'elle a sûrement fait pareil.

Je regardai droit devant moi, l'orchestre était sur le point d'entrer.

Il versa son scotch dans sa pinte.

– Vous dites sûrement. Pourquoi ? Qu'est-ce qui vous fait croire ça ?

Il leva la tête, de la mousse sur les lèvres, et sourit :

– Elle est morte, non ?

Sur le devant de la scène, un homme en veste de velours cria dans un micro :

– Mesdames et messieurs, il paraît qu'on est en train de mourir, qu'on est morts et enterrés, et on dit la même chose d'eux, mais ils sont là pour le démentir, revenus d'entre les morts, d'au-delà de la tombe, les morts vivants en chair et en os, applaudissez bien fort les New Zombies !

Le rideau bleu se leva, la batterie attaqua et la chanson débuta.

– *She's Not There* [1], dit le skinhead, tourné vers la scène.

– Si vous le dites.

Il se tourna à nouveau vers moi.

– De la lecture pour le soir, dit-il, et il me donna le sac en plastique, sous la table.

Je le pris et voulus l'ouvrir.

1. « Elle n'est pas là. » (*N.d.T.*)

– Pas ici, dit-il sèchement, inclinant la tête. Aux chiottes.

Je me levai, passai parmi les tables vides, jetai un coup d'œil sur le jeune homme pâle, en costume noir, qui balançait la tête au rythme du piano.

– Je viendrai vous donner un coup de main, si vous voulez, cria-t-il.

Je fermai la porte des toilettes, baissai l'abattant, m'assis et ouvris le sac en plastique.

Il y avait un autre sac à l'intérieur, en papier marron.

J'ouvris le sac en papier marron, en sortis une revue.

Une revue de cul, pornographique.

De la mauvaise pornographie.

Des amateurs :

Spunk.

Le coin d'une page était replié.

J'ouvris à la page marquée et elle y était :

Cheveux blancs et chair rose, trous rouges mouillés et yeux bleus secs, jambes écartées et touchant son clito.

Clare Strachan.

Je bandais.

Je bandais et elle était morte.

Je sortis des toilettes, regagnai la salle, et la femme maigre en robe longue rose dansait seule, devant la scène, cent visages albinos inexpressifs tournés vers le bar où quatre flics parlaient avec la barmaid, montrant notre table vide.

Deux policiers se précipitèrent soudain dehors.

Les deux autres me regardaient.

J'avais le sac en plastique à la main.

J'eus peur, une vraie putain de trouille, et je savais pourquoi.

Les policiers passèrent entre les tables, se dirigeant vers moi, approchèrent.

Je pris la direction opposée, celle de ma table.

Je sentis une main sur mon coude.

– Vous désirez ? je demandai.

– L'homme qui était à votre table, savez-vous où il est allé ?

– Non, je regrette. Pourquoi ?

– Accepteriez-vous de venir quelques instants dehors, monsieur ?

– Oui.

Je me laissai guider entre les tables, l'orchestre jouant toujours, la femme en rose dansant toujours, les fantômes me surveillant toujours.

Dehors il pleuvait à nouveau et on s'arrêta tous les trois sous l'auvent.

Les deux policiers étaient jeunes et nerveux, hésitants.

– Pourriez-vous me donner votre nom, monsieur ?

– Jack Whitehead.

Ils échangèrent un regard.

– Le journaliste ?

– Oui. Pouvez-vous me dire ce qui se passe ?

– L'homme qui était à votre table, nous croyons qu'il a volé une Austin Allegro, là-bas.

– Je regrette, monsieur l'agent, mais je ne suis absolument pas au courant. Je ne connais même pas son nom.

– Anderson. Barry James Anderson.

Mémoire, remontant le fil du temps.

Les deux autres policiers traversaient le parking, mouillés et essoufflés.

– Merde, dit le plus âgé des deux, tête baissée, mains sur les genoux.

– Qui est-ce ? demanda l'autre.

– Il dit qu'il s'appelle Jack Whitehead, du *Post*.

Le gros flic âgé leva la tête.

– Merde, c'est bien lui. Quand on parle du putain de loup...

– Don, dis-je.

– Ça fait longtemps.

Il hocha la tête.

Vraiment pas assez longtemps, et de beaucoup, pensai-je ; un point final à cette journée ; une journée maudite de visions anéanties et de souvenirs lamentables, pas une pierre qui n'ait été retournée, pas un os qui soit encore endormi, les morts en vadrouille, façonnés dans la chair des vivants.

– C'est Jack Whitehead, dit le sergent Donald Humphries, la pluie tambourinant sur l'auvent, au-dessus de nos têtes. On était ensemble quand on a trouvé cette victime de L'*Exorciste*, le soir dont je vous parlais.

Ouais, pensais-je, comme s'il lui arrivait de parler d'autre chose que de cette soirée, comme s'il comprenait ce qu'on avait vu ce soir-là, le soir où nous étions devant les collines et les usines, devant les ossements et les cailloux, devant les vivants et les morts, le soir où Michael Williams gisait nu sur sa pelouse, serrait Carol dans ses bras, caressait une dernière fois sa chevelure ensanglantée.

Mais peut-être étais-je injuste avec lui, car son sourire disparut derrière une expression troublée et il secoua la tête puis dit :

– Comment ça va, Jack ?

– En pleine forme. Et vous ?

– Je ne peux pas me plaindre, dit-il. Qu'est-ce que vous faites dans ce coin perdu ?

– Je mange quelque chose.

Il montra le sac que je tenais à la main et sourit.

– Vous faites aussi vos courses et tout ?

– Noël est dans moins de deux cents jours, Don.

280

Je rentrai, montant jusqu'à cent trente.

Je gravis l'escalier en un battement de cœur, ouvris la porte ; bottes enlevées, sur le lit, la revue, mes lunettes, et plonger dans Clare.

Spunk.

Numéro 3 – janvier 1975.

Je retournai le magazine, rien.

Je l'ouvris à la première page, quelque chose :

Spunk est publié par MJM Publishing Ltd. Imprimé et distribué par MJM Printing Ltd, 270 Oldham Street, Manchester, Angleterre.

Je pris le téléphone et appelai Millgarth.

– Le sergent Fraser, s'il vous plaît.

– Le sergent Fraser est parti...

Téléphone raccroché, retour sur le lit, retour à... Carol prenant la pose de Clare.

– C'est ce que tu aimes ?

– Non.

– C'est ce que fait ta sale petite pute chinoise ?

– Non.

– Allez, Jack, baise-moi.

Je courus dans la cuisine, ouvris le tiroir, pris le couteau à découper.

Elle avait les doigts dans sa chatte.

– Allez, Jack.

– Laisse-moi tranquille, criai-je.

– Tu vas t'en servir, hein ?

Elle m'adressa un clin d'œil.

– Laisse-moi tranquille.

– Tu devrais aller à Bradford avec, blagua-t-elle, terminer ce qu'il a commencé.

Je fonçai dans la pièce, le couteau dans une main et une botte dans l'autre, tapai sur sa tête, sa peau blanche rayée de rouge, ses cheveux blonds assombris, tout poisseux et noirs, rires et hurlements jusqu'au moment où il ne resta plus qu'un couteau sale dans ma main, des cheveux gris collés au talon de ma chaussure, des gouttes de sang sur la photo en couleurs de cette chère Clare Strachan, doigts mouillés et chatte rouge.

Mes doigts devenaient glacés, saignaient.

Je m'étais coupé avec le couteau à découper.

Je lâchai le couteau et la chaussure, passai le pouce sur mon crâne, sentis la marque que j'y avais faite.

Je partage tes terreurs; je suis
le dos au mur.

Je me retournai et elle était là.

– Je regrette, sanglotai-je.

Carol dit :

– Je t'aime, Jack. Je t'aime.

John Shark : Alors, Bob, ça ne vous a pas vraiment plu, la Flottille royale ?

L'auditeur : Le temps nous déçoit en ce moment.

John Shark : Mais les feux d'artifice. C'était quand même quelque chose de spécial...

L'auditeur : Oh, oui, mais ce que je veux dire, c'est : combien de personnes, aujourd'hui, se souviennent du Jubilé du roi George ?

John Shark : C'était quand, Bob ?

L'auditeur : Vous voyez ? En mille neuf cent trente-cinq, John, bon sang, en mille neuf cent trente-cinq.

The John Shark Show
Radio Leeds
Dimanche 12 juin 1977

15

Dans le rêve, j'étais à nouveau assis sur le canapé, dans le terrain vague, le canapé imbibé de sang, le sang pénétrant dans mes vêtements, dans ma peau et, près de moi, assis à côté de moi, il y avait ce journa-liste, Jack Whitehead, le visage couvert de sang, puis je baissai la tête et Bobby était sur mes genoux, vêtu de son pyjama bleu, un grand livre noir entre les mains, et il se mit à pleurer et je me tournai vers Jack Whitehead, dis : « Ce n'est pas moi. »

Elle dort sur la chaise dure, à côté de moi, Bobby est chez les voisins.

Je me lève dans l'intention de m'en aller, certain qu'il va mourir, certain que ça arrivera dès que je serai parti, mais certain que je ne peux pas rester, que je ne peux pas rester, certain que :

Je dois trouver ces dossiers, trouver ces dossiers pour l'identifier, il faut que je l'identifie pour l'empêcher de tuer à nouveau, que je l'empêche de tuer à nouveau pour la sauver, que je la sauve pour mettre un terme à ces pensées.

Certain que je dois cesser de penser à Janice.

Certain que je dois cesser de penser à Janice, que je dois cesser de penser à Janice pour que tout cesse, que tout cesse pour que je puisse recommencer ICI.

Ici avec ma femme, ici avec mon fils, ici avec son père qui agonise.

Mon nouveau marché, ma nouvelle prière.

Le contraindre à cesser de tuer pour la sauver.

La sauver pour recommencer.

Pour recommencer.

ICI.

Elle ouvre les yeux.

Je hoche la tête, bonjour, excuses.

– À quelle heure es-tu arrivé ? souffle-t-elle.

– Après le boulot, vers onze heures.

– Merci, dit-elle.

– Bobby est chez Tina ? je demande.

– Ouais.

– Ça ne l'ennuie pas ?

– Elle le dirait si c'était le cas.

– Il faut que j'y aille, je dis en jetant un coup d'œil sur ma montre.

Elle change de position pour me laisser passer, puis elle me prend par la manche et dit :

– Merci encore, Bob.

Je me penche, l'embrasse sur le sommet du crâne.

– Au revoir, je dis.

– Au revoir, fait-elle, souriante.

Je prends la route de Wakefield, la M 1 d'un calme de dimanche matin, la radio à fond :

Quatre-vingt-quatre personnes arrêtées devant les Grunwick Processing Laboratories, à Willesden. La police métropolitaine accusée de brutalités inutiles, de tactiques agressives et provocantes.

Je me gare dans Wood Street, début d'une averse et pas âme qui vive.

– Bob Fraser, de Millgarth.

– Qu'est-ce que je peux faire pour vous, Bob Fraser de Millgarth ? demande le sergent de la réception, qui me rend ma carte.

– Je voudrais voir le superintendant Jobson, s'il est là.

Il décroche le téléphone, appelle Maurice, lui dit que c'est moi, me fait monter.

Je frappe deux fois.

– Bob, dit Maurice, debout, la main tendue.

– Désolé de débarquer comme ça, sans téléphoner.

– Aucune importance. Content de te voir, Bob. Comment va Bill ?

– Je viens de l'hôpital, en fait. Toujours pareil.

Il secoue la tête.

– Et Louise ?

– Toujours aussi solide. Je ne sais pas comment elle fait.

Et on est brusquement plongés dans le silence, moi revoyant ce corps aux os saillants dans son pyjama à rayures, mangeant des fruits en boîte avec une cuiller en plastique, et les imaginant, lui et Maurice la Chouette, avec ses lunettes à verres épais et à lourde monture, arrêtant les voleurs, coffrant les voyous, cassant les crânes, bouclant l'affaire des fusillades de l'A 1, devenant célèbres, Bill le Blaireau et Maurice la Chouette, comme quelque chose tiré d'un des livres de Bobby.

– Qu'est-ce qui t'amène, Bob ?

– Clare Strachan.

– Continue, dit-il.

– Vous connaissez Jack Whitehead ? Il m'a donné ça. Alf Hill, de Preston, le lui a communiqué.

Je lui tends les références des dossiers de Wakefield.

Maurice les lit, lève la tête, demande :

– Morrison ?

– L'autre nom de Clare Strachan.

– Bien, bien. Son nom de jeune fille, je crois.

– Vous saviez ?

Il remonte ses lunettes sur son nez, acquiesce.

– Tu les as sortis ?

Moins sûr de moi, j'hésite, puis je dis :

– C'est une partie de la raison de ma présence.

– Qu'est-ce que tu veux dire ?

– On les a sortis.

– Et ?

J'avale ma salive, change de position sur ma chaise, dis :

– C'est entre nous ?

Il acquiesce.

– John Rudkin les a pris.

– Et alors ?

– Ils ne sont pas dans le dossier qu'on a à Mill-garth. Et il ne les a jamais mentionnés.

– Tu l'as interrogé ?

– Je n'en ai pas eu l'occasion. Mais il y a aussi autre chose.

– Continue.

Une nouvelle fois, je prends une profonde inspiration.

– Je suis allé avec lui à Preston, il y a deux semaines, et on a étudié tous les dossiers.

– Ceux qui concernent Clare Strachan ?

– Ouais, et on devait rapporter des copies. Tout ce qu'on n'avait pas, tout ce qui nous avait échappé. J'ai vu un des dossiers qu'il rapportait, et il avait pris les originaux, pas les copies.

– C'était peut-être une erreur ?

– Possible, mais il y avait l'enquête judiciaire.

– Le rapport du coroner ?

– Ouais. Et le groupe sanguin était bizarre, comme si on l'avait tapé après.

– Qu'est-ce qui était indiqué ?

– B.

– Et tu crois que Rudkin l'avait modifié ?

– Peut-être, je ne...

– La dernière fois que vous êtes allés là-bas ?

– Non, non. Il y est allé après le meurtre de Joan Richards.

– Mais pourquoi l'aurait-il changé ? Pour quelle raison l'aurait-il fait ?

– Je ne sais pas.

– Au bout du compte, qu'est-ce que tu en dis ?

– Je dis qu'il avait l'air bizarre. Et que, d'une façon ou d'une autre, il sait que ce groupe sanguin est faux.

Maurice quitte ses lunettes, se frotte les yeux et dit :

– C'est grave, Bob.

– Je sais.

– Fichtrement grave.

Il décroche le téléphone.

– Oui. Je voudrais deux dossiers au nom de Morrison C. Le premier date du 23 août 1974, procès verbal pour racolage, 1A. Le deuxième date du 22 décembre 1974, témoignage 27C, meurtre de GRD-P.

Il raccroche et on attend, lui essuyant ses lunettes, moi me rongeant un ongle.

Le téléphone sonne, il décroche, écoute et demande :

– O.K. Par qui ?

La Chouette me regarde fixement tout en parlant, sans ciller.

– Quand ?

Il écrit sur la première page de son journal du dimanche.

– Merci.

Il raccroche.

Je demande :

– Qu'est-ce qu'ils disent ?

– L'inspecteur Rudkin les a sortis.

– Quand ?

– En avril 1975.

J'étais debout.

– En avril 1975 ? Merde, elle n'était pas morte.

Maurice fixe son journal, puis lève la tête, les yeux plus ronds, plus dilatés et plus grands que jamais.

– GRD-P, dit-il, tu sais qui c'est ?

Je me laisse simplement tomber dans mon fauteuil, hoche la tête.

– Paula Garland [1], fait-il songeur, son esprit, derrière ses lunettes, en vadrouille, trottinant dans les couloirs qui conduisent à ses petits enfers intimes.

J'entends les cloches de la cathédrale.

Les paumes levées, je demande :

– Qu'est-ce qu'on va faire ?

– Nous ? Rien.

Je veux parler, mais il lève une main et m'adresse un clin d'œil.

– Laisse faire ton oncle Maurice.

Pour la deuxième fois de la semaine, je me gare entre les camions, sur le parking du Redbeck, même si je ne me souviens plus guère de la dernière fois que j'y suis venu.

Seulement de la douleur.

Maintenant, j'ai simplement faim, je suis affamé.

Je me dis que c'est ça.

J'entre dans le café, achète un sandwich à la saucisse et aux frites et deux tasses de thé sucré brûlant.

J'emporte le tout jusqu'à la chambre 27.

J'ouvre la porte et j'entre.

L'air est rance et froid, odeurs de sueur et de peur, mort partout.

1. Voir *1974* du même auteur.

289

Debout dans le noir, au centre de la pièce, j'ai envie d'arracher les draps gris et sales suspendus devant la fenêtre, de tirer le matelas qui la masque, de brûler les photos et les noms accrochés aux murs, mais je ne le fais pas.

Je m'assieds sur le sommier, je pense aux morts et aux disparus, aux disparus et aux morts :

Aux morts disparus.

Je retourne à Leeds avec une migraine effroyable, le sandwich froid, intact, sur le siège du passager.

J'allume la radio.

Yes Sir I Can Boogie.

Je pense à ce que j'ai envie de dire à Rudkin, pense à toutes les conneries bizarres qu'il a racontées et qui prennent un sens maintenant, pense à toutes les conneries qu'il a faites, à toutes les conneries que je connais.

Je me gare, entre à Millgarth –

Parmi les corps qui courent, les coups de gueule et les godasses, les vestes enfilées dans la précipitation, je pense :

Il y en a une autre :

JANICE.

– Fraser ! Putain tu tombes bien, crie Noble.

– Qu'est-ce qu'il y a ?

– File à Morley, Gledhill Road.

– Qu'est-ce qu'il y a ?

– Il y en a une autre.

– Quoi ?

– Une autre putain d'attaque de bureau de poste.

– Merde.

Et boum, me revoilà aux agressions à main armée.

On dirait qu'on a cousu des oranges sous la peau de monsieur Godfrey Hurst, chaque orifice de son visage est enflé et fermé.

– On a frappé, essaie-t-il de dire. Je suis descendu, j'ai ouvert la porte de derrière et vlan! Ils ont dû pousser le battant de toutes leurs forces. Après, je suis par terre et vlan! Ils ont dû me donner un coup de pied dans la tête.

– C'est à ce moment que je suis descendue, dit madame Doris Hurst, aussi frêle qu'un oiseau, aussi blanche qu'un linge, puant encore la pisse. J'ai hurlé puis l'un d'entre eux m'a giflée très fort et, après, ils m'ont mis un sac sur la tête et ils m'ont attachée.

Autour de nous, des parents amènent des enfants aux membres cassés et à la peau ensanglantée, des infirmières conduisent les blessés et les inquiets d'un côté à l'autre des urgences, tout le monde pleure.

– Vous pouvez me croire, je dis tout en notant leur déposition. Vous pouvez me croire, vous avez eu beaucoup de chance.

Monsieur Hurst serre la main de sa femme et tente de sourire, mais il ne peut pas, ne peut pas à cause des points de suture, au nombre de trente-cinq.

Je demande :

– Combien ont-ils pris?

– À peu près sept cent cinquante livres.

– C'est beaucoup, pour vous?

– Avant, on n'avait rien pendant le week-end, mais les postes ne collectent plus le samedi.

– Pourquoi?

– Les coupes budgétaires, je suppose.

Je me tourne à nouveau vers madame Hurst.

– Vous les avez vus?

– Pas vraiment, ils portaient des masques.

– Combien étaient-ils ?

Elle secoue la tête et dit :

– Je n'en ai vu que deux, mais j'ai eu l'impression qu'ils étaient plus nombreux.

– Qu'est-ce qui vous a fait croire ça ?

– Les voix, la lumière.

– Il était à peu près quelle heure ?

Monsieur Hurst dit :

– Environ sept heures et demie. On se préparait pour aller à l'église.

– Et vous, madame Hurst, vous avez remarqué quelque chose à propos de la lumière ?

– Seulement qu'il faisait sombre dans la cuisine et que j'ai pensé qu'ils étaient peut-être plus de deux.

– Vous souvenez-vous de ce qu'ils ont dit ?

– L'un d'entre eux a dit à l'autre de monter au premier.

– Avez-vous entendu des noms ?

– Non, mais après m'avoir mis le sac sur la tête et attachée, ils avaient l'air furieux, parce qu'il n'y avait pas plus d'argent, furieux contre quelqu'un.

– Vous souvenez-vous exactement de ce qu'ils ont dit ?

– Seulement...

Elle serre les lèvres, demande :

– Exactement ?

– Je suis désolé. C'est important.

– L'un d'entre eux a dit que quelqu'un avait, vous savez, *merdé*.

Madame Hurst rougit puis ajoute :

– Excusez-moi.

– Et qu'a répondu l'autre ?

– C'est ce que je voulais dire. Je crois qu'il y avait une troisième voix et qu'elle a répondu qu'ils s'en occuperaient plus tard.

– Une voix différente ?

– Oui, plus grave, plus âgée. Vous savez, comme si c'était le patron.

Je regarde monsieur Hurst, mais il hausse les épaules.

– J'étais dans le cirage, désolé.

Je me tourne à nouveau vers madame Hurst et je demande :

– Ces voix, à votre avis, elles avaient quel accent ?

– Celui d'ici, sans hésitation celui d'ici.

– Autre chose ?

Elle regarde son mari puis lentement, secouant la tête, dit :

– Je crois que c'était, vous savez, des Noirs.

– Des Noirs ?

– Mmmm, je crois.

– Pourquoi ?

– Leur taille. C'était des colosses et leurs voix, on aurait dit des voix de Noirs.

J'écris, roues dentées en mouvement.

Puis elle ajoute :

– Ou alors des gitans.

Je cesse d'écrire, les roues dentées ralentissent.

Une infirmière arrive, ordinaire mais jolie.

– Le médecin dit que vous pouvez rentrer chez vous, si vous voulez.

Monsieur et madame Hurst se regardent et hochent la tête.

Je ferme mon bloc, dis :

– Je vais vous raccompagner.

On prend Gledhill Road à Morley, mon ancien secteur, et je pense que Victoria Road n'est pas loin, me demande s'ils se souviennent de Barry Gannon, suis certain qu'ils se souviennent que Clare Kemplay habitait Winterbourne Avenue, me demande s'ils étaient allés à sa recherche, cette nuit-là, puis je pense qu'il ne faudra pas que j'oublie de téléphoner à Louise, de lui dire que je serai probablement en retard, et je pense qu'on arrivera peut-être à trouver une solution, et c'est ce que je suis en train de penser quand je vois les voitures de patrouille garées devant le bureau de poste, c'est ce que je suis toujours en train de penser quand je vois Noble et Rudkin descendre de la première voiture, c'est ce que je suis en train de penser quand je me tourne vers monsieur Hurst et dis :

– Ce n'est pas moi.

C'est ce que je suis en train de penser quand ça devient vraiment merdique, définitivement, et...

QUATRIÈME PARTIE

Comment je m'appelle?

L'auditeur : Et tout ce cannabis qu'ils prenaient aux négros qu'ils coffraient, ce flic le revendait à d'autres dealers, et j'ai lu quelque part que le flic qui faisait ça, il avait quelque chose à voir avec l'A10, cette bande qui est devenue le service des réclamations.

John Shark : Une minute, une minute. Quel est le rapport avec l'homme au cœur de babouin ?

L'auditeur : Il doit pas y en avoir.

John Shark : Parfait. Très bien, comme vous êtes en ligne, avez-vous quelque chose à dire sur cet homme, cet Africain du Sud à qui on a greffé un cœur de babouin ?

L'auditeur : Non, pas vraiment. Sauf que je crois que ce n'est pas bien et qu'il va mourir.

The John Shark Show
Radio Leeds
Dimanche 12 juin 1977

16

Je demande à monsieur Hurst quel est le meilleur endroit pour se garer et sa femme le regarde du coin de l'œil, et on ralentit près des voitures de patrouille, et les Hurst regardent les trois colosses qui se dirigent vers notre voiture, et je descends, monsieur Hurst aussi, madame Hurst la main sur la bouche et je me retourne, en plein sur le poing de Rudkin, Noble et Ellis le forcent à reculer, et je perds l'équilibre, me rétablis, lui trouve une main libre et me la balance en pleine figure, ajoutant un coup de pied dans les noix, et puis des gars en uniforme me saisissent par la veste et me traînent, me fourrent à l'arrière d'une minuscule voiture de patrouille, tandis que Rudkin hurle toujours :

– Le con, putain de sale con !

Et notre voiture démarre et je me retourne et les vois pousser Rudkin, tête baissée, dans un autre véhicule, Ellis et Noble y montent derrière lui, ma voiture restant au milieu de Gledhill Road, portières ouvertes, monsieur et madame Hurst secouant la tête, mains sur les hanches ou sur la bouche.

Les gars en uniforme m'emmènent à Leeds, à Millgarth, personne ne parle, plein de brefs regards dans le rétroviseur, moi un clin d'œil, me demandant ce que Maurice a bien pu dire, bordel, me préparant à être muté aux Réclamations et à l'amour de mes Frères Policiers.

À l'intérieur, les gars en uniforme me conduisent directement dans le Ventre, poste de police complètement désert. Ils me font asseoir dans l'une des cellules qui servent aux interrogatoires et ferment la porte. Coup d'œil sur ma montre : il est plus de dix-huit heures, le dimanche 12 juin 1977.

Une demi-heure plus tard, je me lève et tente d'ouvrir la porte.

Elle est fermée à clé.

Une demi-heure plus tard, la porte s'ouvre.

Deux gars en uniforme que je n'ai jamais rencontrés entrent.

L'un d'eux me tend une chemise bleu clair et une combinaison bleu plus foncé, dit :

– Pouvez-vous mettre ceci, s'il vous plaît, monsieur ?

– Pourquoi ?

– Pouvez-vous vous contenter de le faire, monsieur ?

– Pas tant que vous ne m'aurez pas expliqué pourquoi.

– On a besoin de vos vêtements pour faire des analyses.

– Quelles analyses ?

– Je regrette, monsieur, mais je ne sais pas.

– Pourriez-vous aller chercher quelqu'un qui sait ?

– Malheureusement, aucun responsable n'est en service.

– Je suis un des responsables.

– Je sais, monsieur.

– Tant que quelqu'un ne prendra pas la peine de m'expliquer pourquoi je dois vous remettre mes vêtements, vous pourrez aller vous faire foutre.

Les gars en uniforme haussent les épaules, ferment la porte à clé derrière eux.

Dix minutes plus tard, la porte s'ouvre une nouvelle fois et quatre gars en uniforme entrent, immobilisent mes bras et mes jambes, me bâillonnent et me déshabillent.

Allongé sur le sol, nu, je jette un coup d'œil sur ma montre, mais elle a disparu.

Je me lève, mets la chemise et la combinaison bleues, m'assieds à la table et attends, convaincu que quelque chose a mal tourné.

Très mal tourné.

Je lève la tête alors que la porte s'ouvre.

Les superintendants Alderman et Prentice entrent.

Ils tirent deux chaises et s'assoient face à moi.

Dick Alderman et Jim Prentice.

Ils n'ont pas l'air d'aller bien.

Pas heureux.

– Bob ? dit Prentice.

– Qu'est-ce qui se passe ? je demande.

– Je croyais que tu pourrais nous le dire.

– Qu'est-ce qu'il y a ? je dis, les regardant successivement. Vous êtes venus m'interroger ?

– Bavarder, fait Prentice avec un clin d'œil.

– Merde. C'est moi, Bob Fraser. S'il se passe quelque chose, dites-moi simplement ce que c'est.

– Ce n'est jamais aussi simple que ça, hein, Bob ? dit Jimmy Prentice, qui m'offre une clope.

Je secoue la tête.

– Je ne sais pas, Jim. C'est à toi de m'expliquer.

Ils se regardent et soupirent.

Je dis :

– Ça a quelque chose à voir avec Rudkin, c'est ça ?

Dick Alderman secoue la tête.

– Écoute, Bob, laisse tomber les salades et dis-nous simplement ce que tu as fait entre le samedi 4 juin à dix-huit heures et le mercredi 8 juin à six heures.

– Pourquoi ?

Il sourit.

– Tu t'en souviens ?

– Évidemment.

– C'est un putain de début, parce qu'il semblerait que personne d'autre le sache.

Après un silence, je dis :

– J'étais avec Rudkin et Ellis.

Prentice sourit.

– C'est ce qu'ils ont dit.

Je parle, souriant, soulagé et impatient de développer.

Mais Alderman se penche :

– Ouais, c'est ce qu'ils *ont dit*. Enfin, jusqu'aux environs de trois heures et demie de l'après-midi. Juste avant leur suspension. Juste avant qu'ils aient juré de te faire une putain de tête au carré la prochaine fois qu'ils te rencontreront.

Je le fixe, fixe son visage empreint de fierté en raison de la façon dont il m'a coincé, et je hausse les épaules.

Il sourit, un sourire exagéré.

– Qu'est-ce que tu dis, maintenant, Bob ?

Je me tourne vers Prentice.

– Tu crois que j'ai besoin d'un représentant du syndicat ?

Il hausse les épaules.

– Ça dépend de ce que tu as trafiqué, Bob, ça dépend de ce que tu as fait.

– Rien.

Alderman se lève.

– Tu aurais peut-être intérêt à y réfléchir, dit-il. Avant notre retour.

Et ils s'en vont, ferment la porte à clé.

La porte s'ouvre, je lève la tête.

Les superintendants Alderman et Prentice entrent.

Ils s'assoient face à moi.

Dick et Jim.

Ils ont l'air mieux.

Mais pas heureux.

– Bob, fait Prentice avec un signe de tête.

Je dis :

– Expliquez-moi simplement ce qui se passe, voulez-vous ?

– On ne le sait pas, Bob. C'est pour ça qu'on est ici.

– Pour l'établir, ajoute Alderman.

– Établir quoi ?

– Établir ce que tu as trafiqué entre samedi soir et mercredi matin.

– Et si je vous disais que je suis rentré chez moi ? Que j'étais avec ma femme ?

Alderman se tourne vers Prentice.

– C'est ce que tu déclares ?

Je hoche la tête.

Ouais.

Ils s'en vont une nouvelle fois, ferment la porte à clé derrière eux.

La porte s'ouvre.

Les superintendants Alderman et Prentice entrent.

Ils ne s'assoient pas.

Richard Alderman et James Prentice.

Ils sont décomposés.

Pas heureux.

— Fraser, dit Alderman, je vais te le demander pour la dernière fois : qu'est-ce que tu as fait, où es-tu allé et qui as-tu vu entre samedi soir et mercredi matin ?

— Et, putain, Bob, ne mens pas, dit Prentice. S'il te plaît, Bob ?

Je les regarde, penchés sur moi, me dominant de toute leur taille, certain qu'ils m'auraient tabassé et connaîtraient la vérité, maintenant, si je n'étais pas qui je suis.

— Je buvais, je dis, lentement et d'une voix étouffée.

Ils tirent une nouvelle fois les chaises et s'assoient.

— Et qu'est-ce que tu aurais dû faire ? demande Alderman.

— Je participais à une opération de surveillance avec Rudkin et Ellis.

— O.K. Alors, qu'est-ce que tu faisais ?

— Comme je l'ai dit, je buvais.

— Où ?

— Dans ma voiture, dans le parc.

— Tu as vu des gens ?

— Non.

Mais je commence à voir Karen Burns et Eric Hall, comprends que je suis baisé.

— Je vais te poser une nouvelle fois la question, dit Alderman. Est-ce que tu as vu des gens, n'importe qui, pendant cette période ?

— Non.

— O.K., fait Prentice, qui hoche la tête. Tu peux nous expliquer pourquoi tu buvais alors que tu étais censé surveiller un suspect dans une enquête sur un meurtre ; une enquête sur les meurtres de quatre femmes qui désormais, au terme d'une des nuits pendant lesquelles tu étais censé filer notre suspect numéro un, inclut le meurtre d'une vierge de seize ans ?

Je fixe le plateau de la table.

– Tu vas nous dire pourquoi tu buvais ?

– Des problèmes conjugaux, je souffle.

– Pourrais-tu développer ?

– Non, j'aime autant pas.

Prentice dit :

– Ça ne sortira pas d'ici, Bob.

– Connerie. On sera au courant de l'autre côté des Moors à l'heure du petit déjeuner.

– Tu n'as pas le choix, dit Alderman.

– Putain si. Je veux savoir à quoi tout ça rime.

– Tu peux aller te faire foutre, crache Alderman. Je te pose la question en tant qu'officier supérieur, je te demande pourquoi tu as bu pendant quatre-vingt-quatre heures, quatre-vingt-quatre putains d'heures, alors que tu aurais dû être en service ?

– Et je t'ai répondu que j'avais des problèmes conjugaux.

– Et je te dis que cette réponse ne suffira pas. Donc je te pose une dernière fois la question : quels putains de problèmes conjugaux ?

Chacun fixe le visage violet de l'autre, yeux dilatés et dents découvertes.

Prentice se penche, tapote le plateau de la table.

– Allez, Bob. C'est nous.

– Et c'est moi, Jim. C'est moi.

Il adresse un signe de tête à Alderman, qui sort à sa suite, et ils ferment la porte à clé derrière eux.

À peu près une demi-heure plus tard, la porte s'ouvre à nouveau.

Les superintendants Alderman et Prentice entrent avec trois tasses de thé.

Ils s'assoient et poussent une tasse sur la table.

Ils ont l'air fatigué.

Pas heureux, résignés.

Jim Prentice dit :

– Bob ? Je vais te demander une nouvelle fois de nous parler un peu plus précisément de ce problème familial. Ça nous aiderait beaucoup. Ça t'aiderait beaucoup.

– Comment ?

– Bob, on est tous flics, ici. On est tous dans le même camp. Si tu ne décides pas de nous aider un peu, il faudra qu'on passe l'affaire à une autre équipe. Et personne ne veut en arriver là, hein ?

– Mais vous n'allez pas me dire de quoi il s'agit ?

– Bob, combien de fois faudra-t-il le répéter ? On l'a fait. Il s'agit de ce que tu as fabriqué pendant ces « heures manquantes ».

Je prends la cigarette qu'Alderman a posée près de mon thé, puis je me penche afin qu'il l'allume.

Je m'appuie contre le dossier de la chaise, la fumée montant vers le plafond, ma tête avec, et, finalement, je dis :

– J'avais une aventure avec une autre femme.

Alderman renifle, déçu.

– Avais ? L'imparfait ?

– Ouais.

– Pourquoi ? demande-t-il.

– Elle est partie.

– Comment elle s'appelle, cette femme ?

Je fixe une nouvelle fois le plafond, évalue les risques.

– Janice Ryan, je dis.

– Quand l'as-tu vue pour la dernière fois ?

– Samedi matin.

– À quelle heure ?

– Vers huit heures.

– Et c'est pour ça que tu buvais ?

– Ouais.

– Parce qu'elle t'avait quitté ?

306

– Ouais.

– Ta femme est-elle au courant ?

– Au courant de quoi ?

– De cette aventure.

– Non.

– Est-ce que tu veux ajouter quelque chose sur ta relation avec cette autre femme ?

– Non.

– Merci, Bob, dit Jim Prentice, et ils s'en vont, ferment la porte à clé.

Je lève la tête, pièce dans le noir.

La porte s'ouvre, des hommes se précipitent à l'intérieur, me mettent une cagoule et des menottes.

Ils m'entraînent hors de la pièce, dans l'escalier, dans la nuit, à l'arrière d'une voiture, et on part en balade.

Personne ne parle et la voiture sent l'alcool, les cigarettes.

Je n'en suis pas sûr, mais je crois qu'il y a trois hommes dans la voiture, deux à l'avant et le troisième près de moi, sur la banquette arrière.

À peu près une demi-heure plus tard, on quitte la route et on s'arrête dans ce qui semble être un terrain vague.

La portière s'ouvre et ils me font descendre de voiture, m'entraînent sur un sol inégal.

Je trébuche et quelqu'un passe un bras sous le mien.

On s'arrête et on reste immobiles pendant un instant, puis on m'enlève la cagoule.

Aveuglé par la lumière, je bats des paupières, bats des paupières, bats des paupières.

Le noir sur les bords, des lampes blanches au centre.

Noble, Alderman et Prentice se tiennent devant moi, sous les projecteurs, les projecteurs aveuglants et étrangers.

Au centre de la scène, un canapé.

Un canapé horrible, terrifiant, pourri, rongé, ensanglanté.

– Tu es déjà venu ici ? demande Noble.

Je fixe le canapé, les ressorts en métal rouillé, aux pointes acérées, le velours presque complètement disparu.

– Tu sais où tu es ? demande Prentice.

Je les regarde, regarde les halos angéliques qui entourent leurs visages, secoue la tête.

Une nouvelle fois, Alderman demande :

– Tu es venu ici, oui ou non ?

Et j'y suis venu ; dans ces cauchemars, c'est là que je suis venu, si bien que j'acquiesce et dis :

– Oui.

Et Noble avance, me donne un coup de poing à la mâchoire et je tombe à genoux, larmes roulant sur mes joues, sang emplissant ma bouche, lumières s'éteignant.

Yeux noirs, yeux noirs qui refusent de s'ouvrir.

Peau indienne peinte, rouge, blanche et bleue d'éraflures, de pus et d'hématomes.

Yeux noirs, yeux noirs révulsés dans la mort.

Peau indienne peinte, meurtre, meurtre dans la solitude.

Une gifle et je reprends connaissance, assis sur une chaise dans une cellule, cagoule et menottes enlevées.

– Regarde-la ! crie Noble.

Je tente de fixer le plateau de la table.

– Regarde-la !

Noble est debout, Alderman assis.

Je prends la photo, l'agrandissement en noir et blanc de son visage, de ses paupières enflées et de ses lèvres gonflées, de ses joues noircies et de ses cheveux collés, et je tremble, tremble, puis je dégueule, dégueule sur la table, bile jaune et brûlante dans toute la pièce.

– Ah, bordel de merde.

J'ai une combinaison bleue et une chemise propres.

Noble et Alderman sont assis face à moi, trois tasses de thé brûlant sur la table.

Alderman soupire et lit le texte tapé sur une feuille A4.

– « À 12 heures, le dimanche 12 juin, le corps de Janice Ryan, vingt-deux ans, prostituée déjà condamnée, a été découvert sous un vieux canapé dans un terrain vague proche de White Abbey Road, à Bradford.

« Selon les résultats de l'autopsie, la mort a été causée par de nombreux coups portés à la tête avec un lourd instrument contondant. Compte tenu de la décomposition partielle du corps, on estime que la mort remonte à environ sept jours.

« On estime également, compte tenu de la nature des coups, que cette mort n'est pas liée, je répète, n'est pas liée, aux meurtres que le public nomme *les meurtres de l'Éventreur*. »

Silence.

Puis je dis, larmes toujours pas taries :

– Et vous croyez que c'est moi ?

Silence.

Puis Noble hoche la tête et dit :

– Ouais et, d'après moi, voilà comment tu t'y es pris : tu l'as emmenée à Bradford, tu l'as conduite sur le terrain vague, tu l'as frappée à la tête avec une grosse pierre, puis tu as sauté à pieds joints sur elle jusqu'au moment où tu lui as cassé les côtes et perforé le foie. Tu n'avais pas de poignard, mais tu as décidé d'essayer de faire croire que c'était l'œuvre de l'Éventreur, donc tu as remonté son soutien-gorge et baissé sa culotte, tu lui as ôté son jean, puis tu l'as traînée par le col jusqu'au canapé, que tu as placé sur elle et, ensuite, tu as jeté son sac à main et tu t'es barré.

Silence.

Puis je dis :

— Mais pourquoi ?

— Le labo, Bobby, dit Alderman. Elle est sur tous tes vêtements, toi sur tous les siens, tu es dans son appartement, sous ses putains d'ongles, dans sa chatte.

— Mais pourquoi ? Pourquoi l'aurais-je tuée ?

Silence.

— Bobby, on sait, dit Alderman, qui adresse un bref regard à Noble.

— Qu'est-ce que vous savez ?

— Qu'elle était enceinte.

Il me fait un clin d'œil.

Silence jusqu'au moment où Noble ajoute :

— Et que l'enfant était de toi.

Je hurle, les mains immobilisées sur la table, Alderman et Prentice tentant de me faire asseoir, Noble s'éloignant.

Je hurle et je hurle, hurle encore.

— Demandez-le-lui, demandez à ce con d'Eric Hall. Faites-le venir ici. C'est pas moi. C'est pas moi, bordel. Jamais j'aurais fait ça.

Plaies qui ne cesseront pas de saigner, hématomes qui ne guériront pas.

— Demandez-le-lui, demandez à ce putain de con. C'est lui. Putain, je suis sûr que c'est lui. C'est pas moi. Jamais j'aurais fait ça. J'aurais pas pu.

Hurlant inlassablement, encore et encore.

Je suffoque, le cou prisonnier d'un bras, Alderman et Prentice tentant de me faire asseoir, Noble parti.

– Le problème, dit Noble, c'est que, d'après Eric, Janice l'a appelé parce qu'elle voulait qu'il la protège. Qu'il la protège parce que tu la menaçais.

– Connerie.

– O.K., mais comment aurait-il pu savoir qu'elle était enceinte de toi si elle ne lui avait pas téléphoné ?

– Elle l'a appelé pour lui demander de l'argent. Elle a été son indic avant qu'il devienne son mac.

– Bobby, Bobby, Bobby. On tourne en rond.

– Écoutez, je vous ai expliqué. Vous n'écoutez pas. Le samedi où je l'ai vue pour la dernière fois, le 4, elle était allée à Bradford, où elle devait voir Eric, mais il a envoyé un fourgon au rendez-vous et ils l'ont embarquée et ils lui ont fait son affaire, nom de Dieu, hein ?

– Fait son affaire ?

– Ils l'ont violée. Demandez à Rudkin et Mikc. Ils sont venus me chercher chez elle, ils ont vu dans quel état elle était.

– Ouais, ouais, et ils semblent croire que c'était toi.

– Quoi moi ?

– Toi qui l'avais tabassée, bordel de Dieu.

– Connerie. Putain de connerie.

– Il y a des traces de toi partout sur elle, mon pote.

– Évidemment, je l'aimais, putain.

– Bob

– Écoutez-moi, je me réveillais la nuit, près de ma femme, le pyjama plein de foutre, parce que je ne pouvais pas m'empêcher de penser à elle.

– Merde, Fraser.

Seul...
Seul ensemble :
Je ferme les yeux, tu dis mon nom.

311

Une cigarette, un gobelet en plastique, une revue porno.

Chaussures à l'envers, sans lacets.

Doigts autour de mon cou, doigts dans ma gorge.

Doigts sous la peau du crâne, doigts sur les os de mes tempes.

Tu fermes les yeux, je dis ton nom :

Seul ensemble...

Seul.

– Vous allez m'inculper ?

Prentice pousse la tasse dans ma direction.

– Bois, Bob.

– Dis-le-moi.

– Tu es dans le pétrin, vraiment dans le pétrin.

– Ce n'est pas moi, Jim. Ce n'est pas moi.

– Bois ton thé, Bob. Tant qu'il est chaud.

Trous noirs de pissotières tachés de sommeil, couloirs blancs bourrés de souvenirs jusqu'à un oreiller ensanglanté plein de plumes d'albatros, brefs regards sur les jours de bonheur derrière des fenêtres et des portes qui se ferment, jusqu'à une table et trois chaises sous une ampoule prisonnière d'un grillage.

– Recommençons par le commencement.

Je pousse le gobelet en plastique et soupire.

– Comme vous voulez.

– Quand l'as-tu rencontrée ? demande Noble, qui allume une cigarette.

– L'année dernière.

– Quand ?

– Le 4 novembre.

– Pendant Mischief Night ?

J'acquiesce, pas de sourires.

– Où ?

– Elle était au milieu de la chaussée, devant le Gaiety, bourrée. Elle avait l'air de racoler, donc on l'a embarquée.

– On ?

– Moi et Rudkin.

– L'inspecteur Rudkin ?

– Ouais. L'inspecteur Rudkin.

– Et ?

On l'a amenée ici. On s'est aperçu qu'Eric Hall, de Jacob's Well, la couvrait et...

– L'inspecteur Eric Hall ?

– Ouais. L'inspecteur Eric Hall.

– Qu'est-ce que vous avez fait quand vous vous en êtes aperçus ?

– Je l'ai raccompagnée chez elle.

– Seul ?

– Ouais.

– Et c'est à ce moment que ça a commencé ?

– Ouais.

– Tu la voyais souvent ?

– Le plus souvent possible.

– À savoir ?

Je hausse les épaules.

– Tous les deux jours. C'est devenu plus facile quand Eric l'a installée à Chapeltown.

– Tu affirmes qu'Eric Hall, l'inspecteur Eric Hall, a installé une prostituée déjà condamnée dans un appartement de Leeds ?

J'acquiesce.

– Pourquoi ?

– Posez-lui la question.

Noble abat la paume sur la table.

– Merde, Fraser, c'est à toi que je la pose.

– Elle m'a dit que c'était en remerciement. Une prime de licenciement.

– Et tu l'as crue ?

– À l'époque.

– Mais...

– Mais j'ai appris depuis qu'il la faisait tapiner et qu'il avait loué l'appartement pour qu'elle puisse travailler ici.

– Comment as-tu appris ça ?

– Par Joseph Rose, les dossiers indiquent que c'est mon informateur.

Noble adresse un bref coup d'œil à Alderman.

Alderman adresse un signe de tête à Prentice.

Prentice se lève et sort.

Noble, qui regardait ses notes, lève la tête.

– O.K. Donc pendant presque un an, depuis novembre dernier, tu as vu Ryan.

– Oui.

– Et généralement dans son appartement de Spencer Place ?

– À partir de janvier, oui.

– Et, pendant cette période, tu ignorais qu'elle travaillait pour l'inspecteur Hall ?

– En tant que prostituée, oui. Mais je savais qu'elle lui téléphonait toujours.

– Mais tu savais qu'elle se prostituait.

– Ouais, mais pas pour lui.

– Pour qui croyais-tu qu'elle travaillait ?

– Pour Kenny D.

– Kenny D ? Ce crétin de nègre qu'on a arrêté après le meurtre de Marie Watts ? Tu te fous de notre gueule ?

– Non.

– Merde, Fraser. Tu croyais que ta petite amie travaillait pour lui ?

– Ouais.

– Pourquoi ?

– C'était ce qu'elle disait. Ce qu'il disait.

Noble garde le silence, avale sa salive, et dit :

– Si tu croyais qu'elle travaillait pour Kenny D, pourquoi, à ton avis, continuait-elle de téléphoner à l'inspecteur Hall ?

– Pour obtenir de l'argent.

– Comment ?

– En lui vendant des choses qu'elle avait entendues dire.

– Est-ce qu'elle a essayé de te vendre des trucs ?

– Non. Elle ne connaissait pas grand monde dans le coin.

– Obtenait-elle de l'argent de lui ?

– Je ne sais pas. Posez-lui la question.

Noble me regarde fixement, yeux à nouveau dans les yeux.

– Donc tu affirmes que tes relations avec cette femme, Janice Ryan, étaient purement sexuelles ?

Je regarde le plafond, la terre vacille.

Plaies qui ne cesseront pas de saigner, hématomes qui ne guériront pas.

Je soutiens le regard de Noble, je hausse les épaules et je lui dis comment c'était :

– Oui.

– Tu payais ?

Yeux dans les yeux, je lui dis comment c'est.

– Il semblerait. Maintenant, il semblerait.

Silence.

Prentice revient et ils parlent à voix basse.

Je me demande quelle heure il est, suis même incapable de deviner quel putain de jour on est.

Ils regagnent leurs places et Noble dit :

– O.K., qui était au courant de cette relation ?

– Moi et Janice ?

– Oui.

– Je n'en sais rien. Je n'en ai pas parlé, mais étiez-vous au courant ? Et toi, Jim ? Et toi, Dick ?

Ils ne sourient pas, se contentent de la boucler.

– O.K., répète Noble. Mais, d'après toi, au début de ce mois, ta relation avec Ryan s'est détériorée ?

– Ouais.

– De quelle façon ?

315

– Je ne pouvais plus la voir aussi souvent, avec l'Éventreur et tout, et je voulais qu'elle cesse de travailler.

– Pourquoi ?

– Je ne voulais pas qu'elle se fasse tuer, bordel.

– Pourquoi ?

– Je vous emmerde.

– Mais ça ne te gênait pas qu'elle baise d'autres types ?

– Bien sûr que si.

– Dans ce cas pourquoi tu n'as rien fait ?

Mais je me retiens juste à temps :

Plaies qui ne cesseront pas de saigner, hématomes qui ne guériront pas.

Et je souris :

– Je ne pouvais pas dire grand-chose, hein ?

– Pourquoi ?

– Je suis marié, non ?

– Mais vous vous disputiez beaucoup, Ryan et toi.

– De temps en temps, ouais.

– O.K. Parle-nous de samedi dernier, le 4.

– Je vous l'ai raconté mille fois.

– Dans ce cas tu peux bien le raconter une dernière fois, hein, Bob ?

– Je suis allé chez elle vendredi et elle n'était pas là. J'étais claqué, je me suis allongé chez elle et j'ai attendu.

– Donc tu avais la clé.

– Vous savez bien que je l'avais. Vous l'avez prise, putain.

– O.K. Continue.

– Vers sept heures, peut-être huit, elle est rentrée...

– Du matin ?

– Ouais, du matin. Elle était en piteux état, on l'avait ligotée, fouettée, mordue. Il y avait des

316

marques sur ses seins, son ventre, son dos. Elle a dit qu'elle était allée à Bradford, à Manningham, où elle devait voir Eric Hall. Elle a dit que les Mœurs l'avaient coffrée, du moins elle croyait que c'était eux. Qu'ils étaient quatre ; qu'ils l'avaient violée, avaient pris des photos.

– Et ces hommes te connaissaient-ils, connaissaient-ils l'inspecteur Hall ?

– Apparemment.

– Apparemment ?

– Elle a dit qu'ils avaient essayé de joindre Eric Hall et de me joindre. Même si Eric leur a dit quelque chose, ça ne les a pas empêchés de continuer.

– Et elle t'a raconté tout ça samedi matin, chez elle ?

– Oui.

– Et ensuite ?

– Ensuite, l'inspecteur Rudkin et l'agent Ellis sont venus me chercher, à cause de l'agression de Linda Clark, et m'ont conduit ici.

– Ils sont allés te chercher chez elle ?

– Ouais.

– Comment savaient-ils où tu étais ?

– Je n'en ai pas la moindre idée. Je suppose qu'ils étaient au courant de ma relation avec Janice.

– Mais tu ne leur en avais jamais parlé ?

– Non.

– Et c'est la dernière fois que tu as vu Ryan.

– Oui.

– Mais tu es retourné chez elle ?

– Ouais, deux fois.

– Samedi.

– Ouais, je suis retourné chez elle tout de suite après la réunion.

– Et ?

– Elle était partie.

– Pour de bon ?

– Mmmm.

– Comment tu l'as compris ?

– Elle avait emporté pratiquement toutes ses affaires.

– Elle avait laissé un mot ?

Plaies qui ne cesseront pas de saigner, hématomes qui ne guériront pas.

– Non, je mens.

– Il était quelle heure ?

– Aux environs de cinq heures, samedi après-midi.

– Et tu étais bouleversé ?

– Oui.

– Donc, au lieu de reprendre ton service, de rejoindre tes collègues, tu as décidé de noyer ton chagrin.

– Ouais.

– Et, pendant ce temps, qui as-tu vu ?

– J'ai vu Joseph Rose.

– C'est à ce moment-là qu'il t'a dit que l'inspecteur Eric Hall était le souteneur de Janice ?

– Oui.

– Qu'est-ce que tu as fait ?

– Je suis allé le voir à Bradford.

– Ça s'est passé quand ?

– Je n'en suis pas sûr, mais je crois que c'était lundi.

– Et c'est à ce moment que tu as agressé l'inspecteur Hall ?

– C'est à ce moment qu'on s'est battus, nom de Dieu, si c'est ce que vous voulez dire.

– À cause de Ryan ?

– Oui.

– Qu'est-ce que tu as fait ensuite ?

– J'ai pris sa voiture...

– La voiture de l'inspecteur Hall ?

– Ouais.

– Où es-tu allé ?

– J'ai roulé au hasard, je ne m'en souviens pas exactement.

– Mais tu as fini par aboutir à Chapeltown au moment où on retrouvait le corps de Rachel Johnson ?

– Ouais, je crois que je suis retourné chez Janice et que c'était le bordel, quand je me suis réveillé, à cause de la petite Johnson.

– O.K. Une dernière chose : tu affirmes que, jusqu'à aujourd'hui, tu ignorais que Ryan était enceinte et que tu étais le père ?

– C'est exact.

– Et que c'est à cause de la dernière fois que vous avez eu des rapports sexuels, Ryan et toi, que le labo a trouvé des traces de toi sur elle ?

– Oui.

– Ça s'est passé quand ?

– Probablement le jeudi 2 juin.

– Mais tu n'as pas d'alibi entre le samedi 4 juin à dix-sept heures et la matinée du mercredi 8 juin ?

– Hormis quand j'ai vu Joseph Rose et Eric Hall, non.

– Mais tu ne sais pas exactement quand tu les as vus ?

– Non.

Silence.

Noble me regarde fixement.

– Tu te rends compte dans quel foutu putain de merdier tu es ?

Je lève la tête, les veines de mes yeux des échardes.

– Oui, je dis.

Il ne cille pas.

– Le merdier dans lequel on est tous ?

J'acquiesce.

– Très bien, soupire-t-il. C'est à toi de décider.

319

Je pèse le pour et le contre, les bras morts le long de mon corps.

Plaies qui ne cesseront pas de saigner, hématomes qui ne guériront pas.

— Je voudrais voir mon avocat, s'il vous plaît.

John Shark : Vous avez vu que John Poulson a bénéficié d'une libération anticipée ?

L'auditeur : Et, le même jour, George Davis se retrouve une nouvelle fois au trou.

John Shark : Une loi pour eux et une loi pour nous, hein, Bob ?

L'auditeur : Non, John. Pour eux, il n'y a pas de loi, c'est ça le problème.

The John Shark Show
Radio Leeds
Lundi 13 juin 1977

17

– Il se passe quelque chose de bizarre, dit Hadden.

– Quoi ?

– D'après eux, il y en a une autre et ils viennent d'arrêter le coupable. Le détiennent.

– Tu blagues ?

– Non.

– L'Éventreur ?

– Apparemment.

– Connerie. Qui t'a dit ça ?

– Un petit oiseau.

– Petit comment ?

– Stephanie.

– Et elle le tient d'où ?

– De la rédaction de Bradford.

– Merde.

– C'est ce que j'ai failli dire.

– Qu'est-ce que tu veux que je fasse ?

– Que tu passes des coups de fil.

Merde.

De retour à la rédaction, je décrochai le téléphone et appelai Millgarth.

– Samuel ?

– Jack ?

– Qu'est-ce qui se passe ?

– Je n'ai pas la moindre idée de ce que tu veux dire.

– Mais si.

– Absolument pas.

– O.K. À quelle heure vas-tu cesser de faire l'imbécile et t'accorder un peu de ce qui fait ta joie ?

– Dans une demi-heure ?

Coup d'œil sur ma montre.

Merde.

– Où ?

– Au Scarborough ?

– Ça marche.

Et je raccrochai.

Je jetai un nouveau coup d'œil sur ma montre, vérifiai le contenu de ma serviette et me mis en route.

J'arrivai le premier au Scarborough.

Je posai ma pinte sur le téléphone et composai un numéro.

– C'est moi.

– Tu ne supportes pas l'éloignement, hein ? blagua-t-elle.

– Pas si je peux faire autrement.

– Il n'y a que deux heures.

– Et tu me manques.

– Toi aussi. Je croyais que tu allais à Manchester ?

– J'y vais, peut-être. Je me suis dit que je te passerais un coup de fil.

– Ça serait gentil.

Je ris et dis :

– Merci pour le week-end.

– Non, c'est moi qui te remercie.

– Je téléphonerai à mon retour.

– J'attendrai.

– Alors au revoir.

– Au revoir, Jack.

Elle raccrocha la première, puis je posai le combiné, repris ma pinte, gagnai une table à plateau de cuivre au fond.

Je bandais.

Je jetai un coup d'œil sur ma montre, résolu à prendre, au moins, le train de douze heures trente.

Enfin, s'ils n'avaient pas coffré ce con.

La pluie fouettait les vitres.

– Putain d'été, cria le barman.

J'acquiesçai, vidai ma pinte, regagnai le bar, commandai deux *bitter*, un sachet de chips au vinaigre.

De retour à la table, je jetai un nouveau coup d'œil sur ma montre.

– Vaudrait mieux que tu ne sois pas raide, dit le sergent Samuel Wilson en s'asseyant.

– Je t'emmerde, dis-je.

– Joyeux Noël à toi aussi, blagua-t-il, puis il ajouta : Qu'est-ce que tu as à la main ?

– Je me suis coupé.

– En faisant quoi ?

– La cuisine.

– Connerie.

Je lui offris une chip.

– Alors ?

– Alors quoi ?

– Samuel ?

– Jack ?

– Putain, on danse pas le tango, hein ?

Il soupira.

– Vas-y, qu'est-ce que tu sais ?

– Vous avez un cadavre à Bradford et un coupable ici.

– Et ?

– C'est l'Éventreur.

Wilson vida sa pinte et sourit, la mousse aux lèvres.

– Samuel ?

– Une autre, Jack ?

Je terminai la mienne et retournai au bar.

Quand je repris ma place, il avait enlevé son imperméable.

Coup d'œil sur ma montre.

– Je ne te mets pas en retard, hein, Jack ?

– Non, mais il faut que je sois à Manchester dans l'après-midi.

Puis j'ajoutai :

– Ça dépend de ce que tu me diras. Enfin, si tu es décidé à me dire quelque chose.

Il renifla.

– Combien un homme très occupé tel que toi est-il prêt à donner à un malheureux employé comme moi ?

– Ça dépend de ce que tu as, tu sais comment ça marche.

Il sortit une feuille de papier pliée et me la mit sous le nez.

Un mémo interne d'Oldman ?

– Vingt ?

– Cinquante.

– Va te faire foutre. Je confirme ce que j'ai entendu dire, c'est tout. Si tu avais averti ton vieil ami Jack hier, ça serait différent, hein ?

– Quarante.

– Trente.

– Trente-cinq ?

– Montre.

Il me donna la feuille et je lus :

À 12 heures, le dimanche 12 juin, le corps de Janice Ryan, vingt-deux ans, prostituée déjà condamnée, a été découvert sous un vieux canapé dans un terrain vague proche de White Abbey Road, à Bradford.

Selon les résultats de l'autopsie, la mort a été causée par de nombreux coups portés à la tête avec un lourd instrument contondant. Compte tenu de la décomposition partielle du corps, on estime que la mort remonte à environ sept jours.

On estime également, compte tenu de la nature des coups, que cette mort n'est pas liée, je répète, n'est pas liée, aux meurtres que le public nomme les meurtres de l'Éventreur.

Pour le moment, aucune information concernant ce crime ne doit être communiquée à la presse.

Je me levai.

– Où tu vas?

– C'est lui, dis-je en me dirigeant vers le téléphone.

– Et mes trente-cinq livres?

– Dans une minute.

Je décrochai et composai le numéro.

Son téléphone sonna, sonna, sonna.

Avertissez les prostituées de ne pas sortir, parce que je sens que ça revient.

Je raccrochai, composai une nouvelle fois le numéro.

Son téléphone sonna, sonna, et...

– Allô?

– Où étais-tu?

– Dans la baignoire, pourquoi?

– Il y en a eu une autre.

– Une autre?

– Lui. À Bradford. Même endroit.

– Non.

– S'il te plaît, ne sors pas. Je viendrai plus tard.

– Quand?

– Dès que je pourrai. Ne sors pas.

– O.K.

– Promis?

– Promis.

– Au revoir.

Et elle raccrocha.

Je traversai une nouvelle fois le pub, visions de meubles tachés de sang, de trous et de têtes.

J'ai averti, donc c'est votre faute et la leur.

Je m'assis.

– Ça va ?

– Bien, mentis-je.

– On dirait pas.

– Donc ils ont arrêté quelqu'un ?

– Ouais.

– Qui ?

– Aucune idée.

– Allons.

– Honnêtement. Personne ne le sait, seulement les huiles.

– Pourquoi ce secret ?

– Je te le dis, j'en ai aucune idée.

– Mais ils disent que ce n'est pas l'Éventreur ?

– C'est ce qu'ils disent.

– Et à ton avis ?

– Aucune idée, Jack. C'est bizarre.

– Tu as entendu parler d'autre chose ? N'importe quoi.

– Combien ?

– J'irai jusqu'à cinquante si c'est bon.

– Il y a des gars qui croient que des types ont été suspendus, mais je ne t'ai rien dit.

– À cause de ça ?

– Oui, c'est ce que disent les gars d'ici.

– À Millgarth ?

– C'est ce qu'ils disent.

– Qui ?

– L'inspecteur Rudkin, ton pote Fraser et l'agent Ellis.

– Ellis ?

– Mike Ellis. Un gros crétin avec une grande gueule.

– Je ne le connais pas. Et, d'après les gars, ils ont buté cette femme, à Bradford ?

– J'ai pas dit ça, Jack. Ils ont été suspendus, c'est tout ce que je sais.

– Merde.

– Oui.

– Ça t'étonne ?

– Rudkin non. Fraser oui. Ellis ouais, mais, de toute façon, tout le monde le hait.

– Un con ?

– Total.

– Mais tout le monde savait que Rudkin était pourri ?

– C'est pas pour rien que les gars le surnomment Harry.

– Merde. Comment ?

– Quand il était aux Mœurs, il ne se contentait pas de nettoyer les rues.

– Et Fraser ?

– Tu le connais, c'est Monsieur Propre. La Chouette l'a toujours aidé et tout.

– Maurice Jobson ? Pourquoi ?

– Fraser est marié avec la fille de Bill Molloy, pas vrai ?

– Merde, je soupirai. Et Bill le Blaireau a le cancer, hein ?

– Oui.

– Intéressant.

– Si tu le dis, fit Wilson, qui haussa les épaules.

Coup d'œil sur ma montre.

– Vaudrait mieux ranger ça, dit-il en désignant la feuille de papier posée sur la table.

J'acquiesçai, la mis dans ma poche, sortis mon portefeuille.

Je comptai les billets sous la table, lui donnai cinquante livres.

– C'est parfait, monsieur, dit-il, m'adressant un clin d'œil et se levant.

– La moindre chose, Samuel, tu m'appelles ?

– Compte là-dessus.

– Je suis sérieux. Si c'est lui, je veux être le premier informé.

– Pigé.

Puis il boutonna son imperméable et s'en alla.

Je jetai un coup d'œil sur ma montre et me dirigeai vers le téléphone.

– Bill ? Jack.

– Qu'est-ce que tu as appris ?

– C'est bizarre, ça c'est sûr. Le cadavre d'une prostituée sous un canapé, à Bradford.

– Je te l'avais dit, Jack. Je te l'avais dit.

– Mais ils prétendent que ce n'est pas l'Éventreur.

– Dans ce cas pourquoi nous le cachent-ils ?

– Je ne sais pas, mais, et ce n'est qu'une déduction, des gros bonnets ont déconné et il y a eu des suspensions.

– Vraiment ?

– C'est ce qu'on raconte à Millgarth.

– Qui ?

– Le sergent Fraser, pour commencer. John Rudkin et quelqu'un d'autre.

– L'inspecteur Rudkin ? Pourquoi ?

– Je n'en sais rien. Ça n'a peut-être rien à voir, mais ça semble bizarre, hein ?

– Ouais.

– Je connais un type qui nous avertira dès qu'il entendra parler de quelque chose.

– Bon. Je mets la une en attente.

– Mais il vaut mieux que tu n'expliques pas pourquoi.

– Tu vas toujours à Manchester ?

– Je crois, ouais. Mais je passerai par Bradford en rentrant.

– Reste en contact, Jack.

– Salut.

Dans le train, je fumai, bus une canette de bière tiède, pris un sandwich, feuilletai un livre de poche : *Jack the Ripper : the final solution.*

Après Huddersfield, je somnolai, mauvaise bière et sommeil assorti, me réveillai dans les collines et sous la pluie, cheveux collés contre la vitre sale, l'esprit à la dérive.

Coup d'œil sur ma montre, il est 7 h 07.

Je suis dans les Moors, je traverse les Moors à pied, et j'arrive devant un fauteuil, un fauteuil en cuir à haut dossier, et une femme en blanc est à genoux devant le fauteuil, mains jointes en une prière angélique, cheveux sur le visage.

Je me penche, écarte les cheveux, et c'est Carol, puis Ka Su Peng. Elle se lève et montre le milieu de la longue robe blanche, un mot écrit d'un doigt ensanglanté :

livE [1].

Et là, dans les Moors, dans le vent et la pluie, elle passe la robe blanche par-dessus sa tête, découvre son ventre jaune enflé, puis elle remet la robe, à l'envers, le mot écrit d'un doigt ensanglanté devenant :

Evil [2].

Et un petit garçon en pyjama bleu sort de derrière le fauteuil à haut dossier et l'entraîne dans les Moors, et je reste là, dans le vent et la pluie, jette un coup d'œil sur ma montre, elle s'est arrêtée :

7 h 07.

Je me réveillai, la tête contre la vitre, et jetai un coup d'œil sur ma montre.

Je pris la serviette et m'enfermai dans les toilettes.

Je m'assis sur la cuvette instable et sortis la revue porno.

Spunk.

Clare Strachan dans toute sa putain de splendeur.

1. Vis. (*N.d.T.*)
2. Mal. (*N.d.T.*)

De nouveau la queue raide, je vérifiai l'adresse puis retrouvai ma place et le sandwich entamé.

De Stalybrige à Manchester, je tentai de mettre de l'ordre dans les conneries de Wilson, relus le mémo d'Oldman, me demandai ce que Fraser avait bien pu faire, certain que, par les temps qui couraient, on pouvait être suspendu pour un rien.

Corruption et mauvaises fréquentations, heures supplémentaires trafiquées et fausses notes de frais, travail administratif saboté ou absence de travail administratif.

Ce con de John Rudkin exerçant une mauvaise influence sur ce con de Monsieur Propre.

Dans l'impossibilité de comprendre, je me tournai à nouveau vers la vitre, la pluie et les usines, les films d'horreur locaux, me souvins des photos de camps de concentration que mon oncle avait rapportées de la guerre.

J'avais quinze ans à la fin de la guerre et maintenant, en 1977, j'étais dans un train, la tête contre la vitre noire, cette saloperie de pluie, ce putain de Nord, me demandai si celle-là finirait un jour.

Je pensais à Martin Laws et à *L'Exorciste* quand on arriva à Victoria.

Dans la gare, directement au premier téléphone.
– Du nouveau ?
– Rien.
Hors de Victoria, direction Oldham Street.

Le 270 Oldham Street, noir et taché de pluie, sacs poubelle pourrissant empilés devant, MJM Publishing au troisième étage.

Je m'arrêtai au pied de l'escalier et secouai mon imperméable.

Trempé, je gravis les marches.

Je frappai à la porte à double battant et entrai.

C'était un grand bureau, plein de meubles bas, presque vide. Au fond, la porte d'un autre bureau.

Une femme était assise derrière une table près de la porte, une vieille bique qui tapait à la machine.

Je m'immobilisai près du comptoir bas et toussai.

– Oui ? dit-elle sans lever la tête.

– Je voudrais voir le propriétaire, s'il vous plaît.

– Le quoi ?

– Le patron.

– Vous êtes qui ?

– Jack Williams.

Elle haussa les épaules, décrocha le vieux téléphone posé sur son bureau.

– Il y a quelqu'un qui veut voir le patron. S'appelle Jack Williams.

Elle écouta, hocha la tête, couvrit le micro, demanda :

– Qu'est-ce que vous voulez ?

– C'est pour affaires.

– Pour affaires, répéta-t-elle, puis elle hocha une nouvelle fois la tête, demanda : Quelles affaires ?

– Des commandes.

– Des commandes, dit-elle, puis elle hocha une dernière fois la tête, raccrocha.

– Alors ? je dis.

Elle leva les yeux au ciel.

– Laissez votre nom et votre numéro, il vous rappellera.

– Mais je viens de Leeds.

Elle haussa les épaules.

– Putain de chiotte, je dis.

– Ouais, fit-elle.

– Je peux au moins avoir son nom ?

– Sa Grandeur et Sa Toute-Puissance, dit-elle en arrachant la feuille glissée dans la machine à écrire.

Je me lançai :

– Je me demande comment vous pouvez travailler pour ce genre de type.

– Je n'ai pas l'intention de continuer très longtemps.

– Vous vous barrez ?

Elle cessa de feindre de travailler et sourit :

– Vendredi prochain.

– Tant mieux pour vous.

– J'espère.

Je dis :

– Vous voulez gagner quelques livres, en prévision de votre retraite ?

– Ma retraite ? Vous non plus, petit malin, vous n'avez pas l'air tout jeune.

– Quelques livres pour arrondir la fin du mois.

– Seulement quelques ?

– Vingt ?

Elle gagna l'avant du bureau, vague sourire aux lèvres.

– Qui êtes-vous, en réalité ?

– Un concurrent, disons.

– Dites ce que vous voulez en échange de vingt livres.

– Vous allez m'aider ?

Elle se tourna brièvement vers la porte du fond, m'adressa un clin d'œil :

– Ça dépend de ce que vous voulez, hein ?

– Vous connaissez votre revue, *Spunk* ?

Elle leva une nouvelle fois les yeux au ciel, gonfla les lèvres, acquiesça.

– Vous avez la liste des mannequins ?

– Les *mannequins* ?

– Vous savez ce que je veux dire.

– Ouais.

– Ouais ?

– Ouais.

– Les adresses et les numéros de téléphone ?

– Probablement, si elles sont passées en comptabilité mais, croyez-moi, je doute qu'elles y soient toutes.

– Si vous pouviez me procurer leurs noms et d'autres informations, peu importe lesquelles, ce serait formidable.

– Pourquoi vous voulez ça ?

Je jetai un coup d'œil sur la porte de l'autre bureau et je dis :

– Écoutez, j'ai vendu plein de vieux *Spunk* à Amsterdam. J'en ai tiré un putain de paquet de pognon. Si Votre Grandeur est trop occupé pour en prendre sa part, je vais voir si je ne peux pas me lancer.

– Vingt livres ?

– Vingt livres.

Elle dit :

– Je ne peux pas le faire maintenant.

Je jetai un coup d'œil sur ma montre.

– Vous finissez à quelle heure ?

– Cinq heures.

– Au pied de l'escalier à cinq heures.

– Vingt livres ?

– Vingt livres.

– À tout à l'heure.

Dans une cabine téléphonique rouge de Piccadilly Bus Station, je composai un numéro.

– C'est moi.

– Où es-tu ?

– Toujours à Manchester.

– Tu rentres à quelle heure ?

– Dès que possible.

– Je mettrai quelque chose de joli.

Dehors, la pluie tombait toujours, la cabine rouge prenait l'eau.

J'étais déjà venu ici, dans cette même cabine, vingt-cinq ans auparavant, avec ma fiancée, on attendait le car d'Altrincham où on allait voir sa tante, et elle avait une bague au doigt, le mariage une semaine plus tard.

– Salut, dis-je, mais elle était déjà partie.

Je sortis sous les hallebardes de flotte, traînai quelques heures dans Piccadilly, traînai dans les cafés, m'assis dans des box humides avec du mauvais café, attendis, regardai des silhouettes noires et maigres danser sous la pluie, esquivant les gouttes, les souvenirs, la souffrance, comme on le fait tous.

Coup d'œil sur ma montre.

L'heure d'y aller.

Un peu avant cinq heures, je trouvai une autre cabine téléphonique dans Oldham Street.

– Du nouveau ?

– Rien.

*

À cinq heures moins cinq j'étais au pied de l'escalier, absolument trempé.

Dix minutes plus tard, elle descendit.

– Il faut que je remonte, dit-elle. Je n'ai pas fini.

– Avez-vous mes renseignements ?

Elle me donna une enveloppe.

Je jetai un coup d'œil à l'intérieur.

Elle dit :

– Tout y est. Tout ce qu'il y a.

– Je vous crois, et je lui donnai un billet de vingt livres plié.

– Un plaisir de travailler avec vous, blagua-t-elle avant de reprendre l'escalier.

– Je n'en doute pas, dis-je, je n'en doute pas.

J'allai à Victoria, où on me dit que le train pour Bradford partait de Piccadilly.

Je courus sous les hallebardes, terminai le trajet en taxi.

Il était presque six heures quand j'arrivai, mais il y avait un train toutes les heures et je réussis à le prendre.

Le wagon puait les vêtements mouillés et le tabac froid, et je dus partager une table avec un vieux

335

couple de Pennistone ainsi que leurs sandwiches trempés de sueur.

La femme sourit, je lui rendis son sourire et le mari mordit dans une grosse pomme rouge.

J'ouvris l'enveloppe, en sortis les minces feuilles de papier pelure, trois en tout.

C'était le récapitulatif de paiements effectués en liquide ou par chèque entre février 1974 et mars 1976, paiements destinés à des labos photo, des fournisseurs de produits chimiques, des photographes, des fabriques de papier, des ateliers de composition et des mannequins.

Des mannequins.

Je parcourus la liste, le souffle court.

Christine Bowen	*Teresa Lane*	*Mary Shore*
Catherine Macey	*Alison Wilcox*	*Marcella Oldroyd*
Susan Baker	*Jane O'Neill*	*Carolyn Ellis*
Tracy Olsen	*Sharon Pearson*	*Gaye Catton*
Nicola Knox	*Liz McDonald*	*Helen Mills*
Fiona Sutton	*Heidi Toyer*	*Patricia Oscroft*
Linda Shay	*Michelle May*	*Mona Balston*
Stephanie White	*Melanie Freeman*	*Julia Toy*
Jane Hogan	*Emily Radford*	*Grace Dalgliesh*
Barbara Miller	*Jane Dixon*	*Sarah Raine*
Clare Morrison	*Jane Ryan*	*Sue Penn*

Tout s'arrêta, net.

Clare Morrison, également connue sous le nom de Strachan.

Tout s'arrêta.

Je sortis le mémo d'Oldman.

Jane Ryan, lire Janice.

Tout...

Sue Penn, lire Su Peng.

S'arrêta...

Lire Ka Su Peng.

Net.

Là, dans ce train, ce train des larmes qui rampait sur ces enfers à vif, ces petits enfers nus, ces petits enfers nus tout ornés de clochettes minuscules, minuscules, là, dans ce train, écoutant les clochettes tinter pendant la fin du monde :

1977.

1977, l'année où le monde s'est brisé.

Mon monde :

La vieille femme assise du côté opposé de la table termine le dernier sandwich et froisse le papier d'aluminium en une boule minuscule, minuscule, œuf et fromage sur ses fausses dents, miettes de pain collées sur la poudre de son visage, et elle me sourit, visage de gargouille, son mari perdant ses dents dans cette grosse pomme rouge, ce gros monde rouge, rouge, rouge.

1977.

1977, l'année où le monde est devenu rouge.

Mon monde :

Il fallait que je voie les photos.

Le train se traînait.

Il fallait que je voie les photos.

Le train s'arrêta à nouveau dans une gare.

Les photos, les photos, les photos.

Clare Morrison, Jane Ryan, Sue Penn.

Je pleurais et je voulais cesser, je voulais me reprendre en main mais, quand je tentai de le faire, je glissai entre mes propres doigts.

Il manquait quelque chose.

1977.

1977, l'année où le monde est devenu liquide.

Mon monde :

Coulant, jusqu'au fond de la mer, mieux vaut la mort, ce fond amer, amer, ces vagues sous-marines secrètes qui m'ont remonté, gonflé, du fond de la mer.

Échoué, lessivé.

1977.

1977, l'année où le monde s'est noyé.

Mon monde :

1977 et il fallait que je voie les photos, j'avais besoin de voir les photos, les photos.

1977, l'année...

1977.

Mon monde :

Une photo imaginée.

Mettrai quelque chose de joli.

Je ne m'arrêtai pas à Bradford, pris simplement la correspondance pour Leeds, nouveau train poussif qui traversait l'enfer, l'enfer.

L'enfer.

À Leeds, sous la pluie noire, je courus dans Boar Lane, trébuchai, traversai l'enceinte, titubai, pris Briggate, m'effondrai dans Joe's Adult Books.

– *Spunk* ? Les vieux numéros ?

– Près de la porte.

– Tu les as tous ?

– Je ne sais pas. Jette un coup d'œil.

À genoux près de la pile, mettant les doubles de côté, gardant tous les autres numéros, serrant leurs emballages en plastique.

– C'est tout ?

– Il y en a peut-être quelques-uns derrière.

– Je les veux.

– D'accord, d'accord.

– Tous.

Je restai immobile, debout, tandis que Joe gagnait l'arrière-boutique, immobile dans la lumière vive et

338

rose, les voitures dehors, sous la pluie, les clients qui feuilletaient, me regardaient en catimini.

Joe revint, six ou sept revues à la main.

– C'est tout ?

– Tu dois les avoir tous.

Je baissai la tête, vis que j'en avais treize ou quatorze.

– Ça paraît toujours ?

– Non.

– Combien ?

Il voulut me les prendre, mais finit par dire :

– Tu en as combien ?

Je les comptai, les posant puis les ramassant jusqu'au moment où je dis :

– Treize.

– Huit livres quarante-cinq.

Je lui donnai un billet de dix.

– Tu veux un sac ?

Mais j'étais parti.

Dans les toilettes de Market, porte de la cabine verrouillée, sur le dallage, déchirant les emballages en plastique, je feuilletai frénétiquement, regardai rapidement les images et les photos, photos de culs, de nichons, de chattes, de clitos, parties poilues, parties crasseuses, parties rouge sang. Jusqu'à ce que j'arrive aux... parties jaunes.

C'est pour ça que des gens meurent.

C'est pour ça que des gens.

C'est pour ça.

Debout dans une autre cabine, je composai un numéro.

– George Oldman, s'il vous plaît.

– De la part de qui ?

– Jack Whitehead.

– Un instant.

Debout dans la cabine, j'attendis.

– Monsieur Whitehead ?

– Oui.

– Les services de monsieur Oldman, le directeur adjoint, n'acceptent plus les appels de la presse. Veuillez appeler l'inspecteur Evans au...

Je raccrochai et dégueulai dans la cabine téléphonique rouge.

Sur mon lit, un lit de papier et de pornographie, en prière, le téléphone sonnant, sonnant et sonnant, la pluie contre les vitres tombant, tombant et tombant, le vent dans les embrasures soufflant, soufflant et soufflant, quelqu'un frappant à la porte, frappant, frappant et frappant.

– Qu'est devenu notre jubilé ?

– Il est fini.

– À la rémission et au pardon, la fin de la pénitence ?

– Je ne peux pas pardonner ce que je ne connais même pas.

– Moi si, Jack. Il le faut.

Le téléphone sonnait, sonnait et sonnait, et elle était toujours près de moi, sur le lit.

Je soulevai sa tête afin de dégager mon bras, de me lever.

Pieds nus, je m'approchai du téléphone.

– Martin ?

– Jack ? C'est Bill.

– Bill ?

– Merde, Jack. Où tu étais ? C'est le bordel total.

Debout dans le noir, je hochai la tête.

– Il apparaît que la prostituée tuée à Bradford était la petite amie de Fraser et que c'est lui qu'ils détiennent.

Je me retournai vers le lit, vers elle qui était toujours dessus.

Jane Ryan, lire Janice.

Mais il disait :

– Et puis Bradford a reçu une lettre de l'Éventreur et ils n'ont pas averti Oldman, ils n'ont averti personne et l'ont publiée, putain, dans l'édition du matin, vendue au *Sun*.

Je restai immobile dans le noir.

– Jack ?

– Merde.

– Un océan de merde, mon pote. Il faudrait que tu viennes.

Je m'habillai dans la lumière de l'aube, la pâle lumière, la laissai sur le lit.

Dans l'escalier, je jetai un coup d'œil sur ma montre.

Elle était arrêtée.

Dehors, je gagnai l'épicerie paki du carrefour, achetai le *Telegraph & Argus*.

Je m'assis sur un muret, adossé à une haie, et lus :

LETTRE DE L'ÉVENTREUR À OLDMAN ?

Hier matin, le Telegraph & Argus *a reçu la lettre qui suit, envoyée par un homme qui affirme être l'Éventreur du Yorkshire.*

Les analyses réalisées par des spécialistes indépendants et les informations fournies par une source policière digne de confiance ont conduit la rédaction du Telegraph & Argus *à estimer que cette lettre était authentique et que cet homme en avait déjà envoyé d'autres.*

La rédaction du Telegraph & Argus *considère cependant que la population britannique a le droit de se forger sa propre opinion.*

341

Cher George,

Je regrette de ne pouvoir, pour des raisons évidentes, vous indiquer mon nom. La presse me traite de dément, mais pas vous, qui dites que je suis intelligent, parce que vous savez qui je suis. Vous et vos gars, vous pataugez, cette photo dans le journal m'a fait tordre de rire et ce truc sur mon suicide, aucune chance. J'ai des choses à faire. Mon but est de débarrasser les rues de ces salopes. Mon seul regret est la petite Johnson, savais pas parce qu'elle a changé ses habitudes ce soir-là, mais je vous avais averti et XXXX XXXXXXXXX *au Post.*

Cinq, maintenant, d'après vous, mais il y a une surprise à Bradford, je bouge, vous savez.

Dites aux putains de pas sortir, parce que je sens que ça me reprend.

Désolé pour la jeune fille.

Respectueusement.

Jack l'Éventreur.

J'écrirai peut-être encore plus tard, suis pas sûr que la dernière le méritait vraiment. Les putains sont de plus en plus jeunes. Une vieille salope, la prochaine fois, j'espère.

Titre suivant :
LA POLICE ET LE *POST* SAVAIENT-ILS ?

Assis sur le muret, la bouche pleine de bile, du sang sur les mains, en larmes.

C'est pour ça que des gens meurent.
C'est pour ça que des gens.
C'est pour ça.

L'auditeur : Ils vont autoriser ce fichu Neilson, ce Black Panther, à faire appel, hein.

John Shark : Vous êtes contre, hein, Bob ?

L'auditeur : Ça me fait doucement rigoler. Ils enferment tous ces crétins de flics et ils libèrent ces putains de criminels.

John Shark : Vous croyez que vous verrez la différence ?

L'auditeur : Bien vu, John. Bien vu.

The John Shark Show
Radio Leeds
Mardi 14 juin 1977

18

J'ouvre les yeux et je dis :
– Ce n'est pas moi.
Et John Piggott, mon avocat, écrase sa cigarette et dit :
– Bob, Bob, je sais que ce n'est pas vous.
– Dans ce cas, putain, faites-moi sortir.

Je ferme les yeux et je dis :
– Mais ce n'est pas moi.
Et John Piggott, mon avocat, un an de moins que moi et trente kilos de plus, dit :
– Bob, Bob, je sais.
– Dans ce cas, putain, pourquoi faudra-t-il que je me présente tous les matins à la taule de Wood Street ?
– Bob, Bob, acceptons et vous pourrez sortir.
– Mais ça signifie qu'ils peuvent me coffrer quand ils veulent et me ramener ici.
– Bob, Bob, ils peuvent le faire de toute façon. Vous le savez.
– Mais ils ne vont pas m'inculper.
– Non.
– Seulement me suspendre sans traitement et m'obliger à me présenter tous les matins jusqu'au

moment où ils trouveront le moyen de me faire porter le chapeau.

– Oui.

Le flic de la réception, le sergent Wilson, me donne ma montre et la monnaie provenant de la poche de mon pantalon.

– Va pas prendre un billet pour Rio.

Je dis :

– Ce n'est pas moi.

– Personne n'a dit que c'était toi.

– Alors ferme ta gueule.

Et je m'éloigne, John Piggott me tenant la porte. Mais Wilson crie :

– Oublie pas : demain matin à dix heures à Wood Street.

Sur le parking, le parking désert, John Piggott ouvre la portière de sa voiture.

– Respirez profondément, dit-il, mettant ses paroles en pratique.

Je monte en voiture et on démarre, encore Hot Chocolate à la radio.

John Piggott s'arrête dans Tammy Hall Street, à Wakefield, juste en face du poste de police de Wood Street.

– Il faut que j'aille chercher quelque chose, dit-il, puis il entre dans le vieil immeuble, prend l'escalier conduisant aux bureaux de l'étage.

Je reste dans la voiture, pluie sur le pare-brise, radio allumée, Janice morte et j'ai l'impression que je me suis déjà trouvé là.

Et qu'il était de toi.

– Où on va ? demande Piggott en montant.

– Au Redbeck ?

– Dans Doncaster Road ?

– Ouais.

345

Elle s'allongea près de moi sur le plancher de la chambre 27 et j'eus l'impression d'être grisâtre, fini.

Je ferme les yeux et elle est sous eux, attend.

Elle se tenait devant moi, crâne fracturé et poumons perforés, enceinte, étouffée.

J'ouvre les yeux et je me passe de l'eau froide sur le visage, sur le cou, grisâtre, fini.

John Piggott entre avec deux thés et un sandwich aux frites.

Il empuantit la chambre, ce sandwich.

– Qu'est-ce que c'est que ce putain d'endroit ? demande-t-il, les yeux ici et là.

– Un endroit, c'est tout.

– Vous l'avez depuis combien de temps ?

– Il n'est pas vraiment à moi.

– Mais vous avez la clé.

– Ouais.

– Ça doit coûter une putain de fortune.

– C'est pour un ami.

– Qui ?

– Eddie Dunford, le journaliste.

– Il a mis les bouts ?

– Non.

Je sortis du vieil ascenseur, me retrouvai sur le palier.

Je suivis le couloir, moquette élimée, murs sales, odeur.

J'arrivai devant une porte et m'arrêtai.

Chambre 77.

Je me réveille et Piggott dort toujours, coincé sous le lavabo.

Je compte les pièces et sors sous la pluie, col relevé.

346

Dans le hall d'entrée, sous la lumière clignotante, je compose un numéro.

– Jack Whitehead, s'il vous plaît ?

– Un instant.

Dans le hall d'entrée, sous l'enseigne clignotante, j'attends, tout est devenu silencieux.

– Jack Whitehead à l'appareil.

– Ici Robert Fraser.

– Où êtes-vous ?

– Au Redbeck, juste à la sortie de Wakefield, dans Doncaster Road.

– Je connais.

– Il faut que je vous voie.

– Moi aussi.

– Quand ?

– Donnez-moi une demi-heure.

– Chambre 27. Sur l'arrière.

– D'accord.

Dans le hall d'entrée, sous l'enseigne clignotante, je raccroche.

J'ouvre la porte, Piggott réveillé, j'apporte un seau de pluie avec moi.

– Où vous étiez ?

– Au téléphone.

– Louise ?

– Non.

Et je comprends que j'aurais dû.

– Qui avez-vous appelé ?

– Jack Whitehead.

– Du *Post* ?

– Ouais. Vous le connaissez ?

– J'ai entendu parler de lui.

– Et ?

– Le jury n'a pas fini de délibérer.

– J'ai besoin d'un ami, John.

– Bob, Bob, je suis là.

– J'ai besoin de tous ceux sur qui je peux compter.

– Bon, méfiez-vous. C'est tout.

– Merci.

– Méfiez-vous.

On frappe.

Piggott se crispe.

Je gagne la porte, dis :

– Ouais ?

– C'est Jack Whitehead.

J'ouvre et il est là, sous la pluie et dans les lumières des camions, imperméable sale et sac en plastique.

– Vous allez me faire entrer ?

J'ouvre complètement la porte.

Jack Whitehead pénètre dans la chambre 27, regarde Piggott puis les murs.

– Nom de Dieu.

Il siffle.

John Piggott tend la main et dit :

– John Piggott. Je suis l'avocat de Bob. Vous êtes Jack Whitehead, du *Yorkshire Post* ?

– Exact, dit Whitehead.

– Asseyez-vous, je dis, montrant le matelas.

– Merci, dit Jack Whitehead, et on s'accroupit comme une bande de putains d'Indiens.

– Ce n'est pas moi, je dis.

Mais Jack a du mal à ne pas fixer le mur.

– Très bien.

Il hoche la tête et ajoute :

– Je n'ai pas cru un instant que c'était vous.

– Qu'est-ce que vous avez entendu dire ? demande Piggott.

Jack Whitehead hoche la tête dans ma direction.

– Sur lui ?

– Ouais.

– Pas grand-chose.

– À savoir ?

348

– Tout d'abord, on a appris qu'il y avait eu un autre meurtre, à Bradford, tout le monde là-bas disait que c'était l'Éventreur, ses potes n'ont rien dit et puis, tout d'un coup, ils suspendent trois policiers. C'est tout.

– Et ensuite ?

– Ensuite, ça, dit Whitehead, qui sort un journal plié de la poche de sa veste et le déplic sur le plancher.

Je fixe le titre :

LETTRE DE L'ÉVENTREUR À OLDMAN ?

Et la lettre.

– On est au courant, dit Piggott.

– Je n'en doute pas, fait Whitehead, souriant.

– Une surprise à Bradford, je souffle.

– Ça vous met plus ou moins hors de cause.

– Logiquement, acquiesce Piggott.

Whitehead dit :

– Vous croyez que c'est l'Éventreur ?

– Qui l'a tuée ? demande Piggott.

Whithead hoche la tête et ils se tournent tous les deux vers moi.

Je ne peux penser à rien, sauf qu'elle était enceinte et que, maintenant, elle est morte.

Tous les deux.

Morts.

Finalement, je dis :

– Ce n'est pas moi.

– J'ai autre chose. Un élément nouveau, dit Whitehead, qui retourne le sac en plastique, d'où tombe une pile de revues.

– Qu'est-ce que c'est que ça ? fait Piggott qui prend une revue porno.

– *Spunk*. Vous connaissez ? me demande Whitehead.

– Ouais, je dis.

– Comment ?

– Je ne m'en souviens pas.

349

– Il faut que vous vous en souveniez, dit-il, puis il me donne une revue ouverte sur une blonde décolorée, jambes écartées, bouche ouverte, yeux fermés, doigts boudinés dans la chatte et le cul.

Je lève la tête.

– Ça vous dit quelque chose ?

J'acquiesce.

– Qui est-ce ? demande Piggott, qui fixe la revue à l'envers.

Je dis :

– Clare Strachan.

– Qui se faisait également appeler Morrison, ajoute Jack Whitehead.

Moi :

– Assassinée à Preston en 1975.

– Et elle ? Vous la connaissez ? me demande-t-il, et il me montre une autre femme, orientale, cheveux noirs, jambes écartées, bouche ouverte, yeux fermés, doigts minces dans la chatte et le cul.

– Non, je dis.

– Sue Peng, Ka Su Peng ?

Moi :

– Agressée à Bradford en octobre 1976.

– Ce jeune homme mérite un prix, souffle Whitehead, qui me donne une troisième revue.

Je l'ouvre.

– Page 7, dit-il.

Je vais à la page 7, vois une jeune femme aux cheveux noirs, jambes écartées, bouche ouverte et yeux fermés, une queue devant le visage, du foutre sur les lèvres.

– Qui est-ce ? demande Piggott.

– Je regrette, dit Jack Whitehead.

Piggott demande à nouveau :

– Qui est-ce ?

Mais la pluie, dehors, est forte, assourdissante, comme les portières des camions qu'on claque, l'une après l'autre, sur le parking, interminablement.

Pas de nourriture, pas de sommeil, seulement des cercles :

Sa chatte.

Sa bouche.

Ses yeux.

Son ventre.

Pas de nourriture, pas de sommeil, seulement des secrets :

Dans sa chatte.

Dans sa bouche.

Dans ses yeux.

Dans son ventre.

Des cercles et des secrets, des secrets et des cercles.

Je demande :

– MJM Publishing ? Vous avez enquêté dessus ?

– J'y suis allé il y a deux jours, dit Whitehead.

– Et ?

– Un éditeur de porno ordinaire. J'ai donné vingt livres à une employée mécontente en échange des noms et des adresses.

John Piggott demande :

– Comment avez-vous été mis au courant ?

– De *Spunk* ?

– Ouais.

– Un tuyau anonyme.

– Anonyme comment ?

– Jeune type. Skinhead. Il a dit qu'il avait connu Clare Strachan quand elle se faisait appeler Morrison et vivait ici.

Je dis :

– Vous avez un nom ?

– Celui du type ?

– Ouais.

– Barry James Anderson, et je l'avais déjà vu. Il est d'ici. Il est sûrement dans les archives.

J'avale ma salive ; *BJ*.

— Quelles archives ? demande Piggott, qui tente de nous rattraper, des années de retard.

— Vous ne pourriez pas voir Maurice Jobson, insiste Whitehead, sans tenir compte de Piggott. La Chouette vous a pris sous son aile, hein ?

Je secoue la tête.

— J'en doute maintenant.

— Vous lui avez parlé de ça ?

— Après notre dernière entrevue, j'ai tenté de sortir les dossiers.

— Et ?

— Disparus.

— Merde.

— Un inspecteur, John Rudkin, mon putain de patron, les a pris en avril 1975.

— Avril 75 ? Strachan n'était pas morte.

— Ouais.

— Et il ne les a jamais rapportés ?

— Non.

— Même après la mort de Strachan ?

— Il ne les a même jamais mentionnés.

— Et vous avez dit tout ça à Maurice Jobson ?

— Il a compris quand il a essayé de sortir les dossiers.

— Quels dossiers ? demande une nouvelle fois Piggott.

Whitehead, pied au plancher, à nouveau sans tenir compte de lui :

— Qu'est-ce que Maurice a fait ?

— Il m'a dit qu'il s'en occuperait. Je n'ai revu Rudkin qu'au moment où ils m'ont coffré.

— Il a dit quelque chose ?

— Rudkin ? Non, il m'a simplement mis un pain dans la figure.

— Et il est suspendu ?

— Ouais, dit Piggott, enfin une question à laquelle il peut répondre.

– Vous l'avez vu ?

– Il ne peut pas, dit Piggott. C'est une des conditions de sa libération. Pas de contact avec Rudkin et Ellis.

– Et Maurice ?

– Ça va.

– Vous devriez les lui montrer, dit Whitehead, geste vague vers le tapis de pornographie.

– Je ne peux pas, je dis.

– Pourquoi ?

– Louise, je dis.

– Votre femme ?

– Ouais.

– La fille du Putois, fait Whitehead, souriant.

Piggott :

– Est-ce que vous allez me dire de quels putains de dossiers vous parlez ? Je crois qu'il faudrait que je sache...

Mécaniquement, je réponds :

– Clare Strachan a été arrêtée à Wakefield, sous le nom de Morrison, en 1974, pour racolage, et elle a été témoin dans une enquête sur un meurtre.

– L'enquête sur le meurtre de qui ?

Jack Whitehead regarde les murs de la chambre 27, les photos des mortes, les photos des petites filles mortes, et dit :

– Celui de Paula Garland.

– Bordel de Dieu.

– Ouais, on dit à l'unisson.

Jack Whitehead revient avec trois tasses de thé.

– Je vais aller voir Rudkin, dit-il.

– Il y a quelqu'un d'autre, je dis.

– Qui ?

– Eric Hall.

– Les Mœurs de Bradford ?

J'acquiesce.

– Vous le connaissez ?

– J'ai entendu parler de lui. Suspendu, hein ?

– Ouais.

– Qu'est-ce qu'il a fait ?

– C'était le maquereau de Janice.

– C'est pour ça qu'il est suspendu ?

– Non. À cause de la bande de Peter Hunter.

– Et vous croyez que je devrais aller le voir ?

– Il sait forcément quelque chose, je dis en montrant une nouvelle fois les revues.

– Vous avez leurs adresses personnelles ?

– Celles de Rudkin et Hall ?

Il acquiesce et je les lui note sur un morceau de papier.

– Vous devriez voir le superintendant Jobson, me dit Piggott.

– Non, je fais.

– Pourquoi ? Vous avez dit que vous aviez besoin du plus grand nombre possible d'amis.

– Il faut d'abord que je voie Louise.

– Ouais, dit soudain Jack Whitehead. Vous devriez être avec votre femme. Votre famille.

– Vous êtes marié ? je lui demande.

– Je l'ai été, dit-il. Il y a longtemps.

Debout dans le hall d'entrée, sous l'enseigne clignotante, je meurs.

– Louise ?

– Désolée, c'est Tina. C'est Bob ?

– Ouais.

– Elle est à l'hôpital. C'est presque fini.

Dans le hall d'entrée, sous l'enseigne clignotante, j'attends, tout fini.

– Bob ? Bob ?

Dans le hall, sous les clignotements, je raccroche.

L'auditeur : Ils ont fait ce qu'il fallait, en France, pour une fois.

John Shark : Comment ça ?

L'auditeur : Un type a violé et tué une dame de quatre-vingts ans et ils ont guillotiné le mec.

John Shark : Vous aimeriez qu'on importe un peu de cette justice française ici, n'est-ce pas ?

L'auditeur : Justice française ? C'est un habitant du Yorkshire qui a inventé la guillotine, John. Tout le monde le sait.

The John Shark Show
Radio Leeds
Mercredi 15 juin 1977

19

Sur le parking du Redbeck, entre deux camions de Bird's Eye, pris de vertige à cause de cette chambre et des choix :

Voir Rudkin et Hall ou filer Fraser.

Pile ou face.

Pile.

Je sortis la feuille griffonnée que Fraser m'avait donnée.

Rudkin habitait près, Eric Hall loin.

Rudkin pourri, Hall plus pourri.

Hall pourri, Rudkin plus pourri.

Pile ou face.

Regardant la chambre, de l'autre côté du parking.

Cette chambre, ces souvenirs.

Ce qui était écrit sur ces murs gémissants.

Eddie, Eddie, Eddie, on en revient toujours à Eddie.

Dans le rétroviseur, Carol attendait, sur la banquette arrière ; chair blanche et os meurtris, cheveux rouges et os cassés, images du mur, images des murs de l'enfance, images de la rue des souvenirs.

J'étais dans une voiture pleine de femmes mortes, une voiture pleine d'éventreurs, et je lançai à nouveau la pièce de deux pence.

Pile ou face.
Pile.

Durkar, même chose qu'Ossett, même chose que Sandal :

Le Yorkshire blanc...

Longues allées privées et hauts murs.

Je passai devant chez Rudkin, vis deux voitures dans l'allée, m'arrêtai dans Durkar Lane et attendis.

Il était 9 h 30, dans la matinée du 15 juin 1977.

Je me demandai ce que je dirais si je prenais cette allée, sonnais à cette porte :

Excusez-moi, monsieur Rudkin, mais je crois que vous êtes peut-être l'Éventreur du Yorkshire et je me demandais si vous accepteriez de faire quelques commentaires ?

Et, au moment où je pensais ça, une autre voiture s'arrêta dans l'allée.

Cinq minutes plus tard Rudkin sortit de l'allée au volant de sa Datsun 260 bronze, un homme sur le siège du passager, et il prit Durkar Lane.

Je les suivis jusqu'à Wakefield, avec des arrêts aux feux sur tout le trajet, dans Dewsbury Road, d'un bout à l'autre de Shawcross, le long de la pointe, dans Hanging Heaton puis dans Batley, jusqu'au centre, qu'ils traversèrent, pour s'arrêter devant RD News, dans Bradford Road, à la périphérie de Batley.

Batley, même chose que Bradford, même chose que Delhi :

Le Yorkshire noir...

Murs bas et hauts minarets.

Je passai devant RD News, me garai juste après un restaurant chinois, et attendis.

Rudkin et l'autre homme restèrent dans la voiture.

357

Il était 10 h 30 et le soleil était revenu.

Cinq minutes plus tard, une BMW 2002 marron s'arrêta devant la Datsun de Rudkin et deux hommes en descendirent, un Noir et un Blanc.

Je me retournai sur mon siège pour avoir une certitude.

Robert Craven.

L'inspecteur Robert Craven.

Ce sont des policiers exceptionnels que nous remercions du fond du cœur.

Craven et son pote noir gagnèrent la voiture de Rudkin, dont Rudkin et un homme gras descendirent.

Mike Ellis, sûrement.

Puis tous entrèrent dans la boutique, RD News.

Je fermai les yeux et vis à nouveau des fleuves de sang dans une vie de femme, des parapluies ouverts, des averses sanglantes, des flaques de sang, une pluie de hallebardes ensanglantées.

J'ouvris les yeux, ciel bleu, nuages rapides au-dessus des collines, derrière les boutiques.

Je descendis de voiture, traversai la rue, entrai dans une cabine téléphonique.

Je composai le numéro de chez elle.

Elle décrocha :

– Allô ?

– C'est moi.

– Qu'est-ce que tu veux ?

– Je veux savoir. Pour les photos. Il faut que je sache.

– C'était il y a longtemps.

– C'est important.

– Quoi ?

– Tout. Qui les a faites. Qui a organisé les prises de vues. Tout.

– Pas au téléphone.

– Pourquoi ?

– Jack, si je te le dis au téléphone, je ne te reverrai pas.

– Ce n'est pas vrai.

– Vraiment ?

Je restai immobile dans la cabine téléphonique rouge, au milieu du fleuve de sang rouge, sous le ciel bleu, et je regardai la fenêtre qui se trouvait au-dessus du marchand de journaux.

John Rudkin regardait par la fenêtre, une main sur l'encadrement, l'autre sur la vitre, paume ouverte, et souriait d'une oreille à l'autre.

– Jack ?

– Je viendrai.

– Quand ?

– Bientôt.

Et je raccrochai, les yeux rivés sur John Rudkin.

Je regagnai la voiture et attendis.

Une demi-heure plus tard, Rudkin sortit de la boutique, en manches de chemise, veste sur l'épaule, suivi par le gros homme et par Craven.

Le Noir ne sortit pas.

Rudkin, Craven et le gros homme se serrèrent la main, puis Rudkin et le gros homme montèrent dans la Datsun.

Craven leur adressa un signe.

Je restai là, attendis.

Craven retourna dans la boutique de journaux.

Je restai là, attendis.

Dix minutes plus tard, Craven ressortit.

Pas le Noir.

Craven monta dans sa voiture et s'en alla.

Je restai là.

Cinq minutes plus tard, je descendis de voiture et entrai chez le marchand de journaux.

L'intérieur était plus vaste que l'extérieur ne le laissait supposer, on y trouvait du butane et des jouets en plus des journaux et des clopes.

Un jeune Pakistanais se tenait derrière le comptoir.

Je dis :

– Qui est le propriétaire de cette boutique ?

– Pardon ?

– Qui est le patron ? C'est toi ?

– Non, pourquoi ?

– Je me demandais si l'appartement du dessus était à louer.

– Non, il n'est pas à louer.

– Je voudrais laisser mon nom si jamais c'était le cas. Il faudrait que je voie qui ?

– Je ne sais pas, dit-il, réfléchissant, me jaugeant.

Je pris le *Telegraph & Argus* et lui donnai l'argent.

– Le mieux, ce serait de voir monsieur Douglas, dit-il.

– Bob Douglas ?

– Oui, Bob Douglas.

– Merci beaucoup, dis-je et je m'en allai, songeur.

Ce sont des policiers exceptionnels que nous remercions du fond du cœur.

Pensant : merde.

The Pride, à Bradford, tout près du *Telegraph & Argus*. Tom était déjà au bar, il toussait dans sa bière.

Je posai la main sur son épaule et dis :

– Désolé de te mettre dans cette situation.

– Ouais, fit-il souriant. Boire avec l'ennemi est impardonnable.

– On s'assied ? dis-je en montrant de la tête une table proche de la porte.

– Tu ne prends pas un verre ?

– Ne sois pas ridicule, dis-je, et je commandai une pinte, ainsi qu'une autre pour lui.

On s'assit.

– Pas très chouette, fis-je, cet article sur la lettre.

– Je n'y suis pour rien, dit-il, mains ouvertes, sincère.

Je bus une gorgée de bière et dis :

– De toute façon, ce sont des canulars.

– Connerie.

– Ce n'est pas ce putain d'Éventreur qui les a envoyées, c'est moi qui te le dis.

– On les a fait analyser.

– On ? Je croyais que tu n'y étais pour rien.

– Il y avait des preuves et tout.

– Sans importance. Ce n'est pas pour ça que j'ai téléphoné.

– Continue, dit-il, se détendant, soulagé.

– J'ai besoin d'informations sur un membre de votre police, Eric Hall.

– Qu'est-ce qui lui arrive ?

– Il est suspendu, non ?

– Lui et les autres.

– Exact. Qu'est-ce que tu sais sur lui ?

– Pas grand-chose.

– Tu le connais ?

– Bonjour bonsoir.

– Tu es au courant pour la dernière, Janice Ryan ?

– Ouais.

– Il y a un gars qui m'a dit qu'elle était l'indic d'Eric, que l'inspecteur Hall était aussi un peu son maquereau.

– Merde.

– Oui.

– Ça ne m'étonne pas vraiment mais, par les temps qui courent, il n'y a plus grand-chose qui m'étonne.

– Donc tu ne sais rien de plus ? Pas d'informations supplémentaires sur lui ?

– C'est une vraie place forte, les Mœurs de Bradford. Mais je parie que c'est la même chose chez toi.

361

J'acquiesçai.

– Franchement, poursuivit-il, je l'ai toujours trouvé un peu lourd. Tu sais, pendant les conférences de presse, après le travail.

– Assez lourd pour tuer la prostituée dont il était le mac et tenter de faire croire que c'est l'œuvre de l'Éventreur ?

– Il n'en serait pas capable, mon pote. Bien au-delà de ses possibilités, putain. Il n'y arriverait jamais.

– Il ne l'a peut-être pas fait.

Tom secoua la tête, vida son verre.

Je dis :

– Tu connais bien les filles d'ici ?

– Qu'est-ce que tu insinues, Jack ?

– Allons. Tu les connais ?

– Quelques-unes.

– Tu connais une Chinoise, Ka Su Peng ?

– Celle qui s'en est tirée, fit-il en souriant.

– Exactement.

– Ouais. Pourquoi ?

– Qu'est-ce que tu sais sur elle ?

– Elle est populaire. Mais tu sais ce qu'on dit sur les Chinetoques ?

– Quoi ?

– Une heure plus tard, on pourrait en tuer une autre.

Je frappai une fois.

Elle ouvrit, ne dit pas un mot, reprit le couloir nu.

Je la suivis et restai là, dans sa chambre, avec ses barrettes de shit et son odeur de sexe, la regardai passer de la crème sur ses doigts, ses paumes, ses poignets, ses genoux.

On voyait les gouttelettes d'une averse sur la vitre, les rideaux orange vif désespérés dans l'obscurité, elle qui massait ses genoux enfantins, moi qui regardais sous sa jupe.

– Est-ce que c'est la dernière fois qu'on baise ? demanda-t-elle, allongée dans la chambre donnant sur l'arrière, rideaux masquant la pluie, masquant l'après-midi, masquant la vie du Yorkshire.

Et j'étais allongé près d'elle, regardant les taches du plafond, le lustre en plastique qu'il aurait fallu épousseter, écoutant ses mots décousus, le battement de son cœur épuisé, seule et déprimée, mon foutre sur les cuisses, ses orteils touchant les miens.

– Jack ?

– Non, mentis-je.

Mais elle pleurait tout de même, la revue ouverte sur le plancher, près du lit, sa lèvre supérieure enflée.

Je me garai devant une belle maison dont l'arrière donnait sur le golf de Denholme.

Il y avait une Granada 2000 bleue dans l'allée.

Je gagnai la porte et sonnai.

Une femme maigre, d'âge mûr, ouvrit, tripotant son collier de perles.

– Est-ce qu'Eric est là ?

– Qui êtes-vous ?

– Jack Whitehead.

– Qu'est-ce que vous voulez ?

– Je travaille au *Yorkshire Post*.

Eric Hall sortit du salon, visage tuméfié, nez bandé.

– Monsieur Hall ?

– C'est bon, Libby, ma chérie...

La femme tira une nouvelle fois sur ses perles et s'en alla.

– Qu'est-ce qu'il y a ? cracha Hall.

– À propos de Janice Ryan ?

– Qui ?

– Merde, Eric, dis-je, appuyé au chambranle, jouez pas au con.

363

Il battit des paupières, déglutit et dit :

– Vous savez qui je suis, à qui vous parlez ?

– Un flic pourri nommé Eric Hall, ouais.

Il resta immobile, dans l'entrée de sa belle maison, dont l'arrière donnait sur le golf de Denholme, les yeux pleins de larmes.

– Allons faire un tour en voiture, Eric, proposai-je.

On s'arrêta sur le parking désert du George.

Je coupai le moteur.

On resta silencieux, les yeux fixés sur la haie, sur les champs, au-delà.

Au bout d'un moment, je dis :

– Jetez un coup d'œil dans le sac qui se trouve à vos pieds.

Il écarta ses courtes jambes grasses, regarda à l'intérieur du sac.

Il en sortit une revue.

– Page 7, dis-je.

Il fixa la femme aux cheveux noirs et ses jambes écartées, sa bouche ouverte, ses yeux fermés, une queue devant le visage, du foutre sur les lèvres.

– C'est la vôtre ? je lui demandai.

Mais il resta immobile, secoua la tête latéralement, finit par dire :

– Combien ?

– Cinq.

– Cents ?

– À votre avis ?

– Cinq mille ? Je ne les ai pas, bordel.

– Vous les trouverez, dis-je, et je démarrai.

La rédaction était morte.

Je frappai à la porte de Hadden et entrai.

Il était assis derrière son bureau, tournait le dos à Leeds et à la nuit.

Je m'assis.

– Alors ? dit-il.

– Ils ont libéré Fraser.

– Tu l'as vu ?

– Oui, fis-je en souriant.

Hadden me rendit mon sourire, un sourcil levé.

– Et ?

– Il est suspendu. J'ai l'impression que Rudkin et un type des Mœurs de Bradford y sont jusqu'au cou.

– Qu'est-ce que tu veux dire ?

– Je suis allé jeter un coup d'œil et Rudkin est jusqu'au cou dans quelque chose, mais je n'ai pas la moindre idée de ce que c'est.

Bill Hadden ne parut pas vraiment impressionné.

– J'ai vu Tom, ajoutai-je.

– Il s'est excusé, hein ?

– Dans ses petits souliers.

– Et à juste titre, putain.

– D'après lui, ils croient toujours que la lettre est authentique.

Hadden garda le silence. Je poursuivis :

– Mais il n'avait rien sur ce flic de Bradford.

– Comment s'appelle-t-il ?

– Hall. Eric Hall.

Hadden secoua la tête.

Je demandai :

– Tu as du nouveau ?

– Non, dit-il, secouant toujours la tête.

Je me levai.

– Dans ce cas, à demain.

– Très bien.

Sur le seuil, je me retournai.

– Il y a autre chose.

– Ouais ? fit-il sans lever la tête.

– Tu es au courant pour celle de Preston ?

Il leva la tête.

– Laquelle ?

– La prostituée qui, d'après eux, a été tuée par l'Éventreur ?

Hadden hocha la tête.

– D'après Fraser, elle a témoigné dans l'enquête sur le meurtre de Paula Garland.

– Quoi ?

Et je le laissai la bouche ouverte, les yeux dilatés.

Il était assis dans la salle obscure, dans un fauteuil à haut dossier, les yeux rivés sur son chapeau, son chapeau sur son genou.

– Jack, dit-il sans lever la tête.

– Je rêve de fleuves de sang, du sang de femme. Quand je baise, je vois du sang. Quand je jouis, la mort.

Martin Laws se pencha.

Il écarta des doigts ses cheveux gris clairsemés et le trou jaillit des ombres.

– Il y a forcément une autre voie, dis-je, mes larmes coulant dans le noir.

Il leva la tête et dit :

– Jack, s'il y a une chose que la Bible nous enseigne, c'est que c'est comme ça, que ça a toujours été comme ça et que ça sera comme ça jusqu'à la fin.

– La fin ?

– Noé était fou avant le déluge.

– Et il n'y a pas d'autre voie ?

– Il ne faut pas qu'il y en ait.

John Shark : Vous avez vu qu'un nouveau membre du Yard a démissionné ?

L'auditeur : À ce rythme-là, il va pas en rester un seul en circulation.

John Shark : Il avait arrêté Arthur Scargill et tout ?

L'auditeur : Et l'Éventreur, lui, se balade tranquillement.

John Shark : Ça vous fait rigoler, hein, Bob ?

L'auditeur : Non, John, pas vraiment.

The John Shark Show
Radio Leeds
Mercredi 15 juin 1977

20

Et Piggott me dépose devant St James et dit que
si j'ai besoin de quelque chose ou s'il peut faire
quelque chose, il suffit que je lui téléphone, mais je
suis descendu de la voiture, portière ouverte, et déjà
dans l'escalier, essoufflé, m'aidant de la rampe, glissant sur les sols cirés, dans le service, et engueulant
l'un et l'autre, les infirmières arrivant en courant,
moi tirant les rideaux qui cachent un lit vide, l'une
d'elles disant qu'elle regrette beaucoup et que c'est
allé très vite à la fin, très vite, après tout ce temps, et
qu'il est très difficile de prévoir mais qu'au moins
ma femme était près de lui à la fin, qu'il avait simplement fermé les yeux comme s'il s'arrêtait et
qu'elle avait été bouleversée mais que, dans des cas
semblables, c'est ce qui peut arriver de mieux, que
la douleur n'est plus là et que ça ne s'est pas tellement prolongé à la fin, et je reste immobile au pied
de son lit vide de la salle commune, fixant la table
de nuit vide, battants ouverts, me demandant où est
passée la tisane d'orge, puis je vois une des voitures
de Bobby, la petite voiture de police que Rudkin lui
a offerte, et je la prends puis reste immobile et la
fixe, dans le coin vide du service, l'autre infirmière
me disant qu'il avait l'air très paisible et qu'il vaut
beaucoup mieux qu'il soit mort que vivant à souffrir,

et je regarde son visage, les plis rouges de son cou, les cheveux blancs abîmés, les grands yeux bleus et je me demande ce qui peut bien pousser des gens à faire ce métier, puis je pense la même chose à propos du mien, et je me souviens ensuite que je suis suspendu et que je n'exercerai probablement plus ce métier de toute façon, quoi qu'ils disent, et je jette un coup d'œil sur ma montre, me rends compte que je n'ai pas vu le temps passer, que je n'ai pas vu les minutes passer, que je n'ai pas vu les heures passer, pas vu les jours, pas vu les semaines, les mois, les années, les décennies passer, et j'emprunte les couloirs cirés, alors que les infirmières parlent toujours, qu'une autre sort du bureau, et elles me regardent m'éloigner toutes les trois, jusqu'au moment où je m'arrête, fais demi-tour, reprends le couloir en sens inverse, les remercie, les remercie et les remercie, puis pivote sur moi-même et m'éloigne à nouveau, dans le couloir ciré, la petite voiture de police à la main, dans l'escalier puis, au-delà de la porte, dans l'air du matin, ou ce que je crois être le matin, mais les feuilles des arbres sont teintées de rouge et le ciel blanchit, l'herbe est bleue, les gens des extraterrestres gris, les voitures silencieuses, les voix inexistantes, et je m'assieds sur les marches, me frotte les yeux jusqu'au moment où ils piquent comme des abeilles, alors je cesse puis me redresse, prends la longue allée qui conduit à la rue et me demande comment je vais rentrer chez moi, nom de Dieu, donc je lève le pouce et reste un long moment à cet endroit, jusqu'à l'instant où je m'effondre et reste allongé près de l'entrée de l'hôpital, dans l'herbe bleue, fixant le ciel blanc, les feuilles rouges et, si je m'endors, je me réveille ensuite et quand je me réveille j'époussette l'herbe bleue déposée sur mes vêtements, je suis la rue jusqu'à une cabine téléphonique rouge vif et, à l'intérieur, je trouve la carte de visite blanche d'un taxi et compose le numéro, demande un taxi à une voix étrangère dans un endroit étranger, puis je reste près de la cabine et regarde les voitures silencieuses, des éventreurs au volant, les regarde filer sur la chaussée dans un sens et dans l'autre, les regarde rire et me montrer du doigt, des cadavres de femmes dans leur coffre, femmes mortes qui font signe et appellent à l'aide derrière les lunettes arrière, mains blanches sortant des coffres, mains blanches pressées contre les lunettes arrière, jusqu'au moment où enfin, enfin, le taxi s'arrête et je monte, lui dis où je veux aller, et il me regarde comme s'il n'avait rien compris à ce que je venais de dire, mais on démarre, moi devant, la radio allumée, lui tentant de faire la conversation, mais je ne comprends pas un mot de ce qu'il raconte, ni pourquoi il tient à parler, je lui demande d'où il est et il se tait, ensuite il se concentre simplement sur la route jusqu'au moment où on s'arrête, deux putains de jours plus tard, devant chez moi, et je lui dis que je regrette mais que je n'ai pas d'argent et qu'il faudra qu'il attende pendant que j'irai en chercher à l'intérieur, ce qui le contrarie beaucoup mais qu'est-ce qu'il peut faire, donc je me dirige vers la maison, glisse ma clé dans la serrure, mais elle ne fonctionne plus, donc je sonne jusqu'au soir, puis je gagne l'arrière et glisse une deuxième clé dans une deuxième serrure, mais elle ne fonctionne pas davantage, si bien que je frappe toute la nuit puis ramasse la brique qui empêche la porte du garage de claquer, ramasse cette brique et la lance à travers la petite fenêtre voisine de la porte de derrière et passe la main à l'intérieur, mais ça ne marche pas, donc j'attaque la porte à coups de poing et à coups de pied, finis par entrer, gagne le séjour, prends l'argent du lait dans le tiroir du haut et ressors, remonte l'allée pour rejoindre le taxi, mais il a foutu le camp, après tout ça, et qui pourrait le lui reprocher, donc je fais signe de la main aux voisins d'en face, retourne à l'intérieur pour rejoindre Louise et Bobby, mais ils ne sont pas là, ni dans les tiroirs, ni dans les placards, ni sous les lits, donc je redescends et passe chez Tina pour voir s'ils y sont ou si elle sait où ils sont allés, bordel, donc je fais une nouvelle fois signe de la main à tous les voisins, donc je prends l'allée de Tina et frappe à la porte de derrière, mais elle n'ouvre pas, si bien que je continue de frapper jusqu'au milieu de la semaine suivante, Kristy, le chien, jappant de l'autre côté, et je continue de frapper jusqu'au moment où enfin, bordel, enfin, la porte s'ouvre, et c'est Janice, Janice, bordel, devant moi, grandeur nature, et il suffirait de me pousser avec une plume pour que je tombe, tellement je suis ébahi, et je lui dis carrément que je croyais qu'elle était morte, que je croyais qu'Eric Hall ou John Rudkin l'avait violée et frappée à la tête, puis avait sauté à pieds joints sur sa poitrine, et elle pleure et dit que non, dit qu'elle va bien, et je demande si le bébé va bien et elle dit que oui, donc je lui demande si je peux entrer, parce que j'ai l'impression d'avoir l'air d'un vrai con, debout dehors devant tout le monde, mais elle dit non et ferme la porte et j'essaie de l'ouvrir à nouveau et elle crie, me dit qu'elle va appeler la police et je lui rappelle que je suis la police, mais il est évident qu'elle ne me laissera pas entrer, puis je comprends que ce n'est pas vraiment Janice, parce que Janice m'aurait fait entrer, et je m'assieds sur le perron à l'arrière de chez Tina et je regrette de tout mon cœur de ne pas ressembler davantage à Jésus, puis je me lève et retourne chez moi et, quand j'arrive dans l'allée, je vois que les portes du garage sont grandes ouvertes et claquent sous la pluie, et je décide d'aller faire un tour en voiture, d'essayer de retrouver Louise et Bobby, même si je n'ai pas la moindre putain d'idée de l'endroit où ils sont, de par où commencer, mais je monte dans la voiture et démarre de toute façon, parce que ce n'est pas comme si j'avais plein de rendez-vous, hein ?

CINQUIÈME PARTIE

Les damnés

John Shark : Vous avez vu ça [il lit] : « L'homme qui a tué deux personnes et en a blessé deux autres dans le bus qu'il avait détourné, hier, à Kennedy Airport, a déclaré, d'après la police, qu'il avait agi sous l'influence d'un rêve. Luis Robinson, marin sans histoires de vingt-six ans, a affirmé qu'il avait " l'impression que le pays plongeait dans le chaos et qu'il fallait que quelqu'un l'en empêche ". »

L'auditeur : S'il croit que ça ne va pas là-bas, heureusement qu'il n'est pas venu ici, hein ?

John Shark : Vous ne rêvez plus, hein, Bob ?

L'auditeur : Ce ne sont pas les rêves, John. C'est quand on se lève et qu'on tire ces foutus rideaux. C'est à ce moment-là qu'on comprend.

The John Shark Show
Radio Leeds
Jeudi 16 juin 1977

21

Coup d'œil sur ma montre, il est 7 h 07.

Je suis dans les Moors, je traverse les Moors à pied, et j'arrive devant un fauteuil, un fauteuil en cuir à haut dossier, et une femme en blanc est à genoux devant le fauteuil, mains jointes en une prière angélique, cheveux sur le visage.

Je me penche, écarte les cheveux, et c'est Carol, puis Ka Su Peng. Elle se lève et montre le milieu de la longue robe blanche, un mot écrit d'un doigt ensanglanté :

livE.

Et là, dans les Moors, dans le vent et la pluie, elle passe la robe blanche par-dessus sa tête, découvre son ventre jaune enflé, puis elle remet la robe, à l'envers, le mot écrit d'un doigt ensanglanté devenant :

Evil.

Et un petit garçon en pyjama bleu sort de derrière le fauteuil à haut dossier et l'entraîne dans le couloir, moquette élimée, murs sales, odeur.

On arrive devant une porte et on s'arrête.

Chambre 77.

Je me réveille en sursaut dans ma voiture, oppressé, trempé de sueur, le souffle court.

Coup d'œil sur la pendule du tableau de bord.

7 h 07.

Merde.

J'étais dans Dunkar Lane, à Dunkar, devant chez Rudkin.

Coup d'œil dans le rétroviseur.

Rien.

Je restai là, attendis.

Vingt minutes plus tard, une femme en robe de chambre ouvrit la porte, prit les deux bouteilles de lait posées sur le perron.

J'attendis qu'elle ait fermé la porte, puis je lançai le moteur, allumai la radio et m'en allai.

Wakefield, Dewbury Road, Shawcross, Hanging Heaton puis Batley, radio allumée :

La police recherche les deux hommes cagoulés qui se sont introduits dans un bureau de poste de Shadwell, ont tabassé le responsable et son épouse puis se sont enfuis avec 750 livres. L'un d'entre eux est considéré comme « très violent ».

Monsieur Eric Growers, âgé de soixante-cinq ans, et son épouse, Mary, ont été transportés à l'hôpital mais autorisés, plus tard, à rentrer chez eux.

Je traversai le centre et m'arrêtai à la périphérie de Batley, juste après un restaurant chinois de Bradford Road.

Juste après RD News.

Juste après une Datsun 260 bronze.

Je composai le numéro de chez elle.

Pas de réponse.

Je raccrochai.

À nouveau dans la cabine téléphonique rouge, les yeux fixés sur la fenêtre située au-dessus de la boutique de journaux.

– Est-ce qu'Eric est là ?

– De la part de qui ?

– Un ami.

John Rudkin regardait par la fenêtre, une main sur le chambranle, l'autre sur la vitre ouverte, et ne souriait pas.

– Eric Hall à l'appareil.

– Vous avez l'argent ?

– Oui.

– Soyez sur le parking du George à midi.

Je raccrochai, les yeux fixés sur John Rudkin.

Je regagnai la voiture et j'attendis.

Une demi-heure plus tard, il sortit de la boutique, un enfant dans les bras, suivi par une femme qui portait des lunettes de soleil.

Le petit garçon était vêtu d'un pyjama bleu, la femme de noir.

Ils montèrent dans la Datsun et s'en allèrent.

Je restai.

Cinq minutes plus tard, je descendis de voiture, gagnai l'arrière des boutiques, suivis une ruelle sombre, longeai les poubelles, les piles de sacs poubelle, les caisses en carton pourrissantes, comptai les fenêtres.

Je fis mes additions et regardai deux fenêtres ainsi que deux paires de vieux rideaux, qui me fixaient, au-dessus du mur de la cour, le mur de la cour au sommet duquel on avait cimenté des tessons de bouteille.

Je poussai la porte en bois rouge, qui s'ouvrit lentement.

Maintenant, il ne fallait pas que le Paki pointe sa tête brune dehors.

Je tirai le battant derrière moi, me frayai un chemin parmi les caisses de bouteilles de butane, gagnai la porte de derrière.

Me demandant ce que je pourrais bien raconter, j'ouvris.

Un couloir permettait d'accéder à la boutique, encombré de caisses de chips empilées et de revues périmées. Sur ma droite, il y avait un escalier.

Le doigt dans l'engrenage, je saisis la chance et le gravis silencieusement.

En haut, il y avait une porte blanche vitrée.

Il faisait noir derrière la vitre.

Immobile, j'écoutai.

Rien.

Le bras dans l'engrenage, je tentai d'ouvrir la porte.

Fermée à clé.

Merde.

Je fis une nouvelle tentative, certain qu'elle céderait.

Je sortis mon canif et le glissai entre le mur et la porte.

Qui ne risque rien... J'appuyai.

Rien.

N'a rien. J'insistai.

La lame cassa dans les gonds, l'encadrement de la porte vola en éclats; ma main était coupée et une nouvelle fois ensanglantée, mais j'étais à l'intérieur.

Immobile, j'écoutai.

Rien.

Nouveau couloir obscur.

J'enroulai mon mouchoir autour de ma main et suivis silencieusement le couloir jusqu'au fond de l'appartement, trois portes fermées d'un côté et de l'autre.

L'appartement puait, le plafond aussi bas et oppressant que l'odeur.

Dans la pièce donnant sur la rue, il y avait un canapé, un fauteuil, une table, un poste de télévision et un téléphone sur une caisse. Plancher parsemé de bouteilles de soda et de sachets de chips vides.

Il n'y avait pas de moquette.

Seulement une grosse putain de tache sombre sur le parquet.

Je regagnai le couloir et j'ouvris la première porte à droite.

C'était une petite cuisine, vide.

J'ouvris la porte de gauche.

C'était une chambre avec une paire de vieux rideaux, épais, noirs et tirés.

J'allumai.

Il y avait un lit immense, sans draps, et une autre putain de grosse tache sur le matelas orange à motif floral.

Des placards occupaient un mur.

Je les ouvris.

Des projecteurs, des projecteurs de photographe.

Je fermai les portes du placard et éteignis.

De l'autre côté du couloir se trouvait la dernière porte.

C'était une salle de bains avec une autre paire de vieux rideaux, tirés et noirs.

Il y avait des serviettes et des tapis de bain, des journaux et de la peinture, baignoire impeccable.

Je fis couler de l'eau froide sur ma main et l'essuyai.

Je fermai la porte et repris le couloir.

Je m'arrêtai en haut de l'escalier et retirai les éclats de bois de la porte blanche.

Je tentai de la refermer, mais n'y parvins pas.

Je laissai la porte telle qu'elle était et redescendis.

Immobile au pied de l'escalier, j'écoutai.

Rien.

Je sortis par-derrière, traversai la cour, franchis la porte en bois rouge, m'en allai.

Je suivis la ruelle, longeai les poubelles, les tas de sacs poubelle et de caisses en carton pourrissantes, un petit chien jaune me regardant passer.

Je retrouvai les façades des boutiques, passai devant le restau chinois, remontai dans ma voiture.

Il était un tout petit peu plus de onze heures.

J'appelai chez elle.
Pas de réponse.
Je raccrochai et rappelai.
Pas de réponse.
Je raccrochai.

Je passai devant le George, à Denholme, m'arrêtai, reculai dans une allée privée et repartis en sens inverse.

J'avais un mauvais pressentiment, mais je ne pouvais pas laisser tomber.

Je suivis lentement la rue, tournai au coin du pub, gagnai le parking, situé derrière.

Il était presque midi.

Il y avait cinq voitures, trois face à la haie et aux champs, trois le nez contre l'arrière du pub.

Il n'y avait pas de Granada bleue.

Je me garai dans un coin, le mauvais pressentiment toujours mauvais, regardai la haie et les champs.

Je restai là, j'attendis, les yeux rivés sur le rétroviseur.

Il y avait deux hommes dans une Volvo grise, qui attendaient, les yeux rivés sur leur rétroviseur.

Merde.

Deux voitures plus loin, Eric Hall descendit d'une Peugeot 304 blanche.

Je le regardai se diriger vers moi, les mains enfoncées dans sa peau de mouton.

Il contourna l'arrière de ma voiture, frappa à ma vitre.

Je la baissai.

Il se pencha et me demanda :

– Qu'est-ce que vous attendez ? Noël ?

– Vous avez l'argent ?

– Ouais, dit-il, et il se redressa.

Je fixais mon rétroviseur, regardais les deux têtes, dans la Volvo.

– Où est-il ?

– Dans la voiture.

– Qu'est devenue la Granada ?

– Il a fallu que je la vende, putain, pour vous payer.

– Montez, dis je.

– Mais l'argent est dans la voiture.

– Montez, je vous dis, et je mis le moteur en marche.

Il contourna l'arrière et monta de l'autre côté.

Je longeai le flanc du George en marche arrière.

– Où on va ?

– Faire un tour, c'est tout, dis-je en me glissant dans la circulation.

– Et l'argent ?

– Rien à foutre.

– Mais...

Les yeux sur la rue, sur le rétroviseur aussitôt après.

– Il y avait deux types dans une Volvo grise, là-bas. Vous les avez vus, hein ?

– Non.

Je freinai, braquai en direction du bas-côté, montai sur l'accotement.

– Eux, dis-je, montrant la Volvo qui passa à toute vitesse.

– Merde.

– Rien à voir avec vous ?

– Non.

– Vous n'avez pas envisagé de me buter, de me tirer dessus ou ce genre de chose intelligente, hein ?

– Non, dit-il, trempé de sueur.

Je reculai sur l'accotement, repartis en sens inverse.

Le pied au plancher, je dis :

– Dans ce cas qui c'est ?

– Je n'en sais rien. Sincèrement.

– Eric, vous êtes un putain de flic pourri. Un vieux journaliste se pointe chez vous, vous demande cinq mille livres et vous acceptez sans discuter ? Je n'y crois pas.

Eric Hall garda le silence.

On passa devant le George, la Volvo avait disparu.

– À qui vous en avez parlé ? lui demandai-je.

– Écoutez, soupira-t-il. Arrêtez-vous, s'il vous plaît.

Je continuai un peu, me garai près d'une église de Halifax Road.

Pendant quelques instants, on garda le silence, ni soleil ni pluie, rien.

Finalement, il dit :

– Je suis déjà là-dedans jusqu'au cou.

Je ne répondis pas, me contentai d'acquiescer.

– J'ai pas vraiment respecté les règles, vous voyez ce que je veux dire. J'ai fermé les yeux de temps en temps.

– Et pas gratuitement, hein ?

Il soupira une nouvelle fois et dit :

– Et qui, bordel de merde, l'a fait, nom de Dieu, ou le fera ?

Je gardai le silence.

– J'étais prêt à vous payer, sans discuter. Je le suis toujours, si c'est nécessaire. Pas cinq mille livres, je ne les ai pas. Mais il y en a deux mille cinq cents dans la voiture, et elles sont à vous.

– Je ne veux pas de ce putain de pognon, Eric. Je veux seulement savoir ce qui se passe.

– Les types du parking ? Je n'en sais foutre rien, mais je parie qu'il y a un lien avec ce con de Peter Hunter et son enquête.

– Pourquoi avez-vous été suspendu ?

– Pots-de-vin.

– C'est tout ?

– C'est suffisant.

– Janice Ryan ?

– Un merdier dont je pourrais me passer en ce moment.

– Quand l'avez-vous vue pour la dernière fois ?

Il soupira, s'essuya les paumes sur les cuisses et secoua la tête.

– Je ne m'en souviens pas.

– Eric, je dis, oubliez l'argent et racontez. Quand Hunter en aura terminé avec vous, vous aurez besoin du moindre sou sur lequel vous pourrez mettre vos sales petites mains. Dites-moi la vérité et économisez deux mille cinq cents livres.

Il regarda au-delà du pare-brise, regarda le clocher noir dans le ciel, puis il appuya la tête contre le siège et souffla :

– Je ne l'ai pas tuée.

– Est-ce que j'ai dit que vous l'aviez fait ?

– Il y a deux semaines, dit-il, elle m'a téléphoné et m'a dit qu'elle avait besoin d'argent pour partir, qu'elle avait des informations à vendre.

– Vous l'avez vue ?

– Non.

– Vous savez de quelles informations il s'agissait ?

– À propos d'attaques à main armée.

– Quelles attaques à main armée ?

– Elle ne l'a pas dit.

– Passées ou à venir ?

– Elle ne l'a pas dit.

Je regardai ce visage gras et effrayé, le regardai, trempé de sueur, sur le siège du passager.

– Vous en avez parlé à quelqu'un ?

Il avala sa salive, hocha la tête.

– À un sergent de Leeds. Fraser, Bob Fraser.

– Quand le lui avez-vous dit ?

– Un peu après.

– Pourquoi le lui avez-vous dit ?

Eric Hall tourna son visage vers moi, montra ses yeux, dit :

– Parce qu'il m'a cassé la gueule.

– Pourquoi ?

– C'était son maquereau, pas vrai ?

– Je croyais que c'était vous ?

– Autrefois.

– Cette revue, ces photos ? Qu'est-ce que vous savez là-dessus ?

– Rien. Vraiment. Elle n'en a jamais parlé.

Je restai immobile au volant, égaré.

Au bout d'un moment, Eric Hall dit :

– Vous voulez d'autres infos ?

– Ouais, dis-je. Qui l'a tuée, nom de Dieu ?

Eric Hall renifla et dit :

– J'ai ma putain de théorie.

Je me tournai vers lui, vers cette putain de limace, vers cet homme heureux d'économiser deux mille livres, même si son âme grouillait de mensonges, même si les feux de l'enfer, et seulement les feux de l'enfer, l'attendaient.

– Je vous écoute, Sherlock.

Il haussa les épaules, comme si ce n'était pas grand-chose, comme si c'était à la première page de tous les putains de journaux, comme si la limace grasse allait encore vivre une journée, et sourit :

– Fraser.

– Pas l'Éventreur ?

Il rit.

– L'Éventreur ? Qui c'est ?

Je regardai la croix qui se trouvait au-dessus de nous et jc dis :

– Une dernière chose.

– Allez-y, dit-il, toujours souriant.

Le con.

– Ka Su Peng?

– Qui? dit-il, trop vite, sans sourire.

– Une Chinoise? Sue Penn?

Il secoua la tête.

– Eric, vous appartenez aux Mœurs de Bradford, hein?

– Appartenais.

– Désolé, apparteniez. Mais je suis sûr que vous vous souvenez de toutes les filles. Surtout de celles que l'Éventreur a tenté de buter au beau milieu de votre putain de secteur. Non?

Il garda le silence.

J'insistai :

– C'était l'Éventreur, hein?

– C'est ce qu'on dit.

– Et vous? Qu'est-ce que vous dites?

– Je dis qu'il ne faut pas réveiller le chat qui dort.

Je démarrai, repris le chemin qu'on avait emprunté, dans un silence total.

Je m'arrêtai devant le George.

Il ouvrit la portière et descendit.

– Suicidez-vous, soufflai-je.

– Quoi? dit-il, se retournant vers l'intérieur de la voiture.

– Fermez la portière, Eric.

Et je démarrai en trombe.

J'appelai chez elle.

Pas de réponse.

Je raccrochai et rappelai.

Pas de réponse.

Je raccrochai et rappelai.

Pas de réponse.

Je raccrochai.

Retour à Bradford, Bradford derrière moi, retour à Leeds, pied au plancher d'un bout à l'autre : Killinghall Road, Leeds Road, la déviation de Stanningley, Armley.

Sous les arcades noires, tenté par un dernier verre de l'après-midi, succombant au Scarborough, un whisky rapide dans une pinte, cul sec dans l'ombre du Griffin.

Dans la fin de l'après-midi, une brise balayant le centre, sacs en plastique et vieux journaux autour de mes chevilles, cherchant un téléphone en état de marche, un seul.

– Samuel ?
– Jack.
– Du nouveau ?
– Ils ont libéré Fraser.
– Je sais.
– Je ne voudrais pas te mettre en retard.
– Désolé.
– J'imagine que tu ne sais pas où il est ?
– Quoi ?
– Il devait se présenter ce matin à la prison de Wood Street, mais il ne l'a pas fait.
– Il ne l'a pas fait ?
– Il ne l'a pas fait.
– Autre chose ?
– Un cadavre de nègre.
– L'Éventreur ?
– Seulement s'il commence à s'en prendre aux types.
– Non : du nouveau sur l'Éventreur ?
– Non.
– Bob Craven est là ?
– Tu veux vraiment ?
– Passe-le-moi, Samuel.
Deux clics et une sonnerie.

– Brigade des Mœurs.

– L'inspecteur Craven, s'il vous plaît.

– De la part de qui?

– Jack Whitehead.

– Ne quittez pas.

Deux doigts sur le micro et un appel à la cantonade.

– Jack?

– Ça fait un moment, Bob.

– Absolument. Comment ça va?

– Bien, et toi?

– Je m'occupe.

– Tu as le temps de boire une pinte?

– J'ai toujours le temps de boire une pinte. Tu me connais, Jack.

– Ça t'arrange quand?

– Vers huit heures?

  Ouais, très bien. Où?

– Au Duck and Drake?

– Huit heures.

– Salut.

Dans les rues sales de l'après-midi, la brise, des oiseaux sacs en plastique, des serpents journaux.

Je pris une ruelle pavée, à l'abri du vent, en quête des murs, des mots.

Mais les mots avaient disparu, pas la bonne ruelle, les seuls mots des mensonges.

Je pris Park Row, puis Cookridge Street, montai jusqu'à St Anne.

L'intérieur de la cathédrale était désert, plus de vent; je pris une allée latérale, m'agenouillai devant la Vierge, et je priai, mille yeux braqués sur moi.

Je levai la tête, gorge sèche, souffle lent.

Une vieille femme tenant un enfant par la main se dirigeait vers moi et, quand elle arriva près de moi, l'enfant me tendit une bible ouverte, et je la pris, puis je les regardai s'éloigner.

Je baissai la tête et lus ces mots :

En ce temps-là, ces hommes chercheront la mort, mais ne la trouveront pas ;

Ils espéreront mourir, mais la mort leur échappera.

Et je traversai la cathédrale, franchis le portail, franchis l'après-midi, franchis les sacs en plastique et les serpents, franchis tout.

La rédaction était morte.

Je suivis le couloir jusqu'aux archives.

Jusqu'à 1974.

Je fis tourner le microfilm sur les bobines, devant les lampes.

Jusqu'au vendredi 20 décembre 1974.

Première page :

Nous vous saluons.

Une photo...

Trois larges sourires.

Monsieur Angus, directeur de la police, félicite le sergent Bob Craven et l'agent Bob Douglas, qui ont été à la hauteur de leur tâche.

Ce sont des policiers exceptionnels que nous remercions du fond du cœur.

J'appuyai sur la touche d'impression, regardai les larges sourires, ces policiers exceptionnels, qui sortaient.

Regardai la ligne placée sous le titre :

PAR JACK WHITEHEAD,
REPORTER CRIMINEL DE L'ANNÉE.

Je frappai à la porte de Hadden et entrai.

Toujours derrière son bureau, toujours le dos tourné à Leeds.

Je m'assis.

– Jack, dit-il.

– Bill, fis-je avec un sourire.

– Alors ?

– Fraser a pris la fuite.

– Tu sais où il est ?

– Peut-être.

– Peut-être ?

– Il faut que je vérifie.

Il renifla, tripota les stylos posés sur son bureau. Je demandai :

– Tu as du nouveau ?

– Jack, dit-il sans lever la tête, tu as parlé de Paula Garland, la dernière fois que tu es venu.

– Ouais.

Il leva la tête.

– Alors ?

– Alors quoi ?

– Tu as parlé d'une relation, d'un lien ?

– Ouais ?

– Merde, Jack. Qu'est-ce que tu as découvert ?

– Comme je l'ai dit, Clare Strachan...

– Tuée par l'Éventreur à Preston ?

– Ouais. Elle se faisait appeler Morrison et, sous ce nom, elle a témoigné dans l'enquête sur le meurtre de Paula Garland.

– C'est tout ?

– Ouais. D'après Fraser, Rudkin et peut-être d'autres policiers le savaient, mais ça n'a jamais été officiellement signalé aux enquêteurs de Preston. Ni à personne.

– Et il n'y a rien d'autre ?

– Non.

– Il n'y a pas quelque chose que tu ne me dis pas ?

– Non. Bien sûr que non.

– Et c'est le sergent Fraser qui t'a fourni cette information ?

– Ouais. Pourquoi ?

– Simplement pour que les choses soient claires dans mon esprit, Jack. Pour clarifier.

– C'est clair ?

– Ouais, dit-il, les yeux rivés sur les miens.

Je me levai.

– Assieds-toi une minute, Jack, dit-il.

Je m'assis.

Hadden ouvrit un des tiroirs de son bureau et en sortit une grande enveloppe marron.

– C'est arrivé ce matin, dit-il en la jetant sur son bureau. Regarde.

J'en sortis une revue.

Une revue pornographique.

Du mauvais porno.

Des amateurs :

Spunk.

Le coin d'une page était plié.

– Page 7, dit Bill Hadden.

J'allai à la page marquée et me trouvai face à elle :

Cheveux blonds décolorés, chair rose et flasque, trous rouges humides et yeux bleus secs, jambes écartées, doigts sur le clitoris :

Clare Strachan.

Une fois de plus, je bandais.

– Ce matin ? demandai-je, la gorge nouée.

– Ouais, postée à Preston.

Je retournai l'enveloppe, hochai la tête.

– Autre chose ?

– Non, seulement ça.

– Juste un numéro.

– Ouais, seulement.

Je levai la tête, la revue entre les mains.

Hadden dit :

– Tu ne savais pas qu'elle faisait ce genre de trucs ?

– Non.

– Tu sais qui pourrait l'avoir envoyé ?

– Non.

392

– Tu ne crois pas que le sergent Fraser a cassé sa pipe, hein ?

– Non.

– Je vois, dit Hadden, qui hocha la tête, songeur.

Je dis :

– Qu'est-ce qu'on va en faire ?

– Il faut que tu prennes ton téléphone et que tu découvres ce qui se passe.

Je me levai.

Il décrochait le téléphone quand il dit :

– Jack ?

– Ouais, fis-je, une main sur la poignée.

– Sois prudent, hein ?

– Je le suis toujours, dis-je. Je le suis toujours.

J'appelai chez elle.

Pas de réponse.

Je raccrochai et rappelai.

Pas de réponse.

Je raccrochai et rappelai.

Pas de réponse.

Je raccrochai et rappelai.

Pas de réponse.

Je raccrochai.

Coup d'œil sur ma montre.

Un peu plus de six heures.

Léger changement de programme.

Le couloir et retour aux archives.

Retour à 1974.

Je fis une nouvelle fois tourner le microfilm, sur les bobines et devant les lampes.

Jusqu'au mardi 24 décembre 1974.

L'*Evening Post*, première page :

UNE FUSILLADE FAIT TROIS MORTS À WAKEFIELD LA VEILLE DE NOËL

Sous-titre :

Des flics héroïques font échouer l'attaque d'un pub.

Une photo...

Le Strafford, dans le Bullring, à Wakefield.

Une fusillade horrible, hier en fin de soirée, dans le centre de Wakefield, a fait trois morts et trois blessés graves au terme de ce que la police a qualifié d'« attaque à main armée ayant mal tourné ».

Selon un porte-parole de la police, les forces de l'ordre sont intervenues après qu'on eut signalé des coups de feu au Strafford, un pub du Bullring, à Wakefield, aux environs de minuit. Les premiers policiers arrivés sur les lieux étaient le sergent Robert Craven et l'agent Bob Douglas, qui ont été félicités, la semaine dernière, en raison du rôle qu'ils ont joué dans l'arrestation de l'homme suspecté d'avoir tué Clare Kemplay, une écolière de Morley.

Quand les deux agents sont entrés au Strafford, ils ont constaté qu'une attaque à main armée était en cours, puis ils ont été blessés par balle et tabassés par des individus non identifiés, qui ont ensuite pris la fuite.

La brigade spéciale de la police métropolitaine du West Yorkshire, arrivée sur les lieux quelques minutes plus tard, a constaté que les deux policiers héroïques, ainsi qu'une troisième personne, avaient été blessés par balle et que trois personnes étaient mortes.

Des barrages routiers ont immédiatement été dressés sur la M 1 et la M 2, dans les deux sens, les ports et les aéroports ont été placés sous surveillance mais, jusqu'ici, aucune arrestation n'a été effectuée.

L'état du sergent Craven et de l'agent Douglas, qui ont été transportés à l'hôpital Pinderfield de Wakefield, est considéré comme grave mais stable.

La police refuse de dévoiler l'identité des victimes tant que les familles n'auront pas été averties.

L'enquête a été confiée au poste de police de Wood Street, à Wakefield, et le superintendant Maurice Jobson a demandé à toute personne disposant d'informations de prendre contact avec lui de toute urgence. Le numéro de téléphone est le 3838 à Wakefield.

J'appuyai sur « imprimer » et regardai sortir ces gros mensonges, ces mensonges extraordinaires.

Regardai la ligne placée sous le titre :

PAR JACK WHITEHEAD, REPORTER CRIMINEL DE L'ANNÉE.

Le Duck & Drake, dans les caniveaux de Kirkgate Market.

Un pub gitan, à l'ombre de la prison de Millgarth.

Huit heures.

J'emportai ma pinte et mon whisky jusqu'à la table proche de la porte et j'attendis, un sac en plastique posé sur l'autre chaise.

Je versai mon whisky dans ma pinte et la bus.

Il y avait longtemps, peut-être trop longtemps, peut-être pas assez.

– La même chose ?

Je levai la tête et vis Bob Craven.

L'inspecteur Bob Craven.

– Bob, je dis, me levant, lui serrant la main. Qu'est-ce que tu as au visage ?

– Ces cons de Zoulous se sont un peu énervés, à Chapeltown, il y a deux semaines.

– Ça va ?

– Ça ira quand j'aurai bu une pinte, fit-il avec un sourire ironique, puis il s'approcha du bar.

Je mis le sac en plastique sur mes genoux et je le regardai.

Il apporta les deux pintes, retourna chercher les whiskies.

– Ça fait un bout de temps, dit-il en s'asseyant.

– Trois ans ?

– Seulement ?

– Oui. Ça fait l'effet d'une éternité, dis-je.

– Beaucoup d'eau sous les ponts. Des sacrées masses.

– La dernière fois, ça devait être avant le Strafford, alors ?

– Sûrement. Et, juste après, tu as eu cette histoire d'exorciste, hein ?

J'acquiesçai.

– Bordel de merde, hein ? Les choses qu'on a vues...

– Comment va l'autre Bob ? je demandai.

– Dougie ?

– Ouais.

– Il n'est plus dans le circuit.

– Tu n'as pas été tenté de faire pareil ?

– De raccrocher ?

Je hochai la tête.

– Qu'est-ce que je ferais ? Et toi ?

Je hochai une nouvelle fois la tête.

– Mais Bob, qu'est-ce qu'il fait ?

– Ça va. Avec son indemnité, il a acheté une boutique de journaux. Il s'en tire bien. Je le vois, et je ne dirai pas qu'il n'y a pas des moments où je regrette de ne pas avoir reçu une balle. Tu vois ce que je veux dire ?

J'acquiesçai et pris ma pinte.

– Petit commerce, petite femme. Tu vois ?

– Non.

Je haussai les épaules, poursuivis :

– Mais dis-lui que j'ai demandé de ses nouvelles. D'accord ?

– Bien sûr. Il a toujours ton papier accroché au mur. *Nous vous saluons*, celui-là.

Je soupirai.

– Seulement trois ans, hein ?

– Une autre époque, hein ? dit-il, puis il prit sa pinte. À elles, les autres époques.

On trinqua et on vida les verres.

— Ma tournée, dis-je, et je revins au bar.

Au bar, je me retournai et le regardai, le regardai, assis, caresser sa barbe et épousseter son pantalon, prendre le verre vide puis le poser, le regardai.

J'apportai les consommations et m'assis.

— De toute façon, dit-il, ne parlons plus des vieux souvenirs. Tu travailles sur quoi en ce moment ?

— L'Éventreur, je dis.

Il resta un instant silencieux, puis dit :

— Ouais, évidemment.

On resta silencieux, on écouta le bruit du pub : les verres, les chaises, la musique, les conversations, la caisse enregistreuse.

Puis je dis :

— En fait, c'est pour ça que je t'ai téléphoné.

— Ouais ?

— Ouais, l'Éventreur.

— Et alors ?

Je lui donnai le sac en plastique.

— Bill Hadden a reçu ça par la poste, ce matin.

Il prit le sac et regarda à l'intérieur.

Je gardai le silence.

Il leva la tête.

Je le regardai.

— Allons faire un tour, dit-il.

Je le suivis dans les ténèbres du marché, dans les ombres des échoppes, le vent du soir poussant les ordures et la puanteur, qui nous accompagnaient.

Dans les profondeurs du cœur des ténèbres, Craven s'arrêta près d'une échoppe et ouvrit la revue.

— La page est marquée, dis-je.

Il feuilleta.

J'attendis...

Cœur craquant, côtes cassant.

— Qui est au courant ? demanda-t-il, me tournant le dos.

– Bill Hadden et moi.

– Tu sais qui c'est, hein ?

J'acquiesçai.

Il se retourna, la revue ouverte à la main, visage noir et caché dans les ombres de la barbe.

– C'est Clare Strachan, dis-je.

– Tu sais qui a envoyé ça ?

– Non.

– Il n'y avait pas de mot ?

– Non. Seulement ça.

– Mais la page était marquée.

– Ouais.

– Tu as gardé l'enveloppe ?

– Hadden l'a.

– Tu te rappelles quand et où elle a été postée ?

J'avalai ma salive et dis :

– Il y a deux jours, à Preston.

– À Preston ?

J'acquiesçai, puis dis :

– C'est lui, hein ?

Ses yeux passèrent rapidement sur mon visage.

– Qui ?

– L'Éventreur.

Il y eut un sourire dans les profondeurs, pendant un bref instant, dans les profondeurs de la barbe.

Puis il souffla :

– Pourquoi c'est à moi que tu as téléphoné, Jack ? Pourquoi pas à George ?

– Tu es aux Mœurs, non ? C'est ton rayon.

Il avança, hors de l'ombre de l'échoppe, et il posa la main sur mon épaule.

– Tu as bien fait, Jack. De m'apporter ça.

– C'est ce que je me dis.

– Tu vas publier quelque chose ?

– Pas si tu ne veux pas que je le fasse.

– Je nc veux pas que tu le fasses.

– Dans ce cas je ne publierai rien.

– Pour le moment.

– O.K.

– Merci, Jack.

Je me dégageai et je dis :

– Et maintenant ?

– Encore une pinte ?

Je jetai un coup d'œil sur ma montre et dis :

– Vaut mieux pas.

– Alors une autre fois.

– Une autre fois.

À la lisière du marché, hors du cœur des ténèbres, la merde et la puanteur toujours aussi présentes, l'inspecteur Bob Craven dit :

– Téléphone, Jack.

J'acquicsçai.

– Je te dois un service, ajouta-t-il.

J'acquiesçai une nouvelle fois... Interminable, tout ce putain d'enfer, interminable.

Notes en bas de page et dans les marges, tangentes et détours, table sale et archives incomplètes.

Jack Whitehead, Yorkshire, 1977.

Corps et cadavres, ruelles et terrains vagues, hommes pourris et femmes brisées.

Jack l'Éventreur, Yorkshire, 1977.

Mensonges et demi-vérités, vérités et demi-mensonges, mains sales et dos brisés.

Deux Jack, un Yorkshire, 1977.

Le couloir et retour aux archives.

En 1975.

Je fis tourner le microfilm une dernière fois sur les bobines et laissai défiler les mensonges.

Jusqu'au mardi 27 janvier 1975.

Evening Post, première page :

UN HOMME TUE SA FEMME PENDANT UN EXORCISME

Sous-titre :

Arrestation d'un pasteur.

Mais impossible de lire, impossible de lire encore...

J'appelai chez elle.
Pas de réponse.
Je raccrochai et rappelai.
Pas de réponse.
Je raccrochai et rappelai.
Pas de réponse.
Je raccrochai et rappelai.
Pas de réponse.
Je raccrochai et rappelai.
Pas de réponse.
Je raccrochai.

J'entrai sur le parking du Redbeck, m'arrêtai entre les camions noirs, les voitures vides, coupai la radio en même temps que le moteur.

Je restai immobile dans la nuit, attendis, m'interrogeai, m'inquiétai.

Je descendis et traversai le parking, parmi les trous et les cratères, sous la lune noire en train de se lever.

Devant la chambre 27, je m'immobilisai, écoutai, frappai.

Rien.

Je frappai, écoutai, attendis.

Rien.

J'ouvris la porte.

Le sergent Fraser était sur le plancher, en boule, la chaise et la table en morceaux, les murs nus, couché en boule sur le plancher, avec toutes les merdes qui avaient été accrochées aux murs, couché sur le plancher en une boule de morceaux de bois, en une boule de morceaux d'enfer.

Je restai immobile sur le seuil, la lune noire au-dessus de mon épaule, la nuit sur nous deux.

Il ouvrit les yeux.

– C'est moi, dis-je. Jack.

Il tendit la tête vers la porte.

– Je peux entrer ?

Il ouvrit la bouche, lentement, la referma.

Je traversai la pièce et me penchai sur lui.

Il avait une photo à la main.

Une femme et un enfant.

La femme avec des lunettes de soleil, l'enfant en pyjama bleu.

Ses yeux étaient ouverts, rivés sur moi.

– Asseyez-vous, dis-je.

Il saisit mon avant-bras.

– Allez.

– Je n'arrive pas à les retrouver, souffla-t-il.

– Pas de problème, fis-je en hochant la tête.

– Mais je ne les trouve nulle part.

– Ils vont bien.

Il accentua son étreinte, s'aida de mon bras pour se redresser.

– Vous mentez, dit-il. Ils sont morts, j'en suis sûr.

– Non.

– Morts, comme tout le monde.

– Non, ils vont bien.

– Vous mentez.

– Je les ai vus.

– Où ?

– En compagnie de John Rudkin.

– Rudkin ?

– Ouais, je crois qu'ils sont avec lui.

Il se leva, me dominant de toute sa taille.

– Désolé, dis-je.

– Ils sont morts, dit-il.

– Non.

– Tous morts, dit-il, ramassant un pied de table.

Je tentai de me redresser, mais je ne fus pas assez rapide.

Je fus trop lent.

L'auditeur : Et, maintenant, ces crétins de flics refusent de faire des heures supplémentaires. Les délinquants doivent se fendre la poire.

John Shark : Vous ne croyez pas que les hommes en bleu méritent une augmentation, Bob ?

L'auditeur : Une augmentation ? Me faites pas rigoler, John. Je ne donnerais pas un putain de penny à ces salauds tant qu'ils n'auraient pas arrêté quelqu'un. Et quelqu'un qui ait vraiment fait quelque chose.

John Shark : Ils ont à nouveau arrêté Arthur Scargill.

L'auditeur : Et c'est tout ce qu'ils sont capables de faire, hein ? Coffrer Arthur et se dénoncer mutuellement.

The John Shark Show
Radio Leeds
Vendredi 17 juin 1977

22

Tous les tuer.
Au volant.
Radio allumée.
Les restes calcinés d'un Noir non identifié ont été retrouvés hier à Hunslet Carr.

L'autopsie a permis d'établir que l'homme avait été poignardé avant d'être arrosé d'essence et enflammé.

D'après un porte-parole de la police, on a délibérément tenté d'empêcher l'identification de la victime, ce qui laisse croire que l'homme a un casier judiciaire.

Il s'agit d'un individu d'un peu moins de trente ans, mesurant environ un mètre quatre-vingts, robuste.

La police demande aux personnes disposant d'informations sur l'identité de la victime ou de ses meurtriers de contacter de toute urgence le poste de police le plus proche. La police précise que toutes les informations seront traitées avec la plus grande discrétion.

Radio éteinte.
Au volant, hurrrrrrrrrrrrrrrrrrrrrrrrrrrrrrrrrrrlant :
Tous les tuer.

C'est l'aube.

Je m'arrête en bas de Durkar Lane.

Il y a une voiture dans son allée privée, du lait sur son perron, ma famille chez lui.

Et je suis à l'entrée de l'allée, regrettant de ne pas être armé, je pleure.

Je cesse.

L'aube, 1977.

J'appuie sur la sonnette et j'attends.

Rien.

J'appuie à nouveau, sans arrêter.

Je vois une silhouette rose derrière la vitre, j'entends des voix à l'intérieur, la porte s'ouvre, c'est sa femme et elle dit :

– Bob ? C'est Bob. Une minute.

Mais j'entends Bobby et je l'écarte, monte l'escalier, ouvre les portes à coups de pied jusqu'au moment où je les trouve dans la chambre de derrière, elle assise sur le lit, mon fils dans les bras, Rudkin enfilant sa veste, se dirigeant vers moi.

– Venez, je dis. On s'en va.

– Personne ne s'en va, Bob, dit Rudkin, qui pose une main sur moi et ouvre les hostilités.

J'abats le pied de table sur le côté de son crâne, il se tient l'oreille, donne un coup de poing mais me rate, je le prends par les cheveux et je cogne sa putain de gueule sur mon genou, plusieurs fois, jusqu'au moment où j'entends des cris, des hurlements et des sanglots, la femme de Rudkin m'éloignant de lui, me griffant les joues, Rudkin donne des coups de poing jusqu'au moment où il atteint son but et je suis projeté hors de la pièce, me retourne et gifle sa femme pour l'éloigner, Rudkin me balance son poing sur le côté du crâne, mes dents dans ma langue, du sang partout, mais impossible de savoir à qui il est, et elle protège Bobby, presque debout de l'autre côté du lit, les bras autour de lui.

Et il y a une interruption, une accalmie, juste les sanglots et les pleurs, les élancements et la douleur.

– Arrête, Bob, sanglote-t-elle. Arrête.

Et tout ce que je peux dire, c'est :

– On s'en va.

Puis Rudkin me cogne au visage et ça recommence, je lui balance un coup de tête en pleine figure, des putains d'étoiles partout, il recule, je le suis, chassant de mes poings les étoiles et les météorites qui explosent dans toute la pièce, sur le visage de Rudkin, l'enfonçant à coups de pied et à coups de poing dans un putain de trou noir, j'atteins le lit et saisis Bobby, tentant de le dégager, jusqu'au moment où Rudkin m'attrape par le cou et commence à m'étrangler.

– Arrête, sanglote-t-elle. Arrête.

Mais il n'obéit pas.

– Arrête, John, sanglote-t-elle. Tu vas le tuer.

Rudkin me jette à genoux et je tombe en avant, le visage sur le matelas.

Il recule et il y a une nouvelle interruption, une nouvelle accalmie, toujours les sanglots et les pleurs, les élancements et la douleur, et plus ça dure, l'interruption, l'accalmie, plus longtemps je reste dans la même position, plus vite ils relâchent leur vigilance.

Alors je reste immobile, le nez sur le lit, attends que Louise, Rudkin, sa femme, jettent un coup d'œil sur moi, me donnent l'occasion de prendre ce qui m'appartient :

Bobby.

Et je reste là, mou, jusqu'au moment où Rudkin dit :

– Viens, Bob. Descendons au rez-de-chaussée.

Et je sens qu'il faiblit quand il se penche pour m'aider à me relever, sens qu'il faiblit quand je ramasse le pied de table, quand je le lève et l'abats sur le côté de son crâne, quand il heurte en hurlant la fenêtre de la chambre, cassant les vitres, elle le regarde tomber, si bien que je peux tendre les bras, lui arracher Bobby, et je suis debout, je passe la porte et fonce sur l'épouse qui dévale l'escalier aussi vite que je la suis, Louise sur mes talons, criant, hurlant et pleurant, jusqu'au moment où je trébuche sur la femme de Rudkin, en bas de l'escalier, où Louise tombe sur moi, Rudkin chutant sur nous, du sang sur le visage, dans les yeux, aveuglant ce con, et moi je crie, hurle, gueule :

– C'est mon fils, merde !

Et elle crie, hurle, sanglote :

– Non, non, non !

Bobby pâle, en état de choc, tremblant dans mes bras, sur la femme de Rudkin, sous les deux autres, moi tentant de nous dégager jusqu'au moment où Rudkin me donne un coup de poing, un coup de pied, un coup de je ne sais quoi, sur l'oreille, où je bascule en arrière, Bobby disparaît, elle se dégage, Rudkin m'immobilise, et moi je crie, hurle, pleure :

– Vous ne pouvez pas. C'est mon fils, bordel de merde !

Et elle entre à reculons dans leur séjour, une main sur la tête de Bobby, sa tête dans ses cheveux, puis elle dit :

– Non, ce n'est pas ton fils.

Silence.

Rien que ce silence, ce silence-*là*, ce long putain de silence, jusqu'au moment où elle répète :

– Ce n'est pas ton fils.

Je tente de me redresser, d'échapper au pied de Rudkin posé sur moi, comme si, debout, je pourrais comprendre la connerie qu'elle vient de dire et, en même temps, la femme de Rudkin répète inlassablement :

– Quoi ? Qu'est-ce que tu veux dire ?

Et lui, en sang de la tête aux pieds, les mains levées, qui dit :

– Arrête. Nom de Dieu, arrête.

– Mais il faut qu'il sache, bordel.

– Non, ce n'est pas la peine.

– Mais il sautait une putain, une sale pute morte, une sale pute morte et enceinte.

– Louise...

– Le fait qu'elle soit morte ne change rien, bordel. C'était son môme qu'elle portait.

Je me mets à genoux, les bras tendus vers eux, vers Bobby, mon Bobby.

– Va-t-en !

Rudkin hurle :

– Louise...

Et sa femme s'approche de lui et le gifle, puis reste immobile devant lui, simplement immobile devant lui avant de lui cracher au visage et de prendre la porte.

– Anthea, crie-t-il. Tu ne peux pas partir comme ça.

Je me lève, mais il me retient toujours, crie à sa femme :

– Anthea !

Et mes mains sont tendues vers Bobby, l'arrière de son crâne, mon Bobby.

– Va-t-en, dit-elle. John, empêche-le d'approcher de nous !

Mais il est partagé, John Rudkin, partagé entre laisser sa femme partir et me lâcher, ça le rend faible et ça me rend fort, je vois Bobby à quelques dizaines de centimètres, et j'y suis en un instant, coup de poing sur le côté de sa putain de tête de menteuse, un deuxième, et elle me laisse prendre ce qui m'appartient, me le laisse, me laisse mon Bobby, mais Rudkin se jette carrément sur mon putain de coude, je garde une main sur Bobby, de l'autre je

tiens les cheveux de Rudkin, le fais pivoter, le préci-
pitant contre la cheminée en marbre, puis contre
Louise, qui trébuche, si bien que Bobby et moi on
sort de la pièce, on suit le couloir, on franchit la
porte, on prend l'allée, Bobby pleurant et appelant
sa maman, moi lui disant que tout va bien, que tout
va s'arranger, lui disant de ne plus pleurer, que
maman et papa blaguent, c'est tout, et, pendant tout
ce temps, je les entends derrière moi, j'entends leurs
pas, je l'entends dire :

– Non, John ! Le petit ! Attention à Bobby.

Et, soudain, mon dos disparaît, comme si je n'en
avais plus, et je suis à genoux dans l'allée, et il ne
faut pas que je laisse échapper Bobby, il ne faut pas
que je laisse échapper Bobby, il ne faut pas que je
laisse échapper Bobby, il ne faut pas que je laisse
échapper Bobby.

– Non ! Tu vas le tuer !

Je suis à plat ventre dans l'allée et Bobby a disparu, et je suis à plat ventre dans l'allée et ils
m'enjambent, courent jusqu'à la voiture, lui laissant
tomber une batte de cricket près de ma tête, elle
disant :

– On est quittes, Bob. Quittes.

Et ils partent, tout blanc, puis gris, et enfin noir.

L'auditeur : Vous jetez un coup d'œil sur le journal et qu'est-ce que vous voyez ?

John Shark : Je ne sais pas, Bob. Vous allez me le dire.

L'auditeur [il lit] : « *Chaque semaine, six bébés sont tabassés à mort, des milliers sont blessés. Page suivante : tous les enfants du Nord font signe de la main à la Reine. Puis : soixante-quatorze flics démissionnent chaque mois et il y a cent mille chômeurs. Viols, meurtres, Éventreur...* »

John Shark : Qu'est-ce que vous voulez dire, Bob ?

L'auditeur : Callaghan l'a dit lui-même, hein ? Gouverner ou partir.

The John Shark Show
Radio Leeds
Vendredi 17 juin 1977

23

Coup d'œil sur ma montre, il est 7 h 07.
Je suis dans un vieil ascenseur, je monte, regarde les étages défiler.
Je sors de l'ascenseur, m'engage sur le palier.
Un petit garçon en pyjama bleu, debout, attend.
Il me prend par la main et m'entraîne dans un couloir, moquette élimée, murs sales, odeur.
On arrive devant une porte et on s'arrête.
Je pose les doigts sur la poignée et je la tourne.
C'est ouvert.
Chambre 77.

Je repris connaissance sur le plancher, une douleur horrible, noire et lourde, au crâne.
Je posai la main sur ma tempe, sentis le sang séché, qui formait une croûte.
Je levai la tête : vive lumière dans la pièce.
Lumière matinale, une lumière matinale venue du Common, du Common où les dos des poneys et les dos des chevaux fumaient.
Je m'assis dans cette lumière matinale, m'assis sur l'océan de papier déchiré, de meubles brisés, reconstituai les photographies et les notes.
Eddie, Eddie, Eddie – partout.
Mais rien ne pouvait reconstituer Eddie.

Et, de même, rien ne pouvait empêcher Jackie de descendre plus bas.

Je tentai de me lever, sentis que ma bouche s'emplissait de vomi, me traînai jusqu'au lavabo et crachai.

Je me redressai, ouvris le robinet, passai de l'eau froide et grise sur mon visage.

Dans le miroir je le vis, me vis.

Membres de paille et volonté de rotin, piétinés par des sabots, des sabots de chevaux, de chevaux chinois.

Coup d'œil sur ma montre.

Il était sept heures passées.

7 h 07.

Au volant de ma voiture sur le parking du Redbeck, me pinçant l'arête du nez, toussant.

J'actionnai le démarreur, éteignis la radio, embrayai.

Je traversai Wakefield, passai devant les poneys et les chevaux de Heath Common, les tas noirs aux endroits où on avait allumé des feux de joie, puis je traversai Ossett et Dewsbury, scories noires là où il y avait des champs, devant RD News, laissant Batley derrière moi, jusqu'à Bradford.

Je m'arrêtai dans sa rue, me garai près d'un grand chêne vêtu de ses plus belles feuilles d'été.

Vert

Je frappai une nouvelle fois.

Il faisait froid sur le perron, à l'ombre, les feuilles caressant la fenêtre.

Je posai les doigts sur la poignée et la tournai.

J'entrai.

L'appartement était silencieux et obscur, personne.

411

Je m'arrêtai dans le couloir, écoutai, pensai à l'appartement qui se trouvait au-dessus de RD News, à ces endroits où on se cachait.

J'entrai dans le séjour, la pièce où on s'était rencontrés, rideaux orange tirés, je m'assis sur le fauteuil que je prenais toujours, et je décidai de l'attendre.

Chemisier crème et pantalon assorti, cette première fois. Genoux nus, meurtris et sales, la dernière fois.

Dix minutes plus tard, je me levai, allai à la cuisine, mis de l'eau à bouillir.

J'attendis qu'elle soit chaude, la versai dans une tasse, regagnai le séjour.

Puis je restai là, dans le noir, attendis Ka Su Peng, me demandai comment j'en étais arrivé là, dressai la liste complète :

Mary Ann Nichols, assassinée dans Buck's Row en août 1888.

Annie Chapman, assassinée dans Hanbury Street en septembre 1888.

Elizabeth Stride, assassinée dans Berner's Street en septembre 1888.

Catherine Eddowes, assassinée dans Mitre Square en septembre 1888.

Mary Jane Kelly, assassinée dans Miller's Court en novembre 1888.

Cinq femmes.

Cinq assassinats.

Je sentis que la marée montait, la marée de sang, qu'elle touchait mes chaussures et mes chaussettes, commençait à couvrir mes jambes.

Qu'est devenu notre jubilé ?

Marée montante, marée de sang, touchant mes chaussures et mes chaussettes, commençant à couvrir mes jambes.

Carol Williams, assassinée à Ossett en janvier 1975.

Une femme.

Un assassinat.

Je sentis que les eaux montaient, les eaux sanglantes de Babylone, ces fleuves de sang dans une vie de femme, parapluies ouverts, averses sanglantes, flaques de sang, pluie rouge, blanche et bleue de sang.

Joyce Jobson, agressée à Halifax en juillet 1974.

Anita Bird, agressée à Cleckheaton en août 1974.

Theresa Campbell, assassinée à Leeds en juin 1975.

Clare Strachan, assassinée à Preston en novembre 1975.

Joan Richards, assassinée à Leeds en février 1976.

Ka Su Peng, agressée à Bradford en octobre 1976.

Marie Watts, assassinée à Leeds en mai 1977.

Linda Clark, agressée à Bradford en juin 1977.

Rachel Johnson, assassinée à Leeds en juin 1977.

Janice Ryan, assassinée à Bradford en juin 1977.

Dix femmes.

Six assassinats.

Quatre agressions.

Halifax, Cleckheaton, Leeds, Preston, Bradford.

Je fermai les yeux, le thé froid entre mes mains, la pièce plus encore. Elle se pencha, écarta ses cheveux et j'entendis à nouveau sa chanson, notre chanson :

À la rémission et au pardon, la fin de la pénitence ?

J'avais envie de pisser.

Oh, Carol.

J'ouvris la porte, j'allumai et elle était là :

Dans la baignoire, eau rouge, peau blanche, cheveux bleus ; son bras droit pendait à l'extérieur, sang sur le dallage, serpents profonds creusés dans ses poignets.

À genoux :

Je la sortis de la baignoire, la sortis des eaux, enveloppai son corps dans une serviette, la serrai dans l'espoir de lui rendre la vie.

À genoux :

Je la berçai, son corps froid, ses lèvres bleues toutes les deux, trous noirs dans ses mains, trous noirs dans ses pieds, trous noirs dans sa tête.

À genoux :

Je l'appelai, je la suppliai, je lui dis la vérité, plus de mensonges, seulement pour qu'elle ouvre les yeux, pour entendre son nom, pour entendre la vérité :

Je t'aime, je t'aime, je t'aime...

Et elle dit :

Moi aussi, Jack. Je suis obligée.

L'auditeur : Je lis la Bible.

John Shark : Je sais.

L'auditeur [il lit] : « *Et les hommes qui n'avaient pas été tués par ces fléaux mais ne se repentaient pas des œuvres de leurs mains, qui ne devaient pas adorer les démons et des idoles d'or, d'argent, de cuivre, de pierre et de bois : qui ne peuvent ni voir, ni entendre, ni marcher...* »

John Shark : Où voulez-vous en venir ?

L'auditeur : « Ne se repentaient pas davantage de leurs meurtres, de leur sorcellerie, de leurs fornications, de leurs vols. »

The John Shark Show
Radio Leeds
Vendredi 17 juin 1977

24

Je m'arrête dans les Moors, à l'endroit qu'on appelle The Grave [1], la douleur s'estompant, la journée aussi.

Le vendredi 17 juin 1977.

Je sors mon stylo et fouille dans la boîte à gants.

Je trouve quelques pages blanches dans l'atlas routier et je les arrache.

J'écris, page après page, puis je cesse et les froisse.

Je descends et gagne le coffre, prends le papier collant et le tuyau, fais ce que je dois faire.

Puis je reste simplement là jusqu'au moment où, finalement, finalement, je reprends le stylo et recommence :

Cher Bobby,
Je ne veux pas vivre sans toi.
Ils te mentiront sur moi,
Comme ils m'ont menti.
Mais je t'aime et je serai là,
Pour te protéger, toujours.
Je t'aime,
Papa.

1. C'est-à-dire « la Tombe ». (*N.d.T.*)

Je mets le moteur en marche, pose le mot sur le tableau de bord et fixe les Moors où je ne vois, au-delà du pare-brise, où je ne vois que son visage, ses cheveux, son sourire, son petit ventre qui écarte ce pyjama bleu, ses mains qui forment un télescope, et puis je ne le vois plus à cause des larmes, je ne le vois plus à cause...

John Shark : Allô ?

L'auditeur :

John Shark : Allô ?

L'auditeur :

John Shark : Il y a quelqu'un ?

The John Shark Show
Radio Leeds
Samedi 18 juin 1977

25

– Merci, dis-je, puis je traversai le hall d'entrée.

J'appuyai sur 7, dans le vieil ascenseur du Griffin, montai, regardai passer les étages.

Je sortis de l'ascenseur, m'engageai sur le palier.

Je pris le couloir, moquette élimée, murs sales, odeur.

J'arrivai devant une porte et m'arrêtai.

Je posai les doigts sur la poignée et la tournai.

C'était ouvert.

Chambre 77.

Le révérend Laws était assis dans un fauteuil en rotin près de la fenêtre : la gare de Leeds grise parmi les cheminées et les toits, les pigeons et leur merde.

Tout était sur une serviette blanche, sur le lit.

– Assieds-toi, Jack, dit-il, me tournant le dos.

Je m'assis sur le lit, près de ses outils.

– Quelle heure est-il ?

Je jetai un coup d'œil sur ma montre.

– Presque sept heures.

– Bien, dit-il, et il se leva.

Il ferma les rideaux, tira le fauteuil en rotin au milieu de la pièce.

– Enlève ta chemise et assieds-toi ici.

J'obéis.

Il prit les ciseaux posés sur le lit.

J'avalai ma salive.

Il prit place derrière moi et se mit à couper.

– Bien dégagé derrière les oreilles ?

– Contente-toi de rafraîchir un peu, je blaguai.

Quand il eut terminé, il souffla sur le sommet de mon crâne, puis épousseta quelques cheveux gris.

Il regagna le lit et posa les ciseaux.

Ensuite, il saisit le tournevis Philips et le marteau, prit place derrière moi, souffla :

– Le chemin est l'océan et ta route est dans les eaux immenses, et tes pas ne laissent pas de traces.

Je fermai les yeux.

Il posa la pointe du tournevis sur le sommet de mon crâne.

Et je vis – *les deux sept s'entrechoquent et ça recommence, encore et encore, imperméables sur des visages, chaussures posées sur des cuisses, une culotte laissée autour d'une jambe, soutiens-gorge remontés, ventres et seins évidés, crânes enfoncés, violence à l'emporte-pièce, Moyen Âge et procès en sorcellerie, antiques villes anglaises, dix mille épées brillant au soleil, trois fois dix mille danseuses lançant des fleurs, éléphants blancs caparaçonnés de rouge, de blanc et de bleu avec les prix qu'on paie, les dettes qu'on contracte, les tentations de Jack sous des imperméables à bon marché, pull à col roulé et soutien-gorge rose remontés sur des nichons plats et blancs, serpents sortant de plaies au ventre, culotte blanche autour d'une seule jambe, sandales posées sur le gras des cuisses, femmes légères, du sang, du sang épais, noir, visqueux, dans les cheveux, parmi les éclats d'os et les fragments gris de cervelle, tombant goutte à goutte sur l'herbe de Soldier's Field, les incendies derrière mes yeux, une chemise de nuit blanche de chez Marks & Spencer imbibée de sang, noire, à cause des trous qu'il a faits, de si nombreux trous, ces gens pleins de trous, Daniel devant le mur antique en ces jours antiques, jouant avec des allumettes derrière mes yeux, et un mot,* Tophet : *Ford Capri blanches, Corsair bordeaux, Land Rover, toutes les façons dont un homme peut purger sa peine,* HAINE, *ni sujet ni objet, seulement* HAINE : *voyous du Yorkshire et flics du Yorkshire, les Black Panthers et l'Éventreur du Yorkshire, Jeanette Garland et Susan Ridyard, Clare Kemplay et Michael Myshkin, Mandy Wymer et Paula Garland, la fusillade du Strafford et les meurtres de* L'Exorciste : *Michael Williams et Carol Williams, la serrant dans mes bras, là dans la rue, sang sur mes mains, sang sur son visage, sang sur mes lèvres, sang dans sa bouche, sang dans mes yeux, sang dans ses cheveux, sang dans mes larmes, sang dans les siennes, Sang et Feu, et je pleure parce que je sais que c'est fini, et au-dessus de la cheminée face à la porte est accrochée une gravure intitulée* La veuve du pêcheur, *un manteau d'homme tient lieu de rideau devant la fenêtre, tournevis Philips, lourdes bottes en caoutchouc, marteaux, le Ménestrel par le cou, le soda, le pain rassis, les cendres dans le foyer, seulement une chambre et une jeune femme en blanc noircissant jusqu'aux bouts de ses ongles et aux trous de sa tête, seulement une jeune femme, entendant des pas sur les pavés, dehors, cœur absent, porte verrouillée de l'intérieur, continuant de fuir mais certain qu'on n'ira pas loin : fusils à Hanging Heaton, fusils à Skipton, fusils à Doncaster, fusils à Selby, Jubila, Jubilo, Jubilum, lui caressant sa barbe, secouant la tête, un clin d'œil et disparu, quand on en cherche un il y en a deux, deux trois, trois quatre ; quand on en cherche quatre trois, trois deux, deux un, ceux qui s'en tirent et ceux qui n'y arrivent jamais, l'homme que j'aime, dans la galerie dans les derniers jours, le temps disponible, quand vos fils et vos filles prophé-*

tiseront, vos jeunes hommes verront des visions et vos vieillards rêveront des rêves, pas de miracles pour les morts, seulement des rêves qui sourient dans l'obscurité, de la viande entre les dents, tapotant sa bedaine, rotant, remettant de l'ordre dans ses cheveux, caressant sa moustache, souriant, levant un sourcil, plissant le front et secouant la tête, un clin d'œil et disparu à nouveau après l'horreur : le lendemain et le surlendemain, s'en tirant une nouvelle fois, désespéré et près de la mort depuis ma jeunesse, je partage vos terreurs : je suis le dos au mur, mes compagnons dans les ténèbres, et il faut qu'il y ait un autre moyen, La veuve du pêcheur *à la peinture rouge fraîche, bouteilles de sherry, bouteilles d'alcool, bouteilles de bière, bouteilles de produits chimiques, toutes vides, seulement une pièce en enfer, vingt-cinq ans de succès à l'occasion du jubilé, l'enfer à tous les coins de rue, chaque matin, ormes morts, par milliers, dans des rues obscures, au souffle court, aux arrières malsains de cités ouvrières, cernés par des pierres silencieuses, enterrés sous les briques noires, dans les cours et les ruelles, pied sur brique, brique sur tête, les maisons construites par Jack, et il arrive, ronde de roses, petits bouquets dans les poches, il arrive, je te baise... et tu t'endors/je t'embrasse... et tu te réveilles, et il est là et il n'y a pas d'autre enfer que celui-ci, de la chance, celle-là, cinq maintenant, ils disent, mais n'oubliez pas Preston en 75, j'ai déchargé dans celle-là, la salope, Dieu garde la population de Leeds et les plaies qui ne cessent de saigner, les bleus qui ne guérissent pas, et je sens que ça me reprend donc porte quelque chose de joli parce que c'est pourquoi les gens meurent, c'est pourquoi les gens, c'est pourquoi, cinq maintenant, vous dites, mais il y a une surprise à Bradford, vous y allez vous saurez, Eddie, Eddie, Eddie ; des policiers exceptionnels que nous remercions du fond du cœur, les*

hommes cherchant la mort mais ne la trouvant pas, espérant mourir mais la mort leur échappant, comme la rémission et le pardon, la fin de la pénitence, brûler les nègres à Hunslet Carr, négros dans le train, Nigérians à plat ventre à Calder, le rouge, le blanc et le bleu, les Vallées de la Mort, les Moors de l'Enfer, d'enfers solitaires, interminablement : les machinations et les pièges, les coups montés et la culpabilité, les indics qui murmurent, les statues qui saignent, voisin contre voisin, frère contre frère, familles ligotées et massacrées à bord de navires noirs, mères attachées et assistant au viol de leur fille à bord de Navires de Fiançailles, le Navire Blanc coulé au large d'Albion, moi prisonnier d'un train dans une tempête de neige au milieu des Moors, dans les chambres des morts, dans les maisons des morts, dans les villes des morts, le pays des morts, le monde des morts, nous roulons ensemble sur la route, après la pluie, après le jubilé, feux d'artifice tirés, le rouge, le blanc et le bleu disparus, nous noyant dans le ventre plein de sang de la baleine pendant les quelques derniers jours, hommes mangeant des fusils, respirant du gaz, bandes de nègres égorgeant des flics gras et blancs qui regardent Songs and Praise, chez eux, le dos à la porte, leurs fils jurant de se venger, leurs enfants pleurant pendant le reste de leur vie, interminablement : égaré dans des pièces, cheminées aussi hautes que des clochers, minarets plus hauts que les cheminées, islam maudit dans toutes les villes, croisades dans les cours, croisades pour les morts, croisades sans fin, matins qui sont des nuits, immobiles dans des silences imprévisibles, téléphonant depuis des cabines rouges, policiers de haute taille et blonds, couverts de sang de la tête aux pieds, le mal allant à la rencontre du mal, arbres verts prenant la couleur de l'argent, rêves privés de sommeil distendant les os, les lacérant, les longs visages de l'enfer, qui chantent le

423

chant des damnés et des condamnés : odes aux morts,
prières pour les vivants, mensonges pour tous, auto-
cars hurlants qui foncent à toute vitesse, portes
ouvertes, morceaux de phlegme cancéreux disparais-
sant au fond de l'évier, debout dans l'ombre des ailes
de la vérité, meurtri par le sommeil, à l'aide, dans les
ombres de ses cuisses, le noir de ses yeux, je te baise...
et tu t'endors/je t'embrasse... et tu te réveilles, dans
des pièces au-dessus d'une boutique, la vraie chair,
les pierres dans mes chaussures, assis ensemble sur
des canapés ensanglantés, le soir où Michael Wil-
liams a enfoncé un clou de vingt centimètres dans la
tête de sa Carol, DANS LA TÊTE DE MA
CAROL, pour sauver son âme, ma Carol, pensant
j'ai oublié quelque chose, chevaux chinois qui
passent à toute vitesse, échines vides, yeux ouverts, ne
parlant que de reddition, futurs écrits comme s'ils
étaient passés, gens abandonnés dans des angoisses
personnelles, souveraines, enfers royaux, mensonges
et vérités pleins de trous, si pleins de trous, ces gens si
pleins de trous, toutes ces têtes si pleines de trous, le
temps dont on dispose, dehors les chiens et les sor-
ciers, les débauchés et les meurtriers tapis dans des
cimetières du Sud frappant inlassablement sur la tête
de putains écossaises avec des instruments conton-
dants, en 1977 partageant vos terreurs, en 1977 je suis
le dos au mur, en 1977 mes compagnons sont dans
les ténèbres, en 1977 quand les jeunes hommes voient
des visions et les vieillards rêvent des rêves, des rêves
de rémission et de pardon, de fin de pénitence, en
1977, quand les deux sept s'entrechoquent et que les
plaies ne cessent pas de saigner, que les bleus ne gué-
rissent pas, les deux témoins – leur témoignage ter-
miné, leurs corps gisant nus dans les rues de la ville,
l'océan du sang, l'eau de l'absinthe, femmes ivres du
sang, de la patience et de la foi des saints, et je suis
devant la porte et je frappe, les clés de la mort, de

l'enfer et le mystère de la femme, certain que c'est
pourquoi les gens meurent, que c'est pourquoi les
gens, en 1977 que c'est pourquoi je vois...

Il abattit le marteau.

– *No future.*

Rivages / noir
Dernières parutions

Achevé d'imprimer en février 2005
par Novoprint (Barcelone)

Dépôt légal: février 2005

Imprimé en Espagne